W9-CUP-992

Remerciements à

Anne Boëlle
Jean-Michel Bourdin
Marie-Laure Duhamel
Marion Ferreira
Mark Gléonec
Delphine Hamon
Lucette Labboz
Catherine Labourdette
Alain Le Cloarec
Amandine Trepon
Pierrette Verdys

À mes amis

Jo Bodet
Jean-Michel Le Gars
Alain Prigent

Sans verser de larmes

Aux Éditions du Palémon

Les enquêtes de Mary Lester

1 *Les Bruines de Lanester*
2 *Les Diamants de l'Archiduc*
3 *La Mort au bord de l'étang*
4 *Marée blanche*
Prix Fondation Paul Ricard - 1995
5 *Le Manoir écarlate*
6 *Boucaille sur Douarnenez*
Association des Écrivains de l'Ouest-:
Grd Prix de la Ville de Rennes - 1995
7 *L'Homme aux doigts bleus*
8 *La Cité des dogues*
9 *On a volé la Belle Étoile-!*
10 *Brume sous le grand pont*
11 *Mort d'une rombière*
12 *Aller simple pour l'enfer*
13 *Roulette russe pour Mary Lester*
14 *À l'aube du troisième jour*
15 *Les Gens de la rivière*
16 *La Bougresse*
17 *La Régate du St-Philibert*
18 *Le Testament Duchien*
19 *L'Or du Louvre*
20 *Forces noires*
21 *Couleur Canari*
22-23 *Le Renard des grèves*
24 *Les Fautes de Lammé-Bouret*
25 *La Variée était en noir*
26 *Rien qu'une histoire d'amour*
27 *Ça ira mieux demain*
28 *Bouboule est mort*
29 *Le passager de la Toussaint*
30-31 *Te souviens-tu de Souliko'o ?*

Les aventures de Filosec et Biscoto (jeunesse)

1 - Les naufragés de l'île sans nom
Prix des Embouquineurs - Brest 1999
Prix Loustig Pont-L'Abbé 1999
2 - Le manoir des hommes perdus
3 - Les passagers du Sirocco - T1 "Le jardin des simples"
4 - Les passagers du Sirocco - T2 "Dans les griffes du docteur Châ"
5 - Monnaie de singe (avec Jean-Luc Le Pogam)

Théâtre

Authentique Histoire de Bélise… *(Prix des Écrivains Bretons 1998)*

Nouvelles

Le gros lot
L'homme que je n'ai pas tué

Aux Éditions Flammarion :

L'Ombre du Vétéran (*Prix Pierre Mocaër - 1993)*
La Fontenelle, Seigneur de l'Île Tristan

Jean FAILLER

Sans verser de larmes

ÉDITIONS DU PALÉMON
ZA de Troyalac'h - N°10 rue André Michelin - 29170 St-Évarzec

CE LIVRE EST UN ROMAN.

Toute ressemblance avec des personnes, des noms propres, des lieux privés, des noms de firmes, des situations existant ou ayant existé, ne saurait être que le fait du hasard.

Chapitre 1

La semaine avait démarré en souplesse; il flottait sur la ville comme un air de printemps lorsque Mary Lester avait quitté son domicile de la Venelle du Pain Cuit pour rejoindre le commissariat par les quais de l'Odet.

On n'était encore que début mars mais les jours commençaient à s'allonger et les jardiniers municipaux s'affairaient à mettre en place des plantes fleuries dans les bacs accrochés aux rambardes de fer en surplomb du cours d'eau. Les camélias arborescents qui bordaient la rivière, vestiges des anciens jardins bourgeois au milieu desquels on avait - pour faire place à l'automobile - ouvert un second boulevard, portaient une multitude de bourgeons vernissés gonflés de sève, qui commençaient à s'ouvrir sur des fleurs rouges ou blanches.

En ce lundi matin, neuf heures sonnaient au clocher de la cathédrale Saint-Corentin lorsque le capitaine Mary Lester poussa la porte du commissariat.

Elle serra la main du brigadier de nuit qui passait les consignes au collègue de jour.

— Bonjour, Mériadec.

— Bonjour capitaine, toujours à l'heure, à ce que je vois !

— Je m'y efforce, sourit-elle.

On apercevait, derrière une vitre, la salle où se tenaient les gardiens qui se racontaient leurs exploits du week-end.

— Ça va ?

— Ça roule, capitaine.

Le brigadier-chef Mériadec ne paraissait pas mécontent de voir le lundi arriver. Il avait assumé deux gardes de nuit, celle du samedi et celle du dimanche, les plus agitées de la semaine, et il n'avait pas beaucoup dormi. Le blanc de ses yeux gonflés était rougi, probablement par le manque de sommeil.

Mary fit pivoter la main courante ouverte à plat sur le comptoir et y jeta un coup d'œil.

Mériadec commenta :

— RAS, secteur calme sur l'ensemble du front.

— Vous parlez comme un poilu, dit-elle en retournant à nouveau le registre.

Mériadec se mit à rire :

— C'est mon arrière-grand-père qui disait ça.

Et il ajouta :

— Il avait fait la guerre de 14-18 dans les tranchées.

— Ça ne rigolait pas, à cette époque !

— Non, dit Mériadec.

Il haussa les épaules.

— Heureusement, ici, c'est moins rude. Ce n'est pas le calme plat, mais enfin… la routine : bagarre à la gare, à la sortie d'un bar, arrestation mouvementée de deux jeunes cons qui cassaient les essuie-glaces et les rétroviseurs des bagnoles en stationnement…

Nouveau commentaire :

— Ils étaient complètement bourrés…

Mary haussa les épaules :

— Ceci explique cela… Où sont-ils ?

— En cellule de dégrisement.

Le brigadier-chef Conan qui prenait la suite de Mériadec précisa :

— Je suppose que le patron voudra les voir ?

— Certainement, dit Mériadec en poursuivant son énumération : une femme qui s'est fait cogner par son mec dans la ZUP… Ce sont les voisins qui nous ont appelés.

— Elle a été sérieusement blessée ?

— Assez pour être hospitalisée. Elle saignait beaucoup, une arcade sourcilière fendue, paraît-il.

— Et le costaud ?

— Il est là.

Du pouce il montrait la porte menant aux geôles.

— C'est un récidiviste, dit Mériadec. Les gosses ont été pris en charge par la DDASS.

— Quel gâchis, marmonna Mary avec dégoût.

— Et sa bonne femme refuse de porter plainte, ajouta le brigadier-chef en secouant sa grosse tête d'un air d'incompréhension.

Et il ajouta en levant les yeux au ciel :

— Elle l'aime !

— Pff ! fit Mary accablée. Et elle l'aimera toujours quand il l'aura estropiée ?

Mériadec eut un geste d'exaspération.

— Je m'en fous, elle n'aura que ce qu'elle mérite !

— Et les gosses ? s'inquiéta Mary, vous avez pensé aux gosses ?

Le brigadier était remonté :

— Ce n'est pas à moi d'y penser, fit-il d'un ton rogue, c'est à ces deux tarés !

Sa voix baissa d'un ton.

— Les gosses pour eux, c'est quoi ? Des allocs ? De quoi se payer un écran plat, de la bière et des pizzas surgelées pour bouffer en regardant les variétés au lieu d'aller au boulot ? Pff, cracha-t-il dégoûté.

En elle-même, Mary dut convenir que le brigadier Mériadec n'avait pas tort, mais elle ne pouvait s'empêcher de penser aux gosses abandonnés au milieu d'une nuit de fureur et livrés aux services sociaux où matériellement ils ne manqueraient de rien, mais affectivement… Tiens, elle en aurait pleuré, mais il fallait se blinder dans ce métier.

— On peut voir le vainqueur du match ? demanda-t-elle, masquant son écœurement sous une gouaille qui ne trompait personne.

— Allez-y, dit Mériadec.

Il poussa son portillon et précéda Mary vers les geôles de rétention où était détenu l'époux cogneur.

Le judas glissa et elle aperçut un type mal rasé dont un des yeux était fermé et dont le nez sanguinolent semblait avoir doublé de volume. Il se tenait recroquevillé sur lui-même comme s'il souffrait beaucoup.

De l'œil qu'il pouvait encore ouvrir sourdait un regard de bête traquée.

— Qu'est-ce que vous lui avez fait ? demanda Mary à voix basse.

Mériadec éluda :

— Je n'y étais pas…

Mary avait senti son embarras.

— Qui a procédé à l'intervention ?

— Gertrude…

Rien qu'un prénom et elle comprit mieux.

— Pff… fit-elle, ce pauvre garçon n'a vraiment pas eu de chance !

— J'espère que Gertrude n'aura pas d'ennuis, souffla encore Mériadec.

— Où est-elle ?

Mériadec, du pouce, indiqua la porte d'un petit bureau :

— Elle rédige son rapport.

— Je vais lui proposer mon aide, dit Mary.

Mériadec apprécia :

— C'est sympa, capitaine.

Mary avait fait la connaissance de Gertrude Quintrec lors de son enquête à Saint-Brieuc.* À l'époque, elle était gendarmette mais, subjuguée par

* *Voir :* Bouboule est mort.

le lieutenant Fortin, elle avait orienté différemment sa carrière en entrant dans la Police nationale.

Gertrude Quintrec avait un visage poupin et une abondante touffe de cheveux roux et frisés. D'ascendance irlandaise, elle avait plus souvent joué au rugby qu'à la poupée avec ses quatre frères et sa corpulence l'y prédestinait : un bon mètre quatre-vingt sous la toise, plus de quatre-vingts kilos un peu serrés dans l'uniforme, elle pratiquait le lancer de poids au niveau national. Fortin lui avait enseigné tous les bons (et quelques mauvais) coups en matière de combat de rue, si bien qu'il ne faisait pas bon s'y frotter. D'ailleurs, personne au commissariat n'y aurait songé.

Lorsque Mary entra dans le petit bureau, Gertrude leva sur elle de beaux yeux verts qui paraissaient bien ennuyés. Elle mâchonnait un crayon d'un air perplexe et ne paraissait pas avoir d'inspiration, la feuille de papier posée sur la table était encore vierge de toute inscription.

— Bonjour Gertrude ! dit Mary, ça va ?

L'enjouement du capitaine Lester n'était pas communicatif. Gertrude lui rendit son salut d'une manière plutôt morose :

— Bonjour capitaine…

— Vous faites votre rapport ?

— J'essaye…

Mary s'assit sur la seule chaise libre du local :

— Je peux vous aider ?

Le visage de Gertrude s'éclaira :

— Eh bien… ce n'est pas de refus. Les paperasses, moi…

Elle eut une moue qui indiquait que ce n'était pas la partie du travail qu'elle préférait. Elle montra d'un mouvement de menton l'ordinateur mis à sa disposition :

— Quant à taper là-dessus…

Ça ne paraissait pas l'enchanter non plus.

Mary proposa :

— Changeons de place…

Gertrude ne se le fit pas dire deux fois. Elle céda son siège à Mary et prit le sien. Mary s'installa devant le clavier, appela le logiciel de traitement de texte et, regardant Gertrude dans les yeux, demanda :

— Que s'est-il passé cette nuit à la ZUP ?

Gertrude inspira profondément si bien que Mary put croire que sa poitrine épanouie allait faire sauter les boutons d'uniforme. Puis elle expira :

— J'étais de patrouille de nuit, dit-elle, Mériadec nous a signalé qu'il y avait du bordel à la cité HLM. On y est allés…

— Qui était avec vous ?

— Bensalem…

Mary fronça les sourcils. Ce nom lui disait quelque chose, mais elle ne visualisait pas le visage.

— Je le connais ?

— Je ne crois pas. C'est un jeune qui vient d'arriver.

Ça s'expliquait mieux ainsi. D'un mouvement de tête elle fit signe à Gertrude de poursuivre.

— Au troisième étage, il y avait un type qui balançait ses meubles par la fenêtre et qui hurlait.

— Ce sont les voisins qui ont appelé?

— Oui... Quand il a vu la voiture de police, il a pris un bébé et il a menacé de le jeter par la fenêtre.

— Un bébé? répéta Mary effarée.

— Oui, un nourrisson. Une femme est apparue et a tenté de reprendre le bébé. Il lui a collé un marron qui l'a renvoyée dans la pièce.

— Qu'avez-vous fait alors?

— J'ai rendu compte de la situation à Mériadec, et puis je suis montée avec Bensalem. On a frappé, mais il ne voulait pas ouvrir. Alors j'ai enfoncé la porte d'un coup de pied... Quand il nous a vus, le type a laissé tomber le bébé que Bensalem a recueilli. Il est tout de suite descendu le mettre à l'abri auprès des voisins. La femme était écroulée par terre, pleine de sang.

Les narines de Gertrude frémissaient. Dans ses yeux verts passaient des lueurs que Mary avait déjà vues dans les yeux de Mizdu lorsqu'il était en colère.

— Nom de Dieu, dit-elle, la roustée que je lui ai mise à ce con-là! Ah, ça m'a fait du bien!

Elle eut un geste de découragement:

— Mais maintenant, c'est sur ma gueule que ça va retomber!

Fortin ne lui avait pas appris seulement les techniques de combat de rue. Son vocabulaire aussi avait déteint sur Gertrude.

— Forcément, dit Mary, si vous présentez les choses comme ça !

— Et comment que j'dois les présenter ? demanda Gertrude d'un air de défi. Ah, j'oubliais, il y avait un autre gosse, il avait dérouillé sérieux ! Il s'était caché sous son lit.

Mary frissonna. Dans quel monde vivait-on ?

— À mon avis, dit-elle, ce type a essayé de vous frapper…

— Ah, dit Gertrude, il n'a pas eu le temps !

Mary voyait ça d'ici, la tornade rousse lâchée contre le tortionnaire. Elle s'impatienta :

— Mais si, il a eu le temps, dit-elle.

Elle insista :

— Vous comprenez, Gertrude, ce type avait assommé sa femme, a demi tué son gosse et voulu balancer un nourrisson du troisième étage. Dans l'urgence, car il y avait péril de mort pour ce bébé, vous avez dû enfoncer la porte.

Le visage de Gertrude s'éclaira :

— Ah ouais, c'est ça, c'est bien ça !

— Vous voyez, dit Mary, ça vous revient. Ensuite il s'en est pris à vous…

Et, comme Gertrude allait ajouter quelque chose, elle redit, un ton au-dessus :

— Il s'en est pris à vous et vous avez dû vous défendre !

Le ton n'admettait pas de réplique.

Elle commença à taper avec virtuosité, en lisant à voix mi-haute ce qu'elle écrivait :

— *Ce quatre mars, alors que j'étais en patrouille avec le gardien stagiaire Bensalem, nous avons été avisés par le brigadier Mériadec d'une altercation dans un immeuble de la cité HLM des Goélands. Nous étant rendus sur les lieux, nous avons constaté qu'un individu surexcité jetait des meubles depuis la fenêtre du troisième étage d'un bâtiment. Quand il nous a vus arriver, il a pris un bébé et a menacé de le jeter par la fenêtre. La mère ayant tenté de s'interposer, il l'a frappée avec violence. Après avoir avisé le brigadier de permanence de la situation, nous avons décidé d'intervenir sans délai. J'ai dû enfoncer la porte. L'homme a alors jeté le bébé à terre pour se précipiter sur nous. Le gardien stagiaire Bensalem a pris le bébé dans ses bras et il est descendu pour le confier aux voisins en attendant les secours. La femme gisait à terre, sans connaissance. L'homme s'en est pris à moi et j'ai dû me défendre comme je pouvais. Après une courte lutte, j'ai réussi à le maîtriser et à le menotter à un radiateur. Puis je me suis occupée de la femme qui était toujours inconsciente. En visitant l'appartement, j'ai trouvé un autre enfant d'environ quatre ans terré sous son lit, complètement terrorisé. Il portait lui aussi des traces de coups. Les pompiers, prévenus par le brigadier-chef Mériadec, sont arrivés et ont embarqué la mère et les deux enfants. Le gardien stagiaire Bensalem et moi avons ramené l'agresseur au commissariat où il a été placé en cellule de dégrisement.*

Mary regarda Gertrude en souriant. La policière avait compris et, lorsque Mary lui demanda : « C'est bien comme ça que ça s'est passé ? », elle hocha la tête avec conviction : « Tout à fait, capitaine ».

Puis elle ajouta avec humilité :

— Mais je n'aurais pas su l'écrire...

— Moi non plus, lui dit Mary avec un clin d'œil complice.

Elle lança l'impression et on entendit l'imprimante ronronner. Elle prit la feuille et félicita Gertrude :

— Vous pouvez signer, c'est un bon rapport.

Deux autres feuillets sortirent de la machine. Mary les prit et Gertrude demanda :

— Qu'est-ce que vous allez en faire ?

— Un pour Bensalem, un autre pour Mériadec. Il faut bien qu'ils sachent comment ça s'est passé !

Gertrude se leva, émue :

— Je ne sais comment vous remercier, capitaine.

— Vous l'avez déjà fait, Gertrude, assura Mary.

— Comment ? demanda la policière en écarquillant les yeux.

— En cassant la gueule à ce salaud ! Mais une autre fois, faites en sorte que ça ne laisse pas de traces. Je me suis bien fait comprendre ?

Gertrude hocha la tête affirmativement tandis que Mary gagnait la porte.

— Allez, je suis juste passée vous dire bonjour...

Souvenez-vous, Gertrude, il ne faut pas jouer les justiciers !

Elle pointa l'index vers le ciel en ayant l'air de dire : « Souvenez-vous en ! » puis elle sortit et rejoignit Mériadec au vestiaire :

— Tenez, brigadier, voilà le rapport de Gertrude.

Mériadec lut, relut, et se mit à rire :

— C'est exactement comme ça que ça s'est passé !

— Il y en a également un pour Bensalem, dit Mary. Vous le lui donnerez ?

— Comptez sur moi, assura Mériadec.

— C'est simplement pour accorder les violons, précisa-t-elle avec malice.

Mériadec hocha la tête en souriant.

Puis elle demanda :

— Le patron n'est pas arrivé ?

— Pas encore. Mais Fortin est là.

Derrière la vitre, dans la salle de police, les « en tenue » prenaient le café du matin en attendant les directives qui leur seraient données par les OPJ après la conférence avec le patron. Parmi ces briscards qu'elle connaissait bien, une silhouette lui parut familière ; cependant, en dépit de ses efforts, elle n'arrivait pas à la situer. C'était un jeune homme qui se tenait gauchement parmi les anciens. Visiblement, il était un peu perdu et ne savait quelle contenance adopter.

Elle regarda le brigadier :

— Un nouveau venu ?

Mériadec acquiesça :

— C'est justement Bensalem, un petit jeune qui vient voir si le job lui convient.

— Ah…

Elle continuait à fixer le jeune homme qui se tenait timidement dans son uniforme trop neuf.

Intriguée, elle passa derrière la banque d'accueil et entra dans la salle de police.

— Salut messieurs ! dit-elle enjouée.

Les hommes se levèrent pour répondre à son salut. Mary était très populaire chez les gardiens.

L'un d'entre eux proposa :

— Un café, capitaine ?

— C'est pas de refus, Moulin.

Elle s'était souvenue du nom du gardien in extremis et elle vit, à son sourire, que cette attention lui avait fait plaisir. Il versa le café dans un verre qu'il lui tendit.

— Un sucre ?

— Pas de sucre, merci.

Elle s'appuya sur un coin de table, le verre à la main et dit aux hommes qui affectaient une indifférence qu'ils ne ressentaient pas :

— Restez assis, je ne fais que passer.

Elle but une gorgée de café et demanda à Moulin :

— C'est vous qui l'avez fait ?

Un autre gardien rigola :

— C'est toujours lui qui le fait, capitaine.

— Il est bon ! apprécia Mary.

L'autre rigola de plus belle :

— Quand il sera viré de la police, il pourra se reconvertir dans la limonade !

Mary rit avec les hommes :

— Il n'y a pas de sot métier.

Puis elle s'approcha du jeune gardien.

— J'ai l'impression de vous connaître, dit-elle.

Le garçon la fixait, mi-gêné, mi-goguenard.

— Quel est votre nom ?

— Bensalem, dit-il avec cet accent des banlieues qui avale une syllabe sur deux.

Elle répéta :

— Bensalem…

Il précisa :

— Thierry Bensalem…

— Et vous venez d'où ?

— De Brest, capitaine, de Pontanézen…

Pontanézen, ça fit tilt sous le scalp de Mary Lester.

— Ce n'est pas toi…

Elle avait usé du tutoiement tout naturellement, Bensalem ne parut pas s'en offusquer.

— On a failli faire un tour de scooter ensemble, dit-il. Mais il y avait de la brume.*

Elle s'exclama :

— Bon Dieu ! Bensalem, bien sûr que je me souviens ! Mais qu'est-ce que tu fiches là ?

Le jeune homme se regarda dans la vitre avec une sorte de gêne. Visiblement, il n'était pas encore habitué à porter l'uniforme.

* *Voir :* Le passager de la Toussaint.

— Ben, j'voulais faire vigile, mais m'sieur Fortin m'a dit qu'il valait mieux faire flic...

— Ah...

Mary en resta sans voix. Elle s'en tira comme elle pouvait :

— Le lieutenant Fortin est toujours de très bon conseil, assura-t-elle.

Elle regarda sa montre :

— D'ailleurs, il est temps que j'aille le voir. Salut, Bensalem, et si tu as besoin de quelque chose, je suis là, moi aussi.

Puis elle lança à la cantonade :

— Merci pour le café !

Elle s'engagea dans l'escalier en pensant aux incidents que Mériadec venait d'évoquer. Ils se répétaient, hélas, à longueur de semaine, à longueur d'année, et la laissaient toujours très mal à l'aise. Les flics, les gendarmes, les pompiers étaient véritablement les éboueurs de la société et il leur fallait souvent avoir le cœur et l'estomac bien accrochés pour ne pas sombrer dans le découragement devant les horreurs auxquelles ils étaient quotidiennement confrontés. Du petit bureau qu'elle partageait avec le lieutenant Fortin sortait le bruit d'une conversation animée. Trois personnes l'occupaient : Fortin, écrasant son siège de sa masse de muscles et d'os, Bertrand et Le Clinche.

Le lieutenant Bertrand, un quinquagénaire aux tempes grises, poussait devant lui une brioche de bon vivant. Il venait de la région parisienne, espérait « finir son temps en roue libre » - pour reprendre son expression - et n'aspirait qu'à rester au commissariat pour assumer les tâches administratives qui rebutaient tant Mary Lester. Le Clinche était un jeune gardien « en tenue » qui faisait partie des espoirs de l'équipe de rugby locale. Pour autant, Le Clinche n'était pas bâti en colosse. De taille et de corpulence extrêmement moyennes, il compensait ce manque de gabarit par une vision du jeu peu commune, des jambes de feu et une précision diabolique dans la transformation des coups de pied de pénalité. Dixit Fortin. En la matière, le grand lieutenant était crédité d'une compétence irréfutable.

Le point de discussion portait sur le « coaching » du nouveau sélectionneur de l'équipe de France: devait-il faire confiance au talonneur toulousain ou au biarrot pour le premier match du tournoi des Six Nations?

Mary serra les mains et fit la bise à Fortin:

— J'espère que vous n'attendez pas mes lumières pour vous mettre d'accord?

Bertrand lança avec bonne humeur:

— Tout ce qu'on en dit, c'est histoire de causer. Le sélectionneur fera ce qu'il voudra.

— Ouais, fit Fortin en repliant *l'Équipe* qui était déployé sur son bureau. Le sélectionneur est comme le capitaine Lester, il a toujours raison!

Mary tempéra l'affirmation:

— Tant que l'équipe gagne, Jipi, tant que l'équipe gagne !

Les deux autres sortirent en rigolant et Le Clinche glissa :

— De toute façon, les femmes ont toujours raison !

Mary ironisa :

— Tu sais déjà ça, toi, à ton âge ?

Le Clinche rit de plus belle :

— Et comment, capitaine, c'est pour ça que je suis toujours célibataire !

Les deux hommes quittèrent la pièce et Mary entendit encore leur rire alors qu'ils s'éloignaient. Elle revint à Bensalem :

— Dis-moi, Jipi, j'ai entr'aperçu un jeune gardien en bas, et il m'a semblé l'avoir déjà vu.

— Ah, dit Fortin, Bensalem !

Mary joua les candides :

— C'est qui ce Bensalem ?

Fortin plissa les yeux d'un air rusé :

— Bensalem, tu ne me feras pas croire que tu l'as oublié ?

Mary s'assit sur son bureau :

— Qu'a-t-il d'inoubliable ?

— Eh eh ! Le scooter, au port de Brest... Bensalem qui devait te conduire à...

Elle feignit d'être soudain visitée par l'Esprit-Saint :

— Ah, Bensalem... L'émissaire qui devait m'amener jusqu'à Bourgeon !* Ce n'est pas Thierry son prénom ?

— Si !

— Qu'est-ce qu'il fait ici ?

— Ben, la même chose que nous !

— Mais encore ?

— La police, le maintien de l'ordre… Enfin, il débute.

— Tu veux dire que…

— Je veux dire qu'il s'est engagé chez les poulets, oui. Ça te surprend ?

— Un peu. Les premiers pas dans la vie active de Bensalem Thierry ne semblaient pas le prédisposer à faire carrière chez les flics.

Le grand lieutenant haussa ses épaules massives :

— Ça ne sera pas le premier qui aura fait des conneries avant d'entrer chez les poulets, dit-il avec indulgence. Tu savais qu'il était venu me voir à l'hôpital ?

— Sans blague ? Après la pétoche que tu lui avais fichue ?

— Bof, fit Fortin d'un air modeste, il n'avait pas eu tellement peur de moi ! Ce sont plutôt ses employeurs qui lui ont foutu la pétoche.

— Sauf que tu l'as menacé de le foutre à l'eau avec son scooter.

Le grand prit un air dégagé :

— Oh… c'est rien, ça ! Je ne lui ai même pas collé une calotte !

* *Voir :* Le passager de la Toussaint.

Mary dut convenir que c'était vrai. Fortin s'en était tenu à des menaces verbales, mais d'un air si terrible que Bensalem avait avoué tout ce qu'il savait.

— Tu te souviens, poursuivit le lieutenant, il était menotté dans la bagnole, j'ai fait une fausse sortie, histoire de l'éloigner de la zone de tir et j'ai eu le temps de lui dire que je lui trouverais peut-être un job plus intéressant que vigile dans une boîte de gardiennage.

— C'est pour ça qu'il est venu te voir à l'hôpital !

— Peut-être bien. Je ne sais pas… Peut-être parce que je lui ai sauvé la mise ce jour-là ?

Mary se souvint de l'intensité de la fusillade en cette nuit où Fortin et elle avaient bien failli rester sur le carreau. S'il n'avait pas été évacué de la voiture du lieutenant, sûr qu'à cette heure Bensalem serait mort.

— C'est à ce moment que je lui ai proposé de l'aider à entrer dans la police.

— Et tu l'as converti, comme ça…

Dire que Mary paraissait sceptique était un euphémisme.

— C'est toujours aussi bien que de le voir devenir un voyou, non ?

Elle acquiesça :

— De ce point de vue, tu n'as pas tort.

Puis, après un silence, elle demanda :

— Si je comprends bien, tu vas t'occuper de sa formation ?

— Comme de celle des autres bleus, dit Fortin. Je vais sortir en patrouille avec lui. Je l'emmènerai dans la ZUP.

Il se mit à rire :

— Ça lui rappellera quelque chose. Et toi, tu es branchée sur quelque chose ?

Elle n'eut pas le temps de répondre, le téléphone sonna. Fortin décrocha et dit très respectueusement :

— Bonjour, Monsieur le Divisionnaire.

Puis il tendit l'appareil à Mary en couvrant le récepteur de sa large paume :

— Pour toi, c'est le patron !

Instinctivement, il avait baissé le ton, comme s'il annonçait un secret. Mary prit l'appareil et échangea quelques formules de courtoisie avec le commissaire Fabien, et annonça :

— J'arrive, patron.

Puis, s'adressant à Fortin qui venait de reposer l'appareil sur son support :

— Pour répondre à ta question, je vais voir sur quoi on va me brancher.

Fortin hocha la tête d'un air entendu et glissa avec une mine de chanoine qui lui allait comme un casque à pointe à une sœur mariste.

— Allez mon enfant, mais ne l'agacez pas trop, on n'est que lundi !

Chapitre 2

Tiré à quatre épingles, le commissaire divisionnaire Fabien, tout raide dans son fauteuil, ne perdait pas un centimètre de sa courte taille.

Fortin rigolait de ces poses que le patron affectait. Lui, dont la taille culminait à près de deux mètres, s'amusait de cette attitude en disant de son patron : « Quand il est debout, il est sur la pointe des pieds, quand il est assis, il est sur la pointe des fesses. »

Mais ce que la nature avait refusé en taille à Lucien Fabien, elle le lui avait rendu au centuple en matière d'autorité, de charisme comme on dit de nos jours. Lorsqu'il pointait son regard bleu sur le grand lieutenant, celui-ci se sentait rétrécir jusqu'à se sentir comme un petit écolier devant un maître redouté. Fortin, qui ne craignait pas d'affronter à mains nues une demi-douzaine de voyous, évitait comme la peste de contrarier le commissaire divisionnaire Fabien.

En fait, à l'usine, nom sous lequel le lieutenant Fortin désignait volontiers le commissariat, une seule personne ne semblait pas craindre le patron, et cette personne c'était le capitaine Lester. Pour tout dire, c'était plutôt l'homme de fer du bureau directorial qui redoutait les foucades de son enquêtrice préférée. En réalité, il s'était établi entre le commissaire et la jeune capitaine un rapport particulier, une sorte d'estime, pour ne pas dire d'affection réciproque qui allait bien au-delà du rapport hiérarchique. Mary Lester était la fille que le commissaire aurait aimé avoir et le commissaire était pour Mary une sorte de père « bis » qui suppléait aux absences de son vrai père Jean-Marie Le Ster.

Elle s'approcha donc en souriant et serra la petite main ferme de son supérieur qui la considéra avec satisfaction :

— Comment allez-vous, capitaine ?

Il montra la chaise devant son bureau.

— Asseyez-vous !

Mary se posa, le regarda intrigué et répondit à la question :

— Pas mal, merci.

— Vous m'en voyez très heureux, dit Fabien. Votre blessure ?*

Elle éluda d'un geste désinvolte :

— C'est du passé, patron.

Il ne parut pas convaincu :

— Vous êtes sûre ? Ces traumatismes crâniens laissent parfois des séquelles invisibles…

Elle haussa les épaules :

* *Voir :* Le passager de la Toussaint.

— Quel jargon ! Je n'ai pas subi de traumatisme crânien.

Il insista :

— Cependant, cette balle…

— Cette balle m'a entamé le cuir chevelu sans toucher à l'os. Combien de fois faudra-t-il le dire ?

Le commissaire leva les mains devant son visage comme pour parer à la protestation :

— Bien, bien… Mais psychologiquement…

Elle le regarda d'un air las et souffla :

— Vous n'allez pas vous faire le complice de tous ces psys en mal de clientèle ? Tout va très bien !

Puis elle ajouta, les yeux pétillants de malice :

— Comme vous le savez, j'ai eu une longue convalescence.*

— Reposante à souhait. Je sais, ironisa Fabien. Donc vous devez être tout à fait opérationnelle.

Elle confirma :

— En effet !

Et, comme le commissaire gardait le silence, elle demanda :

— Quelque chose de cassé ?

— Si on peut dire…

— Grave ?

— Un mort…

— Où ça ? demanda-t-elle sans s'émouvoir.

— À Trébeurnou !

— Non ! fit-elle accablée en s'enfouissant la tête dans les mains. Quelqu'un que je connais ?

* *Voir :* Te souviens-tu de Souliko'o ?

— Sans doute, vous connaissez tout le monde là-bas, non ?

— Plus ou moins, fit-elle. De qui s'agit-il ?

— Il semblerait que ce soit un certain Raoul Florent… Ça vous dit quelque chose ?

Et comment, ça lui disait quelque chose ! Florent, qui avait été le troisième maire de Trébeurnou, juste avant Sonia Fontaine. Florent, qu'elle avait pris la main dans le sac alors qu'il pillait les édifices religieux de sa commune…*

— Pourquoi « il semblerait » ?

— À l'heure où j'ai eu les informations, le corps n'avait pas été formellement identifié.

— Si c'est Florent, on l'aura reconnu !

Le commissaire haussa les épaules en signe d'ignorance.

— Je vous répète ce qu'on m'a dit.

— Comment cela est-il arrivé ?

— Des coups de fusil de chasse, semble-t-il.

Elle regarda le commissaire Fabien :

— Des coups de fusil de chasse ! Mais c'est un crime pour gendarmes, ça ! Vous ne voulez tout de même pas que je retourne là-bas ?

Le commissaire prit un air détaché :

— Moi, je ne veux rien ! Je vous dirais même que je suis assez de votre avis, c'est un crime pour gendarmes. Mais le préfet…

Elle lui coupa la parole avec une brusquerie qui n'était pas dans ses habitudes.

* *Voir :* Te souviens-tu de Souliko'o ?

— Il sait ce qu'il veut celui-là ? Il va peut-être falloir que je me farcisse le sous-préfet Gaubert et son haleine putride ?

— Putride ? fit le commissaire, vous avez dit putride ?

— Parfaitement !

— C'est pire que fétide, ça !

— Bien pire ! fit-elle avec une grimace de dégoût.

Le commissaire parut entrevoir enfin une vérité :

— Je comprends pourquoi Monsieur le Préfet était si pressé de s'en défaire !

— Il l'a viré ?

Le commissaire secoua la tête négativement :

— On ne vire pas ce genre d'individu, Mary, quand ils deviennent trop insupportables, on leur donne une promotion.

Elle secoua la tête avec écœurement :

— Gaubert a donc obtenu une promotion ?

— Oui, il a été nommé sous-préfet dans la Somme, je crois.

— C'est toujours ça de gagné, apprécia Mary. Qui le remplace ?

— Un autre jeune, juste sorti de l'ENA.

Elle bougonna :

— On n'en sortira jamais !

— De quoi ? demanda le commissaire.

— Des gugusses de l'ENA !

— Pour en sortir, il conviendrait d'abord d'y entrer, fit remarquer Fabien.

— Je n'y aspire pas, affirma Mary. Pas plus que je n'aspire à retourner à Trébeurnou. Sauf votre respect, j'en ai soupé de Trébeurnou ! Un jour vous me voulez aux antipodes de cette bourgade, alors je me rends aux antipodes et je me fais allumer par le ban et l'arrière-ban de l'administration. Et aujourd'hui vous voulez que j'y retourne. J'ai du mal à vous suivre.

— Moi aussi j'ai parfois du mal à vous suivre, Mary, et pourtant on se retrouve toujours !

— Joli ! apprécia-t-elle.

— Vous vous en êtes plutôt bien tirée ! glissa Fabien.

— Oui, et c'était pourtant mal barré, comme dirait Fortin.

Elle regarda le commissaire d'un œil rusé :

— Je ne sais si je vous ai remercié…

— Pourquoi ? demanda Fabien faussement naïf.

— Pour votre soutien.

— Laissons ça ! fit Fabien magnanime.

— D'accord. Mais maintenant vous voulez que j'y retourne, à ce maudit village, et là, je ne suis pas d'accord.

Comme le commissaire ne répondait rien, se contentant de pianoter avec ses doigts sur le plat de son sous-main, elle ajouta :

— Ça manque pour le moins de cohérence, patron !

Il persifla :

— Quelle véhémence ! C'est une vraie ou une fausse colère ?

Elle sourit :

— Devinez, on voit tant de choses bizarres ces temps-ci...

— C'est vrai qu'on en voit, concéda le commissaire. Mais voyez-vous, Mary Lester, les circonstances commandent. Un homme est mort et...

Elle le coupa dans son argumentation :

— Ben oui, un homme est mort... Un crime à coups de fusil de chasse, je vous le redis, et d'ailleurs vous êtes d'accord avec moi, c'est un truc de gendarmes ! Il y a les gendarmes, là-bas. Il y a ce bon Lucas... N'a-t-il pas fait étalage de sa valeur dans cette ténébreuse affaire Vanco ?

Le commissaire leva une main devant lui comme pour se préserver de son humeur.

— Tellement bien qu'il a été promu adjudant-chef et qu'il a pris la direction d'une brigade en Loire-Atlantique.

— De mieux en mieux ! Tout le monde est promu dans cette affaire, sauf moi !

— Vous aspirez à devenir commandant ?

Elle réfléchit, le front plissé. Commandant c'était probablement de nouvelles responsabilités, des fonctions un peu différentes. Elle préféra éluder.

— On verra ça plus tard. Qui est son successeur ?

— À Lucas ?

— Oui.

— Je l'ignore. Ces histoires de gendarmes...

Le commissaire fit, du bras, un geste désinvolte qui signifiait le peu d'estime qu'il éprouvait pour les gendarmes en général et la gendarmerie en particulier. Il était de la vieille école, celle où gendarmes et policiers s'opposaient souvent sur le terrain et il n'aimait pas trop voir Mary Lester cohabiter sans états d'âme avec ces militaires.

— Tout ce que je sais, ajouta-t-il, c'est que Trébeurnou, qui paraissait avoir retrouvé une certaine stabilité avec l'élection au poste de maire de votre ami Kerloc'h, semble sur le point de basculer de nouveau dans des turbulences dont Monsieur le Préfet ne veut pas entendre parler.

Le commissaire pointa l'index sur Mary Lester:

— Si vous êtes nommément requise à Trébeurnou, c'est sur l'insistance de monsieur Kerloc'h!

Elle soupira:

— Voilà autre chose!

Le patron la regarda d'un air plus goguenard qu'embarrassé:

— Décidément, vous êtes imprévisible, Mary! Moi qui croyais que ça vous aurait fait plaisir...

Il affecta l'incompréhension la plus totale et soupira en hochant la tête, faussement accablé:

— Ah, les femmes!

À son tour, elle affecta un mouvement d'humeur.

— Quoi, les femmes?

C'était un petit jeu auquel ils se livraient volontiers lorsqu'ils étaient en tête-à-tête.

— Je ne m'y ferai jamais ! avoua-t-il.

Cette contrition apparente la fit sourire.

— Plaignez-vous, à ma connaissance, vous n'en avez qu'une, de femme !

— Comment ça, à votre connaissance ? demanda Fabien, piqué au vif.

Elle eut un geste évasif et enfonça le clou :

— Et surtout ne me dites pas que c'est bien assez, ou je rapporte vos propos à madame Fabien !

Le commissaire fit mine de s'offusquer :

— Vous feriez ça ?

— Sans hésiter ! assura-t-elle.

Le commissaire garda un instant le silence et laissa tomber :

— Ça, c'est un coup bas !

Elle savait madame Fabien très jalouse des relations privilégiées qu'entretenait le commissaire avec le capitaine Lester. Fabien inspira très fort, chassa l'air de ses poumons de la même manière et préféra changer de sujet :

— Que dois-je dire au préfet ?

— Est-ce vraiment à moi de vous souffler ce que vous devez lui dire ?

Elle repensa à l'immense plage de sable blanc, elle revit la côte sauvage, la maison de Monette* où on était si bien. Maintenant que Vanco avait disparu du paysage, peut-être allait-elle rapatrier ses chevaux à

* *Voir :* Te souviens-tu de Souliko'o ?

Trébeurnou? Et puisque le village semblait apaisé, pourquoi ne pas y retourner?

Elle regarda le commissaire:

— Au fait, pourquoi veut-on que j'intervienne? Ils n'ont pas de coupable sous la main?

— Oh si! fit le commissaire. Un coupable formidable! Un type que tout accuse, un gaillard que l'on a retrouvé l'arme à la main sur les lieux du crime...

— Alors?

— Alors, le maire veut Mary Lester. Ce que le maire veut, le préfet le veut aussi.

Elle poursuivit:

—... et ce que le préfet veut, le commissaire Fabien le veut encore plus!

Il haussa les épaules en souriant:

— Vous avez tout compris, Mary. Je vous intime instamment l'ordre de vous rendre à Trébeurnou et d'enquêter sur cette mort violente.

Elle hocha la tête, la bouche pincée et répéta d'un air de ne pas en croire ses oreilles:

— Vous m'intimez instamment!

— Parfaitement!

Elle se rendit:

— Alors, si c'est un ordre, intimé instamment en plus...

Fabien répéta:

— Parfaitement! Vous allez vous rendre illico à Trébeurnou, capitaine Lester. C'est moi qui vous l'ordonne et il n'y a pas à discuter.

Elle leva une main, feignant un geste de défense :

— Ça va, ça va ! Ne montez donc pas sur vos grands chevaux !

— Je ne monte pas sur mes grands chevaux, mais comme vous affichez un certain penchant à discutailler…

Elle le regarda dans les yeux de son regard le plus candide et, appuyant son index contre sa poitrine, elle fit la malheureuse incomprise :

— Je discutaille, moi ? Comme s'il était dans mes habitudes…

Fabien se prenait au jeu :

— De discuter, de contester, de chercher des raisons… Oui, je dirais volontiers que vous avez une propension à la chose.

— Une propension…

Fabien précisa, en se levant :

— Et le mot est faible.

Mary fit mine de s'indigner :

— Qu'est-ce qu'il ne faut pas entendre ? Il n'y a pas plus docile que moi !

— Pff, fit le commissaire, dites ça à un cheval de bois, il vous flanquera un coup de pied !

Elle croisa les bras :

— C'est tout ? Il n'y a plus de compliment ?

— Non, il y a un mort, ça ne vous suffit pas ?

Elle respira fort et dit en soupirant :

— Oh que si !

Elle prit la porte :

— Je peux y aller ?
— Où ça ?
— À Trébeurnou !
Le commissaire eut un large geste de main :
— Vous devriez déjà y être !
Avant de fermer la porte, elle demanda, faussement naïve :
— Je peux quand même passer à mon bureau avant ?
Fabien répondit sur le même ton :
— Oui, capitaine Lester, vous pouvez passer à votre bureau !
Elle lui sourit largement :
— Merci patron !

***

Fortin en était à la dernière page de *l'Équipe* lorsqu'elle entra dans le bureau.
— Eh bien ?
Il levait sur Mary des yeux interrogateurs.
— Je te le donne en mille…
— Qu'est-ce que tu me donnes en mille ?
— Je te donne en mille que tu ne devineras pas où le patron m'envoie.
— En Australie ?
— Tout de même pas !
— Alors ?
— À Trébeurnou !
Fortin parut surpris :

— Trébeurnou ? Mais tu en viens !

— Il paraît qu'on a encore besoin de moi.

Fortin replia son journal et prit une pose plus compatible avec celle du fonctionnaire à l'œuvre.

— C'est toujours la révolution dans le patelin ?

— Non point. On est passé à la vitesse supérieure : un macchabée, mon vieux, tué à coups de fusil de chasse.

Il souffla avec mépris :

— Pff, c'est un truc pour les gendarmes, ça !

— C'est ce que j'ai dit, et le patron était d'accord.

Le front de Fortin se plissa :

— Alors, où est l'erreur ?

— C'est le maire de Trébeurnou…

— Le vieux mec ?

— Ouais, monsieur Kerloc'h, un ancien gendarme…

Le lieutenant souffla de nouveau car lui aussi tenait les gendarmes pour des empêcheurs d'enquêter en rond :

— Pff… Il t'avait à la bonne, si je me souviens bien.

— Il m'a toujours à la bonne, c'est pour ça qu'il a requis ma présence.

— Tu y vas ?

— C'est un ordre, mon vieux, un ordre du patron qui est lui-même actionné par le préfet…

Fortin cligna de l'œil d'un air complice :

— Un ordre qui ne te déplaît pas... Tu vas retrouver ta copine, en somme, le vieux t'offre d'autres vacances.

— Tu parles ! Je pense que je ne ferai qu'un aller-retour. Les gendarmes tiennent un coupable qui a été pris sur le fait, l'arme à la main.

— Dans ce cas, je ne vois pas ce que tu vas faire là-bas.

— Moi non plus, mais comme tu dis, une journée de vacances c'est toujours bon à prendre. Je dînerai avec Monette, et puis nous papoterons au coin du feu. Le lendemain je rendrai visite à monsieur et madame Kerloc'h et puis je rentrerai.

— Tu n'oublies rien ?

— Peut-être que si... Tu peux m'éclairer ?

— Les gendarmes, tu ne vas pas te présenter aux gendarmes ? Ne serait-ce que pour lire les procès-verbaux et avoir quelque chose à raconter au patron en rentrant ?

— Tu as raison, j'oubliais les gendarmes !

— Chez eux aussi, tu t'es fait des copains.

Elle sentit comme une pointe de reproche dans le ton.

— Oui, mais ceux que je connaissais, et en particulier l'adjudant Lucas, ont été déplacés. Promus et déplacés. Lucas est désormais adjudant-chef et responsable d'une brigade quelque part en Loire-Atlantique, quant à Dieumadi, si ça se trouve, il aura regagné son île.

— Avec une promotion lui aussi ?

Elle eut un geste d'ignorance :

— Je n'en sais rien, mais je l'espère pour lui.

Elle réfléchit et ajouta :

— Rencontrer un type qui est toujours de bonne humeur dans la gendarmerie, c'est quand même peu courant. Rien que pour ça, il mériterait la croix d'honneur !

Elle se leva, prit sa veste de cuir et leva deux doigts :

— Salut le grand !

— Salut, fit Fortin en écho en étouffant un bâillement.

Mary dévala les escaliers et s'en retourna venelle du Pain Cuit récupérer sa voiture. Dans le fond, pour commencer une semaine de presque printemps, une petite virée à Trébeurnou n'était pas si mal venue !

Chapitre 3

Peu avant midi, Mary arrêta la Twingo devant la gendarmerie de Tréouergat. Elle sonna et la porte s'ouvrit avec un déclic métallique.

Derrière une table, un jeune gendarme la regardait avancer avec méfiance.

— Bonjour, dit-elle.

— Bonjour mademoiselle…

Son regard était interrogateur, il semblait se demander ce qui amenait cette charmante jeune fille à la gendarmerie.

— C'est pour une plainte ?

— Non, je souhaiterais voir le chef de brigade.

Les sourcils du gendarme s'écarquillèrent.

— Vous avez rendez-vous ?

— Non, mais je connaissais bien l'adjudant Lucas.

— Ah… Je vais voir. Qui dois-je annoncer ?

— Mary Lester.

Le front du gendarme se plissa, comme si ces deux noms accolés évoquaient quelque souvenir.

— Mary Lester… répéta-t-il pensivement.

— C'est cela!

Il prit son téléphone et appuya sur une touche d'un air perplexe, sans quitter Mary du regard.

— Adjudant-chef, dit-il, il y a une certaine Mary Lester qui demande à vous voir.

Elle entendit son nom résonner dans l'écouteur. L'adjudant-chef, quel qu'il fût, l'avait répété avec tant de vigueur que le jeune gendarme écarta instinctivement l'appareil de son oreille avant de le rapprocher et de répondre:

— Bien, adjudant-chef.

Il se leva et Mary constata qu'il était très grand car il la dominait de plus d'une tête.

— Si vous voulez me suivre…

— Ne vous dérangez pas, dit-elle, je connais le chemin.

En habituée des lieux, elle emprunta sans hésitation un couloir qui s'ouvrait à gauche et le gendarme la suivit du regard, plus perplexe que jamais, la bouche ouverte sur une question informulée.

Pour ne pas le laisser dans cette situation inconfortable, Mary, avant de disparaître, sortit sa carte et se présenta avec un clin d'œil complice:

— Capitaine Lester, Police nationale…

Les yeux du jeune homme allaient de la carte au visage de Mary Lester. Il se leva à demi, resta un temps comme accroupi, puis retomba sur son siège. Il venait de comprendre à qui il avait affaire.

Au détour du couloir, Mary tomba nez à nez avec Lucas qui venait à sa rencontre.

Elle resta interdite :

— Vous ici ?

Lucas se mit à rire :

— Ça vous surprend de trouver un gendarme dans une gendarmerie ?

— Non, mais on m'avait annoncé votre nomination à Pontchâteau.

— Elle est effective, confirma Lucas en frétillant d'aise, mais je suis encore ici pour quelques jours. Je passe les directives à mon successeur.

Elle montra du doigt sa manche qui s'ornait d'un galon supplémentaire :

— Belle promotion, adjudant-chef! Tous mes compliments !

Lucas tenta d'ironiser, avec l'esquisse d'une révérence :

— Madame est trop bonne !

Ils connaissaient, l'un comme l'autre, les circonstances qui avaient valu au jeune adjudant Lucas cette promotion ultrarapide.*

— Votre successeur est déjà là ? demanda Mary.

— Oui. Venez donc, je vais vous présenter.

Il poussa la porte de son bureau derrière lequel était assis un homme au nez camus, court de taille, à la toison rase, presque aussi large que haut.

— Je vous présente le major Langlois, dit Lucas.

Le major se leva et tendit une pogne de forgeron

* *Voir :* Te souviens-tu de Souliko'o ?

dans laquelle Mary n'aventura pas sa mimine sans appréhension.

Le major Langlois arborait la trogne vermeille des hommes de complexion sanguine habitués à vivre au grand air. Sa mâchoire puissante, rasée de frais, bleuissait déjà sous une barbe à fleur de peau. Il devait bien avoir une dizaine d'années de plus que Lucas et, comme l'un faisait bien moins que son âge et l'autre nettement plus, on aurait pu penser qu'il s'agissait du père et du fils.

— Ravi de faire votre connaissance, capitaine !

Langlois secouait la main de Mary sans trop la serrer, comme si c'était un objet rare et fragile.

— L'adjudant-chef m'a parlé de vous...

— Pas en mal j'espère ? demanda-t-elle ravie de récupérer sa main en bon état de marche.

— Je vous rassure, dit Langlois en montrant une chaise. Pas en mal.

Lucas s'excusa :

— Je vous laisse. Désormais, c'est le major Langlois le patron.

— Je vous verrai avant de partir ? demanda Mary.

— Probablement, je ne suis pas encore sur la route ! Je n'ai pas fini de mettre le major au courant.

Il ferma la porte et Mary se retrouva en tête-à-tête avec le major.

— Alors, major, il paraît qu'on se massacre dans vos campagnes ?

— Il y a effectivement eu un meurtre, dit Langlois

d'un ton neutre. Mais je ne vois pas en quoi ça concerne la Police nationale.

Ça y est, pensa Mary, les difficultés commencent !

— Moi non plus, mais c'est quand même pour ça que je suis chez vous.

Les lèvres minces du major se pincèrent :

— Pour ça ?

Elle le regarda :

— Ça semble vous étonner, major.

— Un peu, avoua Langlois. Lucas m'avait dit que vous étiez une spécialiste des enquêtes délicates, alors je ne vois pas...

Il se rencogna dans son fauteuil qu'il remplissait largement et Mary demanda :

— Vous avez bien un mort sur les bras ?

Le major se mit à rire :

— Oui, mais ce n'est vraiment pas ce qu'on peut appeler une affaire délicate !

— C'est ce que j'ai cru comprendre : deux coups de fusil de chasse, c'est une enquête pour les gendarmes, ça ! Qu'importe, le commissaire Fabien a tenu à ce que je vienne.

Elle soupira :

— Autant vous dire que je ne suis pas venue de mon plein gré ni que mon patron m'a expédiée ici avec enthousiasme. Mais ce sont des directives du préfet, paraît-il.

Le major se leva et fit trois pas vers la fenêtre, les

mains dans le dos. Il considéra les voitures sur le parking d'un air pensif, puis il se retourna :

— Pff! Il n'y a même pas d'enquête à mener!

— Vous tenez le coupable ?

— On le tient, comme vous dites.

Et il ajouta d'un ton rogue :

— Et il n'est pas utile que vous veniez vous en mêler!

Mary se leva à son tour et, tendant ses mains ouvertes devant elle, elle céda avec une complaisance que tout autre que le major Langlois aurait trouvée suspecte.

— J'en prends bonne note, major. Je rends compte à Monsieur le Maire de Trébeurnou et ensuite je regagne mes pénates.

— Je pense que c'est ce que vous avez de mieux à faire, dit Langlois avec un mince sourire satisfait. Au revoir, capitaine.

Il retourna s'asseoir derrière son bureau et fit mine de s'absorber dans des paperasses. Pour lui, et il avait bien tort de le penser, le capitaine Lester n'existait plus. Mary sortit et referma doucement la porte derrière elle.

Chapitre 4

Lorsque la Twingo s'arrêta devant la mairie de Trébeurnou, la nuit commençait à tomber. Les lampadaires de l'éclairage public s'illuminèrent les uns après les autres, jetant une lueur blafarde sur la petite place plantée d'arbres défeuillés. Les fenêtres de la mairie étaient toujours éclairées.

Mary poussa la porte et aperçut une toute jeune fille derrière le bureau d'accueil.

— Bonsoir, dit Mary.

La jeune fille répondit d'une voix flûtée, à peine perceptible :

— Bonsoir…

Elle regardait Mary d'un air interrogatif, avec un peu d'appréhension.

— Monsieur le Maire est-il là ?

— Non, il vient de rentrer chez lui.

Puis, d'une voix encore moins audible, elle demanda :

— C'était pour quoi ?

Mary eut un geste insouciant :

— C'est un ami, comme je passais par là, je voulais le saluer.

— Vous le trouverez sûrement à son domicile, assura la jeune fille. Vous savez où il habite ?

— Oui, ne vous inquiétez pas.

Mary allait faire demi-tour, mais elle revint vers le bureau d'accueil :

— Vous êtes la nouvelle secrétaire ?

La fille hocha la tête et souffla :

— Oui…

— Il y a longtemps que vous êtes là ?

— Depuis l'élection de monsieur Kerloc'h.

— Ah… C'est tout neuf, alors !

La fille hocha la tête en rougissant.

— C'est votre premier poste ?

— Oui… J'ai eu mon diplôme à la fin de l'année dernière, j'étais en stage à la préfecture…

— Et Monsieur le Maire de Trébeurnou n'avait plus de secrétaire, compléta Mary.

Nouveau hochement de tête.

— Vous vous plaisez, ici ?

— Monsieur le Maire est très gentil…

Cette fois ce fut Mary qui hocha la tête :

— C'est vrai qu'il est très gentil. Mais il sait ce qu'il veut. Mademoiselle…

— Courtin, Isabelle Courtin.

— Vous êtes de la région ?

— De Concarneau.

— De Concarneau, répéta Mary. Eh bien, mademoiselle Courtin, je vous souhaite une très bonne soirée.

Elle sortit et, avant de remonter dans sa voiture, elle hésita : devait-elle aller directement chez les Kerloc'h ou passer par chez Monette Charron qui devait l'héberger ?

Elle prit son portable :

— Allô Monette ?

— Oui, fit la voix de son amie. Tu es arrivée depuis longtemps ?

— Non. J'ai dû passer par la gendarmerie, puis par la mairie. Où es-tu ?

— J'en ai encore pour une bonne demi-heure, dit l'infirmière. Comment pourrait-on faire...

— Pourquoi ?

— Pour que tu n'attendes pas dehors...

— Ne t'inquiète pas, je dois voir le maire, ce cher Corentin, je vais de ce pas chez lui pour le saluer et lui dire que je suis arrivée.

— Bon, dit Monette, dès que tu auras fini, je suis à toi.

Mary lança son moteur et laissa passer deux voitures chargées d'enfants et conduites par des femmes, puis elle descendit vers la mer et emprunta le chemin qui menait à la maison du maire.

La belle barrière de bois broyée par le gros tracteur de Vanco avait été remplacée par un affreux portail en plastique blanc trop brillant qui reflétait l'éclat jaune des phares de la Twingo. Contre un pilier supportant la barrière, une sonnette dernier cri, surmontée par l'œil rond d'une caméra, la fixait de son œil brillant. Elle enfonça le bouton d'appel et aussitôt une petite lampe encastrée dans le mur s'alluma. Quelques instants plus tard, une exclamation joyeuse retentit dans le microphone :

— Mary…

Silencieusement, les deux battants de la porte s'écartèrent et Mary entra dans la cour. Il lui fallut attendre encore quelques instants, le temps que madame Kerloc'h, qui n'était plus toute jeune, descende l'escalier pour lui ouvrir la porte d'entrée.

— Mary ! redit-elle chaleureusement en l'embrassant, quelle bonne surprise ! C'est Corentin qui va être content ! Venez ! Venez !

La vieille dame précéda Mary dans l'escalier avec un tel empressement qu'elle faillit manquer une marche. Mary la retint en riant :

— Ne vous cassez pas le cou quand même !

Corentin Kerloc'h était assis dans son fauteuil roulant et, lorsqu'il vit Mary Lester, il essaya de se redresser sur ses accoudoirs.

Elle posa ses deux mains sur ses épaules :

— Allons, Corentin, restez donc assis !

Elle l'embrassa sur les deux joues et, ému, il retint ses mains en la considérant :

— Vous êtes là ? Je savais que vous viendriez !

— Ne vous l'avais-je pas promis ?

— Si, mais il a fallu que j'insiste. Et surtout, il a

fallu qu'un nouveau drame vienne endeuiller notre commune.

— Cependant, dit Mary, je ne suis pas sûre de pouvoir rester.

— Comment, s'indigna le maire, vous voulez donc repartir à peine arrivée?

— Ça ne dépend pas de moi, Corentin…

— Mais de qui, alors?

— Il n'y a pas une heure, le major Langlois m'a fait très clairement comprendre que ma présence sur son territoire n'était pas indispensable, et qu'elle pourrait même être gênante.

— Langlois… dit Corentin Kerloc'h, Langlois… de quoi il se mêle, celui-là?

— C'est le patron de la gendarmerie désormais. Je n'ai aucune envie d'entrer en conflit avec lui!

— C'est peut-être le patron de la gendarmerie, gronda Corentin Kerloc'h, mais le patron de cette foutue commune, c'est moi nom de Dieu!

— Oh, Corentin! fit sa femme en se signant furtivement.

Le vieil homme eut un mouvement d'épaules et glissa à Mary:

— Thérèse n'aime pas que je jure, pourtant il y a des fois où ça fait du bien!

Sa femme le reprit sévèrement:

— Tu ne jures pas, tu blasphèmes!

— Que Dieu me pardonne, soupira le vieil homme en levant les mains, je blasphème!

— Allons, sourit Mary, Dieu vous le pardonnera. Pour revenir au major Langlois, je dois dire que je le comprends. Il n'y a pas de mystère, la victime a reçu deux coups de fusil, et son assassin a été surpris sur les lieux du crime l'arme à la main. Que me resterait-il à chercher ?

De nouveau Corentin Kerloc'h s'appuya des deux mains sur ses accoudoirs, comme s'il voulait se lever :

— Pardon, deux coups de fusil ?

Il avait l'air tellement stupéfait que Mary s'en étonna :

— C'est bien ça, non ?

— Langlois vous a dit que la victime avait reçu deux coups de fusil ?

— À la réflexion, non, fit Mary après un silence. C'est moi qui l'ai supposé.

— Et il ne vous a pas corrigée ?

Elle fronça les sourcils :

— Qu'y avait-il à corriger ?

Kerloc'h pointa l'index vers elle comme pour appuyer son propos et articula :

— La victime n'a pas reçu deux coups de fusil, mais une rafale de coups de fusil. On ne sait même pas combien.

— Attendez, dit Mary, l'assassin disposait bien d'un fusil de chasse.

— Oui.

— Un fusil à deux coups…

— Oui…

— Alors…

— Alors, il a bien mis trois quarts d'heure à occire sa victime, et on l'a retrouvé l'arme encore fumante à la main.

— Trois quarts d'heure? Mais ce pauvre homme était mort au deuxième coup, si ce n'est au premier.

Kerloc'h opina du chef et grommela:

— Probablement!

Mary plissa le front:

— Trois quarts d'heure? Attendez, je ne comprends pas. Un fusil à deux coups, ça tire deux coups!

— Oui, mais ça se recharge, dit Kerloc'h sarcastique. Le meurtrier s'est acharné sur sa victime, lui tirant dessus encore et encore, jusqu'à la déchiqueter, jusqu'à la rendre méconnaissable.

— Mais pourquoi?

— Pourquoi? répéta Kerloc'h, c'est toute la question!

— C'est bien Florent qui a été tué?

— Il y a tout lieu de le penser.

Les yeux de Mary s'écarquillaient:

— Je crains de ne pas vous suivre, Corentin. La victime n'a donc pas été formellement identifiée?

Kerloc'h grimaça:

— Ce qu'il en restait était aussi difficilement identifiable qu'un bifteck haché. Méconnaissable!

Mary insista :
— Mais, Corentin, vous connaissiez bien Florent ?
— Évidemment, dit le maire avec un mouvement d'épaules. C'est lui, à n'en pas douter. Il avait encore ses chaussures de tennis, et puis, le crime a eu lieu dans sa cour.
— Si vous m'expliquiez ça en reprenant depuis le début ?
— Ça serait mieux, en effet, convint Corentin Kerloc'h.
Il regarda Mary :
— Vous savez, Mary, j'ai fait vingt-cinq ans dans la gendarmerie, avant j'avais fait les combats de la Libération dans la Résistance, et puis encore trois ans de guerre d'Indochine. Eh bien, je vous le jure, je n'ai jamais vu ça ! D'ordinaire...
Mary le coupa en maugréant :
— D'ordinaire, Corentin ? Vous savez bien qu'à Trébeurnou rien n'est ordinaire !
— Il y a du vrai dans ce que vous dites, reconnut le maire, mais là alors, on fait fort, très fort ! On a retrouvé deux boîtes de vingt-cinq cartouches, vides, près de la victime.
— On aurait tiré cinquante coups de fusil sur ce pauvre Florent ? s'exclama Mary.
— Il y a tout lieu de le penser, dit Kerloc'h.
— Et ils étaient combien, pour ce règlement de comptes ?

— Un tout seul!

— Vous plaisantez?

— Pas du tout, Mary. Un tout seul et avec un bon vieux fusil à deux coups de la manufacture d'armes et de cycles de Saint-Étienne. Un Robust, pour tout vous dire, le modèle le plus rudimentaire, sans même une éjection automatique.

— Le coupable a avoué?

— Même pas!

— Qu'est-ce qu'il dit?

— Rien! Il est aussi muet que ses poissons.

— Ce n'est pas...

— Si, c'est Léon Martin, le pisciculteur.

— Mon Dieu!

— Vous le connaissez bien sûr, dit le maire.

— Je l'ai déjà vu... Et, d'après ce qu'on m'a raconté, même si Martin n'a pas avoué, son compte est bon, il était resté sur place.

— Ouais, il a continué à tirer des coups de fusil sur un cadavre jusqu'à ce que les gendarmes arrivent...

— C'est fou, cette histoire!

— Je ne vous le fais pas dire! C'est Aimé Le Berre qui a prévenu les gendarmes, précisa Kerloc'h.

— Aimé Le Berre?

— Oui, mon premier adjoint. Il rentrait d'une promenade au marais lorsqu'il a entendu des coups de feu. Il s'est alors approché et a vu Martin qu'il connaît bien - ils siégeaient ensemble au conseil municipal - qui tirait des coups de fusil dans la cour de Florent.

— Il n'est pas intervenu ?

— Non, Martin lui a paru dans un tel état de démence qu'il n'a pas jugé prudent de s'approcher. Le Berre a appelé les gendarmes avec son portable et il est resté regarder la scène de derrière le talus qui est de l'autre côté de la route, en prenant soin de ne pas se montrer. Ensuite, il m'a téléphoné.

— Alors vous vous êtes fait conduire sur les lieux…

— Oui, et ce n'était pas beau à voir !

— Pour lors Martin était arrêté ?

— Oui, il était sagement assis dans la camionnette de la gendarmerie.

Mary se taisait, perplexe.

— Dites, vous restez, Mary ? demanda Kerloc'h plein d'espoir. Il semblait redouter un refus.

— Ça ne dépend pas de moi, fit-elle prudemment. Si le major ne veut pas que j'intervienne dans cette enquête, je ne vais pas m'incruster.

— Il voudra de vous, assura le maire d'un ton déterminé.

— On verra ça, dit Mary, moi, j'attends les ordres du commissaire Fabien.

Chapitre 5

Après une nuit calme chez Monette Charron, Mary se rendit à la mairie où Corentin Kerloc'h l'attendait. Le maire siégeait derrière son bureau sur un fauteuil roulant et il semblait fort guilleret.

— Voilà ! dit-il à Mary en lui tendant la main, l'affaire est arrangée. Je me suis entretenu avec le chef de cabinet du préfet, vous avez toute latitude pour mener l'enquête à votre guise et Lucas est maintenu à son commandement jusqu'à ce que cette affaire soit résolue. Le divisionnaire Fabien vous confirmera par téléphone les décisions du ministère.

Diable, c'était donc monté jusque-là ?

— J'en suis bien contente, dit Mary, car le major Langlois n'avait pas l'air trop bien disposé à mon endroit.

Elle ajouta :

— J'ai l'habitude, remarquez bien, le premier contact avec les gendarmes est toujours difficile, mais en général ça s'arrange par la suite. Cependant, comme j'ai déjà apprivoisé Lucas, ça me fera gagner du temps. Je retourne de ce pas à la gendarmerie.

À la gendarmerie, elle trouva Lucas qui faisait une drôle de figure.

— Comme ça vous retardez mon départ ? fit-il mi-figue, mi-raisin.

— Ne commencez pas à m'attribuer des décisions dans lesquelles je ne suis pour rien ! protesta-t-elle.

Puis elle se radoucit :

— Je dois dire quand même que je suis on ne peut plus satisfaite de vous savoir là le temps de l'enquête, car votre collègue Langlois ne m'a pas paru particulièrement heureux de me voir débarquer dans son périmètre.

Elle sourit ironiquement :

— Mais vous savez ce que c'est, Lucas !

— Hon hon, fit Lucas sans se mouiller. Comme je suis à votre disposition, par quoi voulez-vous commencer ?

Elle ironisa :

— Quel enthousiasme !

Lucas leva les yeux au ciel puis regarda Mary.

— Jamais une culpabilité n'aura été aussi évidente. On retrouve le meurtrier en train de s'acharner à coups de fusil sur le cadavre de la victime. Que voulez-vous de plus ?

— Je voudrais, dit Mary posément, que vous me décriviez la scène du crime. Avec la plus grande précision.

Nouveau regard de l'adjudant-chef vers le plafond, comme pour implorer des instances aussi supérieures qu'invisibles.

— La scène du crime ?

— Oui, entre autres la manière dont vous avez arrêté Martin. Langlois était avec vous, je crois.

— Affirmatif, fit sobrement l'adjudant-chef.

— Dans ce cas, il serait bon qu'il soit là pendant que vous me ferez part de vos observations.

— Ah… fit Lucas. Eh bien, je vais le chercher !

Il s'absenta quelques instants pendant lesquels Mary regarda sans les voir les affiches qui tapissaient le bureau. Puis la porte s'ouvrit et Lucas entra suivi d'un major Langlois à la mine renfrognée.

Mary tenta de détendre l'atmosphère :

— Allons, major, ne faites pas cette tête-là ! Je ne suis pas là pour vous embêter…

— Ravi de l'apprendre, dit le militaire d'un ton rogue qui laissait clairement entendre qu'il n'en croyait rien.

Elle crut utile de mettre les points sur les i d'un ton un peu plus sec :

— Je suis comme vous, Messieurs, j'ai des chefs. Ils me commandent d'enquêter, j'enquête. Savez-vous où j'étais hier soir, Langlois ?

Le major fit non de la tête.

— J'étais chez votre ex-confrère, l'adjudant Kerloc'h, aujourd'hui en retraite, et maire de Trébeurnou. Et savez-vous ce que je venais lui dire ?

Nouvelle dénégation du major.

— Je venais lui dire que je retournais à Quimper car, dans l'état de l'enquête, je ne voyais pas ce que je pouvais faire de plus…

Le major la regarda avec, dans l'œil, un éclat singulier qui exprimait la surprise et la méfiance.

— C'est à ce moment, poursuivit Mary, que le maire m'a fait savoir que la victime avait été littéralement déchiquetée à coups de fusil de chasse.

— Je vous l'avais dit ! grogna le major aussi aimable que le bulldog à qui on arrache son os.

— Non, dit Mary, certes vous m'aviez dit qu'elle avait été tuée à coups de fusil, mais vous n'aviez pas précisé leur nombre.

Le major haussa ses puissantes épaules :

— Quelle importance, puisque la victime était selon toute vraisemblance morte dès le deuxième tir ?

Mary secoua la tête, agacée :

— Si nous reprenions tout par le début ?

— Eh bien reprenons, souffla le major excédé.

Puis grommela :

— Tout le monde le sait, on a que ça à foutre !

Mary ignora la remarque.

— Quand vous voudrez…

Le major se mit à parler d'une voix morne :

— Nous avons été prévenus par téléphone que l'on tirait des coups de fusil dans la cour de Florent.

— Qui a reçu l'avis téléphonique ?

Le major paraissant trop accablé pour répondre, ce fut Lucas qui prit la parole :

— Le gendarme Dieumadi qui était de permanence. Il a aussitôt averti le major Langlois qui m'a prévenu. Nous nous sommes immédiatement rendus sur les lieux.

— Combien étiez-vous ?

— Quatre. Dieumadi conduisait la camionnette, le major était près de lui et j'occupais la banquette arrière, avec Blaise, un jeune qui n'a pas encore un an de service. Nous avions tous mis le casque et le gilet pare-balles. Arrivés sur les lieux, nous avons effectivement aperçu un homme, en l'occurrence Martin, qui tirait des coups de fusil sur une forme allongée à terre. Nous sommes descendus prudemment et j'ai fait les sommations réglementaires.

— Martin s'est-il rebellé ?

— Non, dès qu'il nous a entendus, il a cassé son fusil, il l'a posé par terre et il a levé les bras. On aurait dit qu'il nous attendait...

— Nous nous sommes approchés, poursuivit le major, et là on a vu une masse sanguinolente au milieu de la cour, et les étuis de plastique des cartouches éparpillés un peu partout. Quelle vision ! Quelle odeur !

Le nez du gendarme se pinça, comme si l'évocation de cette scène d'horreur le ramenait à la cour de feu Raoul Florent. Puis il poursuivit d'une voix étouffée :

— Le corps que nous avions sous les yeux n'avait plus de forme, les intestins étalés sur le sol se mélangeaient à la matière aqueuse des yeux pendant sur le visage, un bras était presque détaché, les deux jambes aussi, coupées au genou… Depuis les attentats au Liban, je n'avais pas vu pire ! Le jeune qui vous a reçue est parti vomir contre le mur et il a presque fallu le soutenir pour le mettre dans la voiture.

— Et Martin ?

— Il regardait devant lui, les yeux vides, sans paraître réaliser ce qu'il venait de faire.

Le gendarme fixa Mary. Il paraissait surpris que cette jeune femme ne manifeste pas toute l'horreur que ne devait pas manquer de soulever une telle évocation.

— Ça ne paraît pas vous étonner.

Mary se souvint de la crise de démence que le petit gros avait piquée lorsqu'on lui avait dit que le dossier d'extension de sa pisciculture s'était égaré, de ses yeux fous qui lui avaient fait peur.*

Elle resta un instant silencieuse, puis revint au major :

— Non, dit-elle enfin. Pourquoi a-t-il fait ça ?

Le gendarme en resta un instant sans voix, puis il maugréa :

— Comment le saurais-je ? Il reste prostré, vous regarde comme un zombie, il ne dit pas un mot.

Mary ne se démontait pas.

— Où est-il maintenant ?

* *Voir :* Te souviens-tu de Souliko'o ?

— Où voulez-vous qu'il soit? Chez les dingues, évidemment!

— Vous voulez dire qu'il est à l'asile?

Le major châtia son langage et revint aux formes administratives:

— En effet, sur instruction du procureur de la République, nous l'avons transféré dans une clinique psychiatrique.

Il ricana:

— Pas si dingue que ça, ce type! S'il avait flanqué un, voire deux coups de flingue à Florent, il serait derrière les barreaux, avec une inculpation de meurtre... Tandis qu'avec cinquante coups de fusil, il sera jugé irresponsable, si ça se trouve, il ne sera même pas jugé.

— C'est probable, dit Mary en pensant qu'à ce stade, la différence entre un asile psychiatrique et une prison devait être bien mince. Vous avez vu sa femme?

— Bien sûr! D'après elle, Martin aurait reçu un coup de téléphone qui l'aurait mis hors de lui.

— Sait-elle de quoi il s'agit?

— Elle prétend que non.

— Vous avez fait des recherches de ce côté?

Le gendarme la regarda, surpris:

— Pourquoi voulez-vous...

Il s'arrêta net et reprit avec une certaine véhémence:

— Martin a été surpris par un adjoint au maire

en train de s'acharner sur la dépouille de Florent. Lorsque nous sommes arrivés, il continuait, comme s'il effectuait une besogne : il tirait ses deux coups de fusil, il ôtait les étuis vides, remettait deux nouvelles cartouches, les tirait, puis recommençait consciencieusement, comme s'il travaillait à la chaîne. Quand il a posé son arme, il restait une cartouche dans la chambre.

— Vous l'avez vue ?

— Oui, il a cassé le fusil, l'a posé à terre et a levé les mains. Si on n'appelle pas ça être pris en flagrant délit, il n'y aura jamais de flagrant délit.

Il regardait à présent Mary Lester d'un œil si chargé de reproches qu'elle essaya de l'apaiser.

— C'est évidemment un cas de flagrant délit.

— Si ce n'en est pas un, je veux bien qu'on…

Le major n'acheva pas sa phrase, sans préciser ce qu'il voulait bien qu'on lui fasse.

Mary hocha la tête et ajouta :

— Cependant…

— Cependant quoi ?

Il était temps de calmer le jeu car le major semblait prêt à mordre.

— Cependant, il ne serait peut-être pas inutile que nous nous rendions sur la scène du crime.

Langlois haussa ses larges épaules avec humeur :

— Si vous avez du temps à perdre…

La voix de Mary s'était raffermie, le major sentit le changement.

— Je vous le redis, major, je ne fais pas ça pour mon plaisir personnel…

Elle articula soigneusement comme le ferait une enseignante envers un élève qui présente des difficultés de compréhension :

—… Je suis ici à la requête du maire et de Monsieur le Préfet… Et je suis bien placée pour savoir que ce dernier a reçu des instructions formelles de bien plus haut.

Ce devait être ce « bien plus haut » qui fit perler quelques gouttes de sueur sur le front dégarni du major Langlois.

— Vous ne voudriez tout de même pas, continua-t-elle de cette même voix posée, que je rentre à Quimper et que je fasse à mon supérieur, le divisionnaire Fabien, un rapport mentionnant que vous n'avez pas voulu accéder aux exigences les plus élémentaires de l'enquête ?

— Il… il n'a jamais été question de ça, bredouilla Langlois en s'épongeant le front.

Le visage de Mary Lester s'apaisa :

— Ah bon, vous me rassurez ! J'avais cru discerner une certaine réticence, pour ne pas dire comme un mauvais vouloir de votre part.

Le major répéta trop vite :

— Mauvais vouloir ? N'en croyez rien, capitaine, je suis à votre entière disposition !

Son regard affolé se posa sur Lucas, semblant l'implorer de faire quelque chose :

Lucas reçut le message.

— Si tu veux, Eugène, je vais m'occuper du capitaine Lester.

Mary lut une infinie reconnaissance et un soulagement sans bornes dans les yeux du major. Elle se leva et dit, avec un demi-sourire :

— Voilà qui est bien dit ! On y va ?

— Où… où ça ? demanda le major en se levant à son tour.

— Mais sur les lieux du crime, major !

Chapitre 6

Le gendarme Dieumadi, un large sourire aux lèvres, conduisait le fourgon de gendarmerie avec une aimable décontraction.

Lorsqu'il avait reconnu Mary, il était venu sans manières lui serrer la main avec effusion, sous le regard noir du major Langlois qui semblait trouver cette manifestation de fraternisation entre la police et la gendarmerie tout à fait déplacée.

La mine sombre, Langlois s'était assis sur le siège avant, avait bouclé sa ceinture et, après s'être assuré que Mary et Lucas étaient installés, il avait ordonné :

— Allez !

— Où ça, mon major ? avait demandé Dieumadi de sa voix chantante.

Et, toujours rogue, Langlois avait grogné :

— Sur les lieux du crime.

— Vous voulez dire chez monsieur Florent, mon major ?

— C'est tout à fait ça, Dieumadi !

— À vos ordres, mon major !

Langlois jeta un regard en biais au chauffeur, semblant se demander si Dieumadi se payait sa fiole ou s'il était tout simplement complètement idiot.

La première hypothèse lui ayant paru invraisemblable, il s'en tint à la deuxième.

Sur la banquette arrière, Mary s'entretenait de l'affaire avec Lucas. Le major essayait, en se tordant le cou, de les regarder dans le rétroviseur, semblant se demander encore ce que venait faire cette polka dans le champ de tir (comme aurait dit Fortin) et combien de temps son jeune collègue Lucas allait admettre de se faire mener par le bout du nez par cette souris. Lucas ne semblait pas partager les préoccupations du major Langlois. Il paraissait nettement plus décontracté que son aîné.

— On se demande bien quelle mouche a piqué Martin, dit l'adjudant-chef. S'il y a, à Trébeurnou, un type que je n'aurais jamais vu en criminel, c'est bien lui !

Mary tempéra cette opinion :

— Méfiez-vous de l'eau qui dort… Saviez-vous qu'il était au bord de la faillite ?

— Qui ça ? Martin ?

— Évidemment, pas Florent qui était en retraite, et qui combinait ses petites magouilles pour arrondir ses fins de mois.

Le major se retourna et, montrant qu'il suivait la conversation, il demanda :

— De quelles magouilles parlez-vous ?

— Bof… il louait des chambres d'hôtes, il donnait des cours de tennis…

— On ne peut pas appeler ça des magouilles, fit remarquer le major.

— C'est vrai, reconnut Mary. Mais il trafiquait également des éléments du patrimoine arrachés aux églises du coin.*

— Ah…

Le major fixa de nouveau son attention sur la route tandis que Mary fixait la sienne sur Lucas :

— Le major n'était pas au courant ?

— Je n'ai pas encore fini de lui transmettre les affaires en cours, dit Lucas, agacé, tandis que Langlois le regardait de travers, comme s'il le soupçonnait d'avoir voulu dissimuler certaines choses.

Mary précisa :

— Martin espérait s'en tirer en doublant sa production de truites, mais pour cela il lui fallait une autorisation du maire et de l'Équipement.

Lucas s'étonna :

— Comment savez-vous ça ?

— Ce n'est pas un secret, il suffit d'assister aux conseils municipaux. Mais comme la politique ne semble pas vous passionner…

— C'est bien le moins qu'on puisse dire.

— On apprend plein de choses pourtant dans ces assemblées, persifla Mary.

— Mais encore ?

* *Voir :* Te souviens-tu de Souliko'o ?

— On apprend par exemple que le dossier d'extension de l'exploitation piscicole de Martin avait été volé, comme quelques autres d'ailleurs et que le voleur était…

— Raoul Florent, compléta l'adjudant-chef. Et vous croyez que ça aurait eu une corrélation…

Mary termina la phrase restée en suspens :

— … une corrélation avec les agissements criminels de Martin ? Et comment ! Ce dossier égaré a retardé la décision de la commission qui décide des autorisations, ce qui a mis le pisciculteur en situation de faillite.

— Il aurait tué pour ça ? demanda Lucas d'un air sceptique.

— On a vu des choses plus étonnantes arriver, fit remarquer Mary. De toute façon, l'ancienne maire, madame Fontaine, avait clairement fait comprendre à Martin qu'il n'avait aucune chance d'avoir gain de cause.

— Alors ?

— Tant qu'il n'avait pas reçu le refus officiel de la commission, Martin espérait obtenir son agrément.

Elle regarda les deux gendarmes alternativement :

— Vous savez, dans les situations désespérées, on veut toujours croire au miracle. Mais quand Martin a su que son dossier avait disparu, il a compris que le miracle n'aurait pas lieu, et il a quitté le conseil municipal en proférant des menaces de mort contre Sonia Fontaine. Ça non plus, vous ne le saviez pas ?

Lucas avoua qu'il ignorait cet épisode du dernier conseil municipal présidé par Sonia Fontaine. Et il ajouta :

— Quand bien même je l'aurais su… S'il fallait mettre à l'ombre tous ceux qui, au cours d'une engueulade, se laissent aller de la sorte, on n'en finirait plus.

Bien entendu, l'adjudant-chef avait raison. Lorsqu'elle avait entendu Martin prononcer ces menaces, il lui avait fait plus pitié que peur. Et pourtant, cette lueur de folie dans ses yeux…

Finalement, elle ne savait trop que penser.

Au détour de la route, on aperçut le corps de ferme retapé dans lequel avait eu lieu le drame. Une maison longue et basse flanquée de deux bâtiments en pierres appareillées formait une sorte de U cernant une cour au sol de sable jaune.

C'était là qu'on avait découvert le corps déchiqueté de ce qu'on supposait être le propriétaire des lieux. La cour était déserte, mais on voyait encore sur le sable les traces de peinture qui avaient matérialisé la position du cadavre et de sinistres taches brunâtres qui devaient être du sang séché que le sable n'avait pas tout à fait absorbé.

La camionnette de la gendarmerie s'arrêta devant la porte métallique à double battant donnant sur la route. Sur le bitume, on apercevait deux traces noires bien parallèles, comme peut en provoquer un freinage énergique.

Mary sortit de la voiture de gendarmerie et examina les traces laissées par les pneus. Le major et l'adjudant-chef vinrent près d'elle tandis que Dieumadi, semblant se désintéresser de l'affaire, cueillait une tige d'herbe pour se curer les dents, puis s'étirait en bâillant.

— C'est tout frais, fit remarquer Mary.

Le major s'esclaffa :

— Et pour cause ! Ces traces ont été faites par la voiture de Martin. Elle était arrêtée sur la route exactement là où nous sommes.

Et il ajouta :

— J'ai là les photos qui ont été prises sitôt le corps découvert.

Mary releva la tête, intéressée :

— On peut les voir ?

— Je vous préviens, ce n'est pas ragoûtant, dit le major en prenant une grande enveloppe en papier kraft dans le vide-poches de la camionnette.

Elle fit remarquer :

— Un crime est rarement ragoûtant, major.

Puis elle remonta dans la camionnette pour examiner les photos. Elle s'installa sur le siège ordinairement réservé aux contrevenants pour signer les procès-verbaux et posa les clichés sur la petite table rabattable que Lucas déploya obligeamment.

— C'est vrai, reconnut le major, mais en vingt ans de carrière, je n'ai encore jamais rencontré quelque chose d'aussi abominable.

Il en grimaça de dégoût en lui tendant le paquet de photos. Mary le remercia d'un mouvement de tête et sortit les clichés de leur enveloppe.

Comme l'avait annoncé le major, ce n'était pas follement gai. On avait d'abord du mal à discerner ce dont il s'agissait, mais on devinait une masse de chairs déchiquetées près d'un mini-tracteur à usage de tondeuse. Autour de ce magma sanglant, le sol était parsemé de petits étuis de plastique, les douilles des cartouches que le pisciculteur avait tirées jusqu'à épuisement de ses munitions.

Prises de différents endroits, toutes représentaient le même sujet macabre et, comme l'avait dit Kerlorc'h, si on n'avait pas vu les chaussures de tennis, on aurait été en droit de se demander ce qu'avait pu être ce paquet de chairs hachées.

— Appétissant, non ? ironisa le major.

Mary fit celle qui n'avait pas entendu. Elle pointa le bout de son stylo-bille sur un objet figurant sur la photo :

— Qu'est-ce que c'est que ça ?

— Le téléphone de Florent.

— Il n'était pas abîmé ?

— Non. Seule la batterie avait sauté.

Le major pointa alors le crayon sur un autre petit objet :

— Voyez, là… Le cache, et un peu plus loin, la batterie. Je suppose, poursuivit-il, que lorsque Florent est tombé du tracteur, le choc, qui a dû être violent, a fait sortir le téléphone de sa poche. Il se sera ouvert en tombant au sol.

— Ce n'est pas impossible, dit Mary songeuse. Où sont ces pièces ?

— Sous scellés, à la brigade.

— Vous ne les avez pas données au labo ?

Le gendarme parut troublé :

— Non. Pourquoi ? Je ne vois pas l'intérêt…

— La routine, major, la routine. Je voudrais qu'il soit procédé à une recherche d'empreintes sur tous les objets ramassés sur les lieux du crime.

— Sur les cartouches aussi ?

— J'ai dit tous les éléments…

Le gendarme maugréa :

— Ça va prendre du temps ! Cinquante cartouches !

— Ça prendra le temps que ça prendra, dit Mary. Il ne faut rien négliger.

La mimique du major montrait qu'il se contenait pour rester poli. Elle l'ignora et demanda :

— Y a-t-il eu un témoin du drame ? Je veux dire, autre qu'Aimé Le Berre…

— Non… La femme de Florent était absente, elle animait un stage pédagogique dans le Morbihan Heureusement pour elle car il est probable qu'elle y serait passée aussi.

— Florent était donc seul dans sa maison ?

— Si on excepte le chien, oui, dit le major.

Et il fit finement remarquer :

— Mais le chien ne nous a rien dit.

Mary haussa les épaules sans l'ombre d'un sourire :

— Très drôle !

Puis elle revint aux traces de freinage découvertes sur la route.

— C'est donc Martin qui a fait ça ?

— Oui. Il a dû arriver à toute vitesse et freiner comme une brute. Il avait laissé sa voiture sur la route et elle bouchait à moitié le passage.

— Où est la tondeuse ? demanda-t-elle.

— Dans le hangar.

— C'est vous qui l'avez remisée ?

— Oui, dit le major, on l'a poussée sans mettre le moteur en marche.

— Il n'y a personne dans la maison ?

— Non, madame Florent est très choquée, elle a préféré rester chez sa sœur, à Morlaix.

— Comme je la comprends, dit Mary. Je peux voir ce tracteur ?

— Si vous voulez…

Le gendarme ouvrit un des battants de la double porte du hangar et, dans la pénombre, un micro-tracteur rouge équipé de lames circulaires apparut. Le garage sentait l'herbe sèche et le gasoil. Le gendarme actionna un interrupteur et, après quelques clignotements, deux néons éclairèrent les lieux d'une lumière blafarde. On était dans une remise au sol en terre battue, comme on devait en trouver dans toutes les maisons d'alentour. Un établi de bois massif s'appuyait contre un mur de pierres brutes. Quelques outils accrochés sur un tableau peint en blanc fixé au mur par des fiches de fer rouillé faisaient face à l'établi. Des râteaux, des pelles et d'autres instruments aratoires étaient regroupés dans un coin. Suspendus aux poutres de bois noir, une planche de surf, une planche à voile, des mâts, des wishbones, des rames, des pagaies. Quelques bidons de plastique rouge posés à même le sol semblaient contenir du carburant pour le tracteur et deux vélos tout terrain étaient posés sur des crochets d'aluminium gainés de plastique rivés aux poutres.

Après avoir balayé le garage d'un coup d'œil rapide, Mary examina soigneusement le tracteur sous le regard suspicieux des deux gendarmes. Elle en souleva le siège qui s'appuyait sur un gros ressort faisant office de suspension.

Lucas n'y tenait plus :

— Qu'est-ce que vous cherchez ?

— Je regarde…

Elle laissa retomber le siège qui rebondit sur son ressort et demanda :

— À votre avis, quelles ont été les circonstances du crime ?

Le major répéta bêtement :

— Les circonstances du crime ?

— Oui, comment pensez-vous que les choses se sont passées ?

Le major en resta coi et l'adjudant-chef Lucas prit le relais.

— Je pense que Florent tondait son gazon derrière la maison et que l'autre fou l'a surpris lorsqu'il s'apprêtait à ranger son tracteur, la tonte terminée.

— À votre avis, il aurait tiré alors que Florent était toujours sur son tracteur ?

— C'est plus que probable.

Le major s'inquiéta :

— Quelque chose vous chiffonne ?

Mary éluda :

— Peut-être…

Elle réfléchit et ajouta :

— Sûrement, même !

Lucas ferma les yeux et serra les poings, comme s'il implorait le ciel. Qu'est-ce qu'elle allait encore trouver pour lui pourrir la vie ? Que n'était-il parti huit jours plus tôt à Pontchâteau !

Il grinça :

— À quoi pensez-vous ?

— Un fusil de chasse, ça envoie une gerbe de plombs, Lucas.

Le gendarme haussa les épaules :

— Évidemment !

— Ça disperse, quoi…

— Oui, ça disperse, comme vous dites.

— Alors, comment se fait-il que ce tracteur ne porte aucune trace d'impact?

Le gendarme se pétrifia.

— Mais…

— Vous allez me dire que c'est parce que Florent a encaissé la totalité de la gerbe!

— Ben oui! dit bêtement le gendarme qui, pris de court, n'avait pensé à rien.

— Donc, pour que le plomb n'ait pas le temps de se disperser, le coup aurait été tiré presque à bout portant.

— Ça se peut, non?

— Oui, dit Mary songeuse. Ça se peut… Mais Florent, en voyant arriver le fada avec son fusil, n'aurait pas attendu qu'on vienne le tirer à bout portant!

— Qui vous dit qu'il l'a vu arriver?

— À défaut de le voir, il a dû l'entendre. On ne donne pas un coup de frein comme ça sans ameuter le voisinage! D'ailleurs, Florent ne pouvait pas ne pas le voir, sur les photos que vous venez de me montrer, le tracteur fait face à l'entrée.

— Je ne vous suis pas, dit le gendarme.

— Attendez… Martin arrive à toute vitesse avec sa voiture. Florent l'entend et le voit arriver…

— D'accord…

— Si j'en juge par les traces matérialisées dans la cour, Florent est, à ce moment-là, à une trentaine de mètres de la route.

— À peu près.

— Largement assez pour que la gerbe de plombs s'écarte…

— Largement assez en effet, concéda Lucas. Mais où voulez-vous en venir ?

Elle ne répondit pas, elle poursuivait son idée :

— Il faut à Martin le temps de sortir de sa voiture, de prendre son fusil, d'ouvrir le portail et de s'approcher de Florent pour le tirer à bout portant.

— Probablement…

— Bon, maintenant, mettez-vous à la place de Florent : vous voyez arriver à toute vitesse une voiture folle conduite par un type qui n'est visiblement pas dans son état normal. Elle s'arrête devant chez vous dans un hurlement de freins. Vous voyez un type sortir de la voiture un fusil à la main. Vous le voyez ouvrir votre barrière sans vous en demander la permission, car il a bien fallu qu'il ouvre la barrière pour s'approcher de Florent et le tirer à bout portant !

— Sans doute, dit Lucas.

— Dans ce cas-là, qu'est-ce que vous faites ?

— Eh bien…

Elle le pressa :

— Vous ne faites rien ? Vous attendez qu'on vienne vous flinguer à bout portant ?

— Euh… fit Lucas.

— Vous savez ce que je fais, moi ?

L'adjudant-chef attendait, accablé par toutes ces

questions qu'il n'avait même pas envisagées et qui lui tombaient dessus comme une averse de grêle.

Mary le fixa dans les yeux et articula :

— Je me barre, je me sauve, je me tire ! Énoncez-le comme vous voulez, je prends la fuite. Il n'a qu'une vingtaine de mètres pour rentrer dans la maison. Là, on peut se barricader, se protéger et surtout téléphoner, appeler du secours...

— Il n'en a peut-être pas eu le temps !

— Mais si ! N'oubliez pas que Florent était un éducateur sportif, un type entraîné. Il aurait facilement échappé à Martin.

— Il a peut-être essayé et Martin a tiré lorsqu'il s'approchait de la maison, ce qui expliquerait qu'il n'y ait pas d'impacts sur le tracteur.

— Dans ce cas, il y en aurait sur la porte ! Allons voir !

La porte de la ferme ne portait pas la moindre égratignure. La peinture, d'un beau rouge profond, avait été refaite récemment.

— Rien ! dit l'adjudant dépité.

Mary réprima un mince sourire :

— Je m'y attendais ! Le corps de Florent gisait près du tracteur. Dites-moi, Lucas, lorsque vous êtes arrivé, le moteur du tracteur était arrêté ?

— Oui, mais je l'ai vérifié, le contact était toujours mis.

— Ce qui veut dire que ce n'est pas Florent qui a arrêté le tracteur.

Le gendarme fronça les sourcils :

— Vous pensez que c'est Martin ?

— Je ne crois pas, non.

Lucas s'impatienta :

— Qui alors ?

Comme elle ne répondait pas, il la pressa :

— À quoi pensez-vous ?

Silence. Le regard du major allait de l'un à l'autre sans comprendre.

— Lucas, dit-elle enfin, j'aimerais interroger Martin.

Le gendarme, surpris par cette requête, s'exclama :

— Martin, mais il est chez les dingues !

— Qu'importe, je voudrais vérifier quelque chose.

— Si vous croyez qu'il pourra vous apprendre quoi que ce soit… Il doit être assommé par les calmants qu'on lui a fait prendre.

— Qu'importe, j'aimerais essayer…

Elle se fit enjôleuse :

— Allons, Lucas, vous me devez bien ça…

Chapitre 7

Martin était gardé dans une chambre au troisième étage de l'hôpital psychiatrique de Morlaix.

Lucas, en maugréant, avait accepté d'accompagner Mary et le major n'avait pas voulu rester à la traîne. L'adjudant-chef bougonnait pour la forme, mais dans le fond, il était curieux de savoir ce que cette drôle de fille avait derrière la tête. Le major Langlois, muet mais désapprobateur, reprit sa place près de Dieumadi toujours aussi décontracté. Lorsque la fourgonnette s'immobilisa dans la cour de l'hôpital, les deux gradés, encadrant Mary, prirent l'ascenseur jusqu'au troisième étage.

Dieumadi, qui paraissait se désintéresser totalement de l'affaire, était resté au volant du véhicule. Lorsque le petit groupe qu'ils formaient déboucha au bout du couloir, le jeune gendarme qui montait la garde assis sur une chaise devant une porte close bâillait à s'en décrocher la mâchoire, signe évident qu'il s'ennuyait ferme. En apercevant les arrivants, il rectifia vivement la position, se campa au garde à vous et salua les gradés.

— M'n'adjudant, major…

— Repos! commanda Lucas, sans s'offusquer de l'omission par le gendarme de sa récente promotion.

Le jeune homme se détendit alors et Lucas demanda :

— Comment ça se passe ?

— Le plus calmement du monde, adjudant. Le prévenu est prostré, mais d'après le médecin, maintenant que sa crise est passée, il ne serait plus dangereux.

— Où est le médecin ?

Le gendarme montra le bout du couloir :

— Voulez-vous que j'aille le prévenir ?

Mary intervint :

— Pas la peine, on va y aller.

Ils firent une vingtaine de mètres dans le couloir au linoléum brillant et s'arrêtèrent devant une cabine vitrée occupée par une femme d'une quarantaine d'années qui semblait classer des dossiers.

Mary toqua à la vitre et la femme se retourna :

— Oui ?

— Nous venons pour monsieur Martin, dit Mary. Le médecin qui s'en occupe est-il là ?

— Non, dit la dame, il est actuellement au chevet d'un malade particulièrement agité.

Elle proposa :

— Je peux peut-être vous aider…

Et elle précisa :

— Je suis l'infirmière en chef de ce service.

— Comment se comporte Martin ? demanda l'adjudant-chef.

— Il est prostré.

— Il a parlé ?

— Pas un mot.

— Il n'a rien dit pour expliquer son geste ?

— Non. Il n'a pas desserré les dents.

— A-t-il eu un comportement violent ?

Elle eut un demi-sourire :

— Pas du tout. Il est d'une docilité rare à cet étage.

— Vous avez plutôt affaire à des agités ? demanda Mary.

— Au troisième, oui. Au-dessous, il y a les dépressifs qui sont en général plus calmes et, au rez-de-chaussée, les Alzheimer.

Elle eut un mouvement fataliste du bras :

— Ceux-là, il faut les surveiller, ils vont se balader partout. Compte tenu de ce que ce Martin a fait, nous avons cru que sa place était ici. Nous étions fondés à penser que c'était un individu dangereux, mais il est doux comme un mouton.

— Probablement les tranquillisants qu'il a reçus, dit le major.

L'infirmière secoua la tête négativement :

— Sûrement pas ! Le docteur Berger l'a examiné dès son arrivée et, devant sa passivité, il n'a prescrit qu'un sédatif léger.

Elle sourit de nouveau :

— Rien de plus fort que ce que vous prenez lorsque vous avez des insomnies.

— Il a dormi ? demanda Mary.

— Oui. Peut-être dort-il encore d'ailleurs. C'est un homme exténué que vous nous avez amené, adjudant. Un type physiquement au bout du rouleau. Je crois que son hygiène de vie laisse à désirer.

Elle pinça le nez et les lèvres :

— Son hygiène tout court aussi, d'ailleurs. Dieu, ce qu'il puait le poisson ! Désirez-vous le voir ?

— Nous sommes venus pour ça, dit Mary.

L'infirmière prit une petite planche sur laquelle des feuillets étaient tenus par une pince à dessin et dit :

— Je vous accompagne.

Ils refirent le chemin en sens inverse et l'adjudant commanda au jeune gendarme :

— Ouvrez-nous, s'il vous plaît !

Le gendarme sortit une clé de sa poche et déverrouilla la porte qu'il poussa. Puis il s'effaça pour laisser entrer les visiteurs qui pénétrèrent dans une chambre aux murs laqués de vert pâle, imprégnée d'une vague odeur d'eau de Javel et de phénol.

Le pisciculteur, assis sur son lit de fer, les coudes sur les genoux, ne fit pas un geste lorsqu'ils entrèrent. Sans bouger la tête, il leva les yeux sur les visiteurs d'un air morne. Il y avait dans son regard toute la résignation d'une bête de boucherie qui a compris que son temps est venu et qu'on va la mener à l'abattoir.

On l'avait revêtu d'un pyjama bleu clair qui appartenait à l'hôpital et, visiblement, il avait subi une grande toilette. Cependant il était toujours aussi mal rasé et ses cheveux qui bouclaient dans le cou auraient eu besoin d'un sérieux coup de ciseaux. Ayant vu les gendarmes, Mary Lester et l'infirmière, il se recroquevilla sur lui-même, les yeux clos, la bouche crispée, comme en attente d'un coup de merlin.

Ne sentant rien venir, il risqua de nouveau, entre ses paupières mi-closes, un regard inquiet. Mary le considérait avec une pitié que ne semblaient pas ressentir les deux gendarmes.

— Bonjour monsieur Martin, dit-elle d'une voix douce. Vous me reconnaissez ?

Martin hasarda un regard craintif pour considérer Mary et, ayant réfléchi, secoua la tête négativement.

— Monsieur Martin, reprit Mary, j'ai assisté à la dernière séance du conseil municipal...

Martin la considérait d'un œil atone. Elle poursuivit :

— Vous savez bien, lorsque vous avez appris que votre dossier d'extension avait été égaré.

Martin eut un léger mouvement d'épaules qui semblait vouloir dire : « Il est bien temps de se préoccuper de ça... ».

— À l'époque, vous aviez menacé madame Fontaine. Vous vous en souvenez ?

Cette fois Martin sembla se souvenir. Très lentement, il hocha la tête affirmativement.

— Il y a du progrès, souffla l'infirmière à l'adjudant-chef. On n'en a jamais tiré autant!

La voix douce de Mary reprit:

— Pourquoi vous en êtes-vous pris à Florent?

Il y eut un long temps de silence, puis la voix du pisciculteur, presque inaudible, se fit entendre:

— C'est lui qui avait volé mon dossier!

— Qui vous l'a dit?

Nouveau haussement d'épaules et Mary crut comprendre:

— Sais pas…

— Vous avez reçu un coup de téléphone, c'est ça?

Hochement de tête affirmatif.

— De qui?

Soupir évasif et nouveau bredouillis:

— Sais pas…

— Vous n'avez pas reconnu la voix?

Nouvelle négation de la tête.

— Et là, vous avez pété les plombs, comme on dit vulgairement.

Martin hocha la tête, mais cette fois avec plus de vigueur. Il regarda Mary d'une autre manière, avec surprise, semblant se dire: « Enfin quelqu'un qui me comprend! »

— Alors vous avez pris votre fusil et vous avez filé chez Florent.

— J'aurais pas dû, fit-il d'une voix morne.

Mary confirma:

— Non, vous n'auriez pas dû.

Elle le laissa un instant méditer sur ce coup de folie qui venait de faire basculer sa pauvre vie, transformant l'homme paisible qu'il était en criminel.

— Pouvez-vous me dire ce qui s'est passé lorsque vous êtes arrivé chez Florent ?

Il la regarda d'un air de ne pas comprendre. Elle précisa :

— Vous avez eu des mots avec Florent ?

Il secoua la tête négativement.

— Vous vous êtes mis à tirer comme ça, sans essayer d'avoir une explication ?

— Il n'y avait personne, affirma le pisciculteur.

— Vous prétendez que Florent n'était pas là ? demanda Mary stupéfaite.

Martin confirma, avec une certaine véhémence qui contrastait avec son apathie de l'instant d'avant.

— Non, il n'y avait personne.

— Personne ? dit en écho la grosse voix du major Langlois.

Cette voix portait tant de menaces que le pisciculteur se recroquevilla telle une huître sous le jet de citron, comme s'il craignait de recevoir un bourre pif grand format. Mary posa sa main sur la manche du major et lui fit signe de la laisser poursuivre l'interrogatoire. Celui-ci parut agacé mais recula d'un pas.

— Son tracteur était là, dit Mary.

— Oui, au milieu de la cour. Alors je me suis approché et j'ai vu qu'il s'était caché derrière.

— Il s'était caché derrière le tracteur ? répéta Mary de plus en plus surprise.

Le pisciculteur confirma en hochant la tête. Puis il leva un pauvre regard vers Mary Lester.

— Je ne voulais pas le tuer... Juste...

Il s'interrompit et secoua la tête d'un air de dire : « À quoi bon... » Mary le pressa :

— Juste quoi ?

Le pisciculteur inspira profondément, puis, ayant semblé trouver quelque énergie nouvelle dans l'oxygène inhalé, il expira bruyamment :

— Juste lui faire peur.

— Lui faire peur et lui demander des explications ? suggéra Mary.

Martin la regarda de nouveau par en dessous et hocha la tête affirmativement.

Puis il écarta ses bras en signe d'impuissance et souffla :

— Je l'ai appelé mais il ne me répondait pas, alors...

Il haussa les épaules avec accablement :

— Alors j'ai tiré, tiré, tiré, tiré...

Il répétait ça en fermant les yeux comme s'il entendait encore ces coups de fusils résonner dans sa tête, comme s'il ressentait dans l'épaule le recul de la crosse, comme si c'était à lui enfin qu'ils faisaient mal. Il s'effondra brusquement en sanglots.

Mary lui posa une main sur l'épaule :

— Calmez-vous, monsieur Martin, calmez-vous.

Il la regarda d'un air de reproche, avec des yeux qui interrogeaient et dans lesquels on lisait : « Et vous, si vous étiez à ma place, vous seriez calme ? »

Mary demanda :

— Que vous a dit Florent ?

— Rien... Il ne m'a rien dit ! Il croyait que son tracteur le cachait...

— Vous pensez qu'il vous a vu arriver ?

— Je ne sais pas... Il m'a entendu, sûrement qu'il m'a entendu. Alors il s'est caché !

— Il n'a pas bougé ? Vous êtes sûr qu'il n'a pas bougé ?

Le bonhomme hocha la tête vigoureusement puis il demanda d'une façon tout à fait inattendue en roulant des yeux effarés :

— On va me couper la tête ?

Elle le rassura :

— Mais non, monsieur Martin, il y a longtemps qu'on ne coupe plus les têtes dans ce pays !

Il parut un peu rassuré et fit :

— Ah...

Puis il demanda d'une voix pitoyable :

— Et mon chien ?

— Votre chien ?

— Oui, je voudrais voir mon chien !

Le major agacé se toucha la tempe de l'index en marmonnant :

— Complètement azimuté !

— Tss ! fit Mary en le foudroyant du regard.

Puis elle s'appliqua à rassurer Martin :

— Votre femme pourra venir vous voir.

— Ma femme ! fit-il avec dépit, ma femme !

Il se coucha en chien de fusil sur son lit, secoué de gros sanglots.

Mary resta un instant à le regarder, impuissante, tandis que l'adjudant et le major sortaient.

— Vous ne voulez pas que votre femme vienne vous voir ? demanda-t-elle.

— C'est mon chien que je veux voir ! dit Martin en sanglotant de plus belle.

Mary regarda l'infirmière d'un air perplexe et celle-ci lui rendit son regard avec un mouvement évasif. Elle devait en voir de toutes les couleurs, les paroles de Martin ne paraissaient pas la surprendre.

— Courage, monsieur Martin, dit Mary en sortant.

Il ne parut pas l'entendre. L'infirmière referma soigneusement la porte et tendit la clé au jeune gendarme.

Mary secoua la tête lorsqu'elle fut dans le couloir :

— Pauvre bonhomme !

L'infirmière opina :

— C'est terrible…

Puis, après un silence :

— Si vous n'avez plus besoin de moi…

Mary la remercia d'un sourire et d'un mouvement de tête :

— Pas pour le moment. Merci…

L'infirmière s'en retourna vers sa cabine vitrée, serrant toujours contre sa poitrine la planche portant ses formulaires qui ne lui avaient servi à rien. Mais elle devait être accoutumée à se déplacer avec cet attribut de sa fonction et elle l'avait prise par habitude.

Lucas s'indigna :

— Vous alors !

Mary ainsi prise à parti s'étonna :

— Qu'est-ce que j'ai encore fait ?

— Vous n'allez tout de même pas plaindre ce salopard ! Faudrait pas oublier qu'il a sauvagement massacré un homme !

Mary s'arrêta brusquement au milieu du couloir, et, sous le regard réprobateur du major Langlois, prit Lucas par un bouton de sa vareuse et le secoua comme si elle voulait l'arracher :

— Il a tué un mort, Lucas, UN MORT !

Elle lâcha le bouton qui semblait bien cousu et Lucas, avec un geste agacé, remit de l'ordre dans sa tenue malmenée en protestant :

— Ça ne va pas ?

Puis il ajouta :

— Qu'est-ce que vous allez encore imaginer ?

Elle ne répondit pas.

— Je voudrais retourner sur les lieux du crime, dit-elle enfin.

— D'accord, acquiesça Lucas, mais je ne vois pas…

Il s'interrompit, puis s'insurgea :

— Si vous croyez que je vais passer mon temps à courir de la maison de Florent à l'hôpital psychiatrique ! J'ai autre chose à faire, savez-vous ?

— Ouais, dit-elle sarcastique, mettre le major au courant…

Elle eut un geste désinvolte du bras :

— Courez à vos devoirs, Messieurs, je connais le chemin, je peux y aller seule… Et si des affaires trop pressantes ne vous laissent pas le temps de me ramener à ma voiture, ne vous inquiétez pas, je prendrai un taxi ou je ferai du stop !

— Je n'ai pas dit ça, répliqua Lucas agacé. Je peux vous ramener à votre véhicule.

Elle le toisa, goguenarde :

— Vous êtes trop bon, adjudant-chef!

Le major la considérait les lèvres pincées tandis que Lucas se retenait d'exploser.

Il s'efforça au silence tandis qu'ils regagnaient le rez-de-chaussée, par l'escalier cette fois. Le major reprit sa place près de Dieumadi, et Lucas s'assit près de Mary sur la banquette arrière.

Impassible, Dieumadi attendait les ordres derrière son volant.

Le major regarda Lucas interrogativement et celui-ci bougonna :

— On retourne chez Florent !

Chapitre 8

Le véhicule démarra et Lucas demanda à Mary:

— Qu'espérez-vous trouver là-bas?

— Une douille, Lucas.

— Une douille? On en a ramassé quarante-neuf, ça ne vous suffit pas?

— Quarante-neuf étuis, Lucas. Des étuis de cartouches de chasse. Ce n'est pas un compte. Il me manque une douille!

— Je vous assure qu'on a tout ramassé!

Il prit le chauffeur à témoin:

— N'est-ce pas, Dieumadi, qu'on a tout ramassé?

Dieumadi répondit docilement, de sa voix chantante:

— Oui, mon adjudant-chef!

Ça pouvait aussi bien vouloir dire: « Si tu savais ce que je m'en fous! » Lucas le regarda d'un œil courroucé tandis que Langlois, qui ne s'était aperçu de rien, renchérissait en précisant:

— Tout ce qui était dans la cour!

Il regarda Mary dans le rétroviseur :

— Nous n'avons pas l'habitude de négliger les indices, capitaine !

— J'en suis persuadée, major.

— On ne le dirait pas ! fit Lucas en se détournant de Mary et en considérant la route d'un air boudeur.

— Allons, adjudant-chef, vous avez ramassé tout ce qui était dans la cour, j'en suis intimement persuadée. Mais moi, la douille qui me manque, elle n'est probablement pas dans la cour !

Cette affirmation fit sursauter Lucas.

— Et où est-elle alors ?

— Je ne sais pas encore, il faut que je réfléchisse.

Le major souffla :

— Pff !

Visiblement, il se retenait de recadrer cette fille vertement. Comme Lucas était son prédécesseur, il lui laissait l'initiative des opérations. Peut-être la passation officielle des pouvoirs n'avait-elle pas encore eu lieu, mais, c'est sûr, il brûlait d'envoyer cette péronnelle sur les roses. Cependant, quelque chose le retenait - peut-être cette allusion aux instances supérieures - et il restait sur ses gardes.

Lucas gronda :

— Vous ne pourriez pas être plus claire ?

Elle répondit paisiblement :

— Pour le moment, non...

— Pour le moment ! gronda Lucas en écho.

La fourgonnette suivait cette route que Mary commençait à bien connaître. Ici un troupeau de vaches avait traversé, laissant des bouses sur le bitume. La fermière qui les avait menées au champ repoussait avec quelques difficultés la barrière de bois qui fermait la pâture. Elle se retourna pour regarder la voiture de gendarmerie passer, puis elle rajusta son fichu sur ses cheveux, mit sous son bras le chiffon rouge fixé sur un bâton et qui faisait office de drapeau* et remonta vers sa ferme. La fourgonnette des gendarmes s'arrêta devant le domicile de feu Florent, et ses quatre occupants en descendirent. Mary huma avec plaisir l'air marin mêlé des senteurs de campagne et regarda autour d'elle. Les deux gendarmes, silencieux, l'épiaient avec curiosité.

Après un temps de réflexion, elle désigna un buisson, de l'autre côté de la route :

— C'est de là que Le Berre a vu Martin tirer sur le corps de Florent ?

Le major hocha la tête :

— C'est ce qu'il nous a dit.

— D'ailleurs, ajouta Lucas en montrant la dune rase, c'est le seul endroit d'où l'on peut voir sans être vu.

— C'est donc par là qu'il faut chercher !

Lucas arborait un air dubitatif :

— Et qu'est-ce qui vous fait dire ça ?

— Le raisonnement, mon cher Lucas, le raisonnement, dit-elle en se tapotant le front de l'index.

** Lorsqu'un exploitant agricole doit emprunter un chemin communal pour mener ses bêtes au pré, il doit être muni d'un drapeau rouge pour signaler aux automobilistes la présence de ses animaux sur la route.*

Elle traversa le chemin, escalada le talus et examina soigneusement le sol. L'humus et les feuilles mortes qui s'étaient accumulées derrière le talus portaient encore des traces de pas.

— Croyez-vous qu'on pourrait faire un moulage de ces empreintes ? demanda-t-elle.

Les deux gendarmes examinèrent soigneusement le sol et le major secoua sa grosse tête :

— Ce ne sont pas des empreintes, capitaine. On voit que quelqu'un a marché là récemment, mais quant à dire s'il chaussait du trente-six ou du quarante-cinq…

Il secoua de nouveau le chef en signe de dénégation et laissa tomber :

— Inexploitable !

Elle abonda dans son sens :

— Je crois que vous avez raison.

Elle passa derrière le talus et s'accroupit comme si elle cherchait un angle de tir. Les gendarmes la considéraient avec une perplexité palpable. Elle trouva une branche à peu près droite dans le fossé, la prit et l'épaula comme on épaule une arme.

— Vous jouez à la petite guerre ? fitLucas agacé.

— Je ne joue pas, je cherche !

Elle continua à se déplacer et à faire mine d'épauler son arme factice vers la cour de Florent sous le regard courroucé du major, intrigué de Lucas et hilare de Dieumadi. Enfin elle se tourna vers l'adjudant :

— Je vous ai demandé tout à l'heure comment

vous imaginiez la scène du crime. Vous m'avez dit que vous pensiez que Martin avait tiré sur Florent alors que celui-ci était sur son tracteur.

— En effet. C'est l'hypothèse la plus plausible, non ?

Elle corrigea :

— Ça l'aurait été s'il y avait eu des impacts de plombs sur le tracteur. Or, vous avez pu le constater, il n'y en a pas.

— Alors, comment voyez-vous les choses ?

— Comme vous. Florent a été tiré sur son tracteur, mais pas par Martin.

— Par qui alors ?

Elle paraissait plongée dans ses pensées et poursuivit sa réflexion à haute voix sans tenir compte de la question de l'adjudant.

— Ou alors, si c'est Martin, ce n'est pas avec la même arme… Mais non, ça ne colle pas…

Elle soliloquait : « Martin arrive en voiture, furieux, les traces de freinage sur la route le démontrent. Or, celui qui a tiré sur Florent a pris tout son temps… Je vois mal Martin guetter Florent derrière son talus, lui allonger une balle dans la tête et puis venir l'achever de quarante-neuf coups de fusil en attendant l'arrivée des gendarmes ! »

— Pourquoi pas ? fit Lucas. S'il était démontré que Florent a été tué d'une seule balle par un tueur qui le guettait, c'est un assassinat ! En massacrant sa victime de quarante-neuf coups de fusil de chasse,

Martin fait passer son crime pour un coup de folie, ce qui, aux Assises, coûte bien moins cher qu'une qualification d'assassinat.

Ce fut au tour de Mary de secouer la tête négativement :

— Je crois que vous prêtez à ce pauvre bonhomme un machiavélisme hors de portée de ses capacités intellectuelles. Martin est un primaire. Sait-il seulement quelle nuance il y a entre un assassinat et un meurtre commis sous le coup de la colère ? Vous avez vu, tout à l'heure il craignait qu'on lui coupe la tête !

— Humpf, fit le major, il joue peut-être au con pour nous égarer.

Mary regarda Langlois d'un air railleur :

— Il ne joue pas au con, comme vous dites, major. Il l'est ! Je vous le redis : Martin est un primaire. Il voit un obstacle sur son chemin, il l'écarte ! Laissez le machiavélisme à d'autres.

Lucas s'essaya à l'ironie :

— Ah, et à qui donc ?

— Vous ne devinez pas ?

Les deux gendarmes se regardèrent. Non, ils ne devinaient pas.

— Je vous le dirai tout à l'heure, promit-elle. Maintenant, il faut qu'on cherche...

— On cherche quoi ?

— Une douille de cuivre. Probablement de calibre vingt-deux long rifle. C'est moins grand qu'un étui de cartouche de chasse, mais ça a un avantage : ça brille ! Pour moi, ça devrait être par là.

Elle montrait du bras le côté droit du talus.

— Ah… Je suppose qu'il y a une raison ? ironisa Lucas.

Il se tapota le front de l'index :

— Peut-être avez-vous eu une illumination ?

Mary ignora le sarcasme sous-jacent.

— Non, Lucas. Le raisonnement, toujours le raisonnement je vous dis ! En général, les armes automatiques éjectent du côté droit.

— Et si c'est un fusil à un coup ?

— Dans ce cas, deux éventualités : soit le criminel en homme prudent a ramassé son étui et nous ne trouverons rien, soit il a simplement ouvert la culasse de son arme et l'étui est tombé à ses pieds.

Lucas se redressa, croisa les bras et dit d'un ton empreint de doute :

— Ça me paraît bien aléatoire tout ça ! Si on ne retrouve pas cet étui, toute votre hypothèse tombe à l'eau !

Il regarda Mary curieusement :

— Mais d'ailleurs, c'est quoi, votre hypothèse ?

— Vous ne comprenez pas ? Mon hypothèse, comme vous dites, est que quelqu'un a tiré Florent comme un lapin…

Elle réfléchit et dit, comme se parlant à elle-même :

— Florent va tondre son herbe derrière la maison. Lorsqu'il a terminé, il passe dans la cour pour garer son tracteur dans la remise. Mais, derrière ce buisson, son meurtrier le guette. À vingt-cinq mètres, un bon tireur ne peut manquer une telle cible. Il tue Florent d'une balle dans la tête. Florent tombe de son tracteur qui s'arrête aussitôt.

Elle regarda les gendarmes qui buvaient littéralement ses paroles et, pointant le doigt sur l'adjudant-chef comme un professeur qui désigne un élève distrait, elle demanda :

— Pourquoi le tracteur s'arrête-t-il, Lucas ?

Surpris, l'adjudant-chef bredouilla :

— Je... Je ne sais pas... Il cale ?

— Non !

Elle détourna son attention vers le major :

— Et vous, saurez-vous me le dire, major ?

Le major Langlois eut une moue d'ignorance et laissa tomber avec agacement :

— Je compte sur vous pour me l'apprendre.

— Avec plaisir, dit Mary. Ces mini-tracteurs sont pourvus d'une sécurité. Pour les mettre en marche, il faut être assis sur le siège, sinon le contact se coupe automatiquement.

— Ah bon ? fit Lucas en regardant son collègue d'un air ahuri.

— Ainsi, poursuivit Mary, si le tracteur se renverse, le conducteur ne risque pas d'être blessé par les lames.

— Comment savez-vous ça ?

— Je sais que ce dispositif existe ! Et j'ai vérifié, tout à l'heure, que le tracteur de Florent en était pourvu. Vous vous souvenez, lorsque j'ai soulevé le siège ? Ce siège repose sur un gros ressort... Le poids du conducteur écrase le ressort et fait contact, lorsqu'il n'y a personne sur le siège le contact est coupé.

— Ah... dit Lucas. Je me demandais ce que vous cherchiez sous ce siège.

— Je ne cherchais rien. Je vérifiais la présence de cet équipement. À ce que je crois savoir, ce Florent ne manquait pas d'ennemis.

Lucas ricana :

— Comme vous dites. Ce type avait un don pour se rendre odieux...

— Et pourtant il espérait être élu maire !

— Vous pouvez même dire réélu, puisqu'il avait déjà occupé la fonction.

— Surprenant, dit Mary. D'ordinaire, pour faire de la politique mieux vaut être sympathique.

Nouveau ricanement de Lucas :

— Sympathique ou pas, il avait toutes ses chances, dès lors qu'il était le seul candidat. On l'aurait élu par défaut, parce qu'il était le seul à se présenter. Mais lorsque monsieur Kerloc'h s'est mis sur les rangs, ses chances se sont singulièrement amenuisées.

— J'ai vu ça, dit Mary. Monsieur Kerloc'h a été confortablement élu.

— Plus de soixante-dix pour cent des voix, précisa Lucas. C'est ce qu'on appelle être élu dans un fauteuil ! Bah, Kerloc'h est né ici. Ça n'explique pas tout bien sûr, mais Florent n'était qu'un « hors venu », comme on dit chez moi, en Brière.

— Parce que vous êtes Briéron ?

— De Saint-Joachim, dit Lucas avec fierté. Ça vous dit quelque chose ?

— Et comment ! Un jour, je vous parlerai d'un certain sculpteur de morta…

— Paulo ?* demanda Lucas.

— Lui-même, sourit Mary. Mais si vous le voulez bien, on y reviendra plus tard.

La voix du major Langlois se fit entendre :

— C'est-y ça qu'on cherche, capitaine ?

Il tenait, au bout d'une brindille, un étui de cuivre jaune qui brillait.

— Exactement ! Mon cher major, vous êtes un homme précieux !

Elle prit la brindille des mains du major, la fit briller dans le soleil et se tourna vers l'adjudant :

— Regardez-moi ça, si c'est beau, Lucas !

Elle ouvrit un sachet de plastique dans lequel elle fit glisser la trouvaille du gendarme en soliloquant avec jubilation :

— Calibre vingt-deux… Ne vous l'avais-je pas dit, Lucas ?

— Si, mais ce ne sont pas des douilles de ce genre qui manquent dans la nature. Votre douille, là, si ça se trouve elle n'a rien à voir avec la mort de Florent ! Elle est peut-être là depuis des semaines.

* *Voir :* La variée était en noir.

Elle s'exclama :

— Depuis des semaines et luisante comme ça ? Vous rigolez, adjudant !

— Pas du tout, dit Lucas d'un air pincé. Je ne rigole pas. Et même si j'avais envie de rigoler, je n'aurais qu'à penser à ce qu'a fait ce putain de pisciculteur d'un corps d'homme pour que ça me l'ôte pour un bon bout de temps, l'envie de rigoler. Tenez, tous les soirs dans mon lit, j'y pense et ça me fout des cauchemars. Paraît que je m'agite, que je crie même, et que j'empêche ma femme de dormir, c'est vous dire !

— Heureusement que je n'ai pas vu ça, dit Mary en contemplant le petit étui de cuivre. Elle entrouvrit le sachet et renifla :

— Tenez, ça sent encore la poudre, dit-elle triomphante.

Elle brandit le sachet comme un trophée :

— Tout frais tiré ! Je crois que nous tenons la clé du problème, Messieurs !

Elle regarda Lucas que cette perspective rendait morose et pensa à Fortin qui n'aurait pas manqué de dire : « Vu la tronche que tire l'adjupète, c'est pas la solution qu'il espérait ! » Cette évocation eut le don de la faire sourire et, comme Lucas ne semblait pas apprécier les raisons de sa satisfaction, il se « morosifia » encore un peu plus ; c'est toujours Jean-Pierre Fortin qui se serait exprimé de la sorte.

Chapitre 9

Assise dans la camionnette des gendarmes, Mary se mit à écrire sur un morceau de papier qu'elle plia soigneusement en deux, puis en quatre.

Le major Langlois s'installa près de Dieumadi et claqua la portière avec une vigueur qui ne s'imposait pas.

Puis il enclencha sa ceinture de sécurité et, d'une voix forte, ordonna à Dieumadi :

— Gendarme, ramenez-moi à la brigade !

— Bien mon major, fit Dieumadi sur le même ton, ce qui fit froncer les sourcils au major. Mais il ne fit pas de réflexion à Dieumadi.

Impavide, celui-ci démarra, droit sur son siège et, voyant que personne ne réagissait, le major passa un coude par-dessus son dossier et s'adressa à Mary.

— Si vous n'y voyez pas d'inconvénient, capitaine, je retourne à mes occupations.

Elle se fendit d'un sourire séraphique :

— C'est ce que j'ai cru comprendre, major, et

soyez assuré que je n'y vois aucun inconvénient.
Le major se retourna vers la route et marmonna quelque chose qui pouvait passer pour : « Vous m'en voyez ravi. ».

Cependant, il n'avait pas l'air plus ravi que ça.

Mary poursuivit :

— Ainsi je pourrai récupérer mon véhicule et poursuivre mon enquête. Je vous remercie de votre compréhension.

— Humph ! fit Langlois.

Il s'enferma dans un mutisme jusqu'à ce que la camionnette s'arrête dans la cour de la gendarmerie. Alors, tout raide, il descendit et marcha à grands pas vers son bureau sans se retourner.

Dieumadi demanda à Lucas:

— Encore besoin de moi, mon adjudant-chef ?

— Non, dit Lucas, c'est bon.

Dieumadi descendit et adressa un clin d'œil complice à Mary en claquant la portière.

Lucas et Mary restèrent en tête à tête.

— Qu'est-ce que vous écrivez ? demanda Lucas méfiant.

— Quelques noms... De ceux qui étaient susceptibles, d'une seule balle, d'avoir expédié Florent ad patres.

— Vous ne voulez donc pas que ce soit Martin qui ait tué Florent ?

— Que je le veuille ou non, qu'est-ce que ça change ?

Elle martela :

— Ce n'est pas lui ! Ça ne peut pas être lui !

L'adjudant-chef s'entêta. Il haussa le ton :

— C'est pourtant Léon Martin qui a tiré quarante-neuf coups de fusil sur Florent !

— Indubitablement. Mais voyez-vous, trop c'est trop ! Quarante-neuf coups de fusil, c'est insensé !

L'adjudant-chef n'entendait pas se laisser déposséder d'un coupable aussi évident sans faire de résistance. Il fit remarquer :

— On a déjà vu des meurtriers vider leur chargeur sur une victime déjà morte ! Et je vous fais remarquer - puisque vous avez employé le mot « insensé » - que Léon Martin était en état de démence au moment des faits.

— Vous avez raison. Mais vider un chargeur c'est une chose, il suffit de presser la détente… Dans le cas présent, il aurait fallu que Martin casse vingt-cinq fois son fusil pour le recharger pour tirer, et tirer, et tirer encore ! Ça a dû durer un bon bout de temps, cette fusillade, car, en plus, ses canons devaient lui brûler les doigts ! Au fait, qui vous a prévenus ?

— La femme de Martin nous a dit qu'il était parti comme un fou et qu'elle était inquiète.

— Et il y a eu aussi cet adjoint au maire…

— Aimé Le Berre, oui. Il remontait de la côte et il a entendu les coups de fusil. Il pensait que c'étaient des manouches qui braconnaient sur le marais.

— Pourquoi vous a-t-il appelés? C'est un délit du ressort des gardes-chasse, il me semble.

— Quand ce sont les manouches, on n'est jamais trop nombreux, dit Lucas.

— Et ce n'étaient pas les manouches!

— Non, puisque c'était Martin!

— Il a eu la curiosité de venir voir d'où provenaient les coups de feu et c'est là qu'il a vu Martin se déchaîner sur une forme allongée à terre.

— C'est ce qu'il nous a dit.

— Il n'a pas tenté d'intervenir?

— Non, il nous a dit qu'il redoutait de prendre une balle perdue.

— Vous l'avez donc interrogé.

— Bien sûr!

Lucas regarda Mary:

— Ça aussi ça vous fait sourire?

— Oui! dit-elle énergiquement.

Elle ouvrit le papier qu'elle avait plié en quatre sans mot dire, raya quelque chose , puis le tendit à Lucas :

— Tenez!

L'adjudant le prit avec méfiance, le déplia et lut. Alors il leva les yeux sur Mary et s'exclama:

— Aimé Le Berre? Vous êtes folle? Les frères Le Berre sont des citoyens au-dessus de tout soupçon. C'est une très vieille famille de Trébeurnou et...

Mary le coupa:

— Avant de plaider pour les rejetons de la très

vieille et très honorable famille Le Berre, cherchez donc à savoir qui a passé à Martin ce coup de téléphone qui l'a rendu fou !

— Vous pensez que…

— Cherchez, vous dis-je !

Lucas forma un numéro sur son portable et, après avoir écouté, annonça :

— Nous aurons la réponse dans quelques minutes.

Derrière la fenêtre de son bureau, le major les fixait, l'œil sombre.

— Il n'a pas l'air content, remarqua Mary.

L'adjudant-chef prit un air pincé :

— Peut-être bien qu'il y a de quoi !

Puis le téléphone sonna et Lucas s'empara vivement du récepteur.

— Allô… allô… fit-il tendu.

Puis il écouta et dit « je vous remercie » avant de raccrocher. Il se tourna alors vers Mary :

— Le Berre a bien appelé Martin vendredi matin.

Son visage pâlit, sa bouche s'étrécit, ses poings se contractèrent et il gronda sans desserrer les dents, comme un chien qui menace :

— Le Berre ! Nom de Dieu, je vais aller lui secouer les puces, à celui-là ! Il faudra bien qu'il me dise ce qu'il a dans le ventre !

Mary modéra son ardeur :

— À votre place je n'en ferais rien !

Lucas la regarda stupéfait.

— Je n'en ferais rien ? redit-il lentement. Je n'en ferais rien ?

Puis il s'emporta :

— Je vais de ce pas saisir son arme !

Mary objecta :

— Et s'il l'a cachée ?

— Ce serait une forme d'aveu.

— Certes, mais il pourrait prétendre qu'on la lui a volée.

— Dans ce cas, je serais fondé à lui demander pourquoi il n'a pas porté plainte.

— Moi, dit Dieumadi de sa voix chantante, si j'avais fait un coup pareil, j'aurais balancé la carabine dans les marais. Jamais on ne l'y aurait retrouvée.

Il était revenu silencieusement près de la voiture. Lucas lui jeta un coup d'œil courroucé.

— Moi aussi, dit Mary. Et en plus, je me serais arrangée pour m'en procurer une autre afin de satisfaire à la curiosité des gendarmes. Car tout le monde sachant qu'il dispose d'une telle arme, prétendre qu'il ne l'a plus serait avouer qu'elle a servi à quelque chose de répréhensible.

— Je vois ce que vous voulez dire, fit le gendarme avec un mince sourire.

— Seulement, poursuivit-elle, monsieur Le Berre est chasseur, ce qui implique qu'il est habitué à ses armes, qu'il les aime et qu'il ne souhaite probablement pas en changer. À mon avis, il a vu Martin s'acharner sur le corps de Florent et il n'a jamais supposé qu'on puisse chercher une minuscule balle de plomb dans un corps déchiqueté par quarante-neuf coups de fusil.

Elle tendit la main ouverte à Lucas :

— On parie qu'il a soigneusement caché son arme et qu'il en tient une autre, du même calibre, à votre disposition ?

— Je ne me risquerai jamais à parier avec vous, Mary, dit Lucas avec un sourire mi-figue mi-raisin. Comme disait un commandant que j'ai eu comme instructeur, « je parie quand je suis sûr, quand je ne le suis pas, je donne ma parole d'honneur ».

Mary se mit à rire.

— Belle mentalité !

Lucas tempéra son propos :

— C'était une boutade !

Elle lui fit un clin d'œil dubitatif :

— Sait-on jamais, avec les gendarmes…

— Humpf ! fit Lucas visiblement pressé de passer à autre chose, vous pensez qu'on devrait aller à Kerwern ?

— Toutes affaires cessantes, mon cher Lucas, toutes affaires cessantes. Mais je crois qu'il va falloir jouer finement.

Lucas regimba :

— Vous ne m'en croyez pas capable ?

Elle le rassura :

— Que si, Lucas, que si ! Que vous êtes donc

susceptible ! Cependant laissez-moi vous dire que si Le Berre voit débarquer chez lui une escouade de gendarmes, il sera forcément sur ses gardes.

— Que proposez-vous alors ?

— Je pourrais y aller avec vous, tâter le terrain, voir s'il ne se méfie pas. À mon avis, il pense avoir parfaitement réussi son coup. Plus il en sera persuadé, plus il sera vulnérable.

— Sous quel prétexte irais-je chez lui ?

Elle ironisa :

— Vous avez besoin d'un prétexte ?

— Ma foi, dit Lucas embarrassé, je n'ai rien à lui reprocher, à cet homme-là !

— Vous pourriez passer pour le remercier d'avoir téléphoné.

— C'est un peu gros.

— Pourquoi ? Vous ne remerciez donc jamais quelqu'un qui vous a rendu service ?

Le gendarme haussa les épaules et dit avec une mauvaise foi évidente :

— Il ne m'a pas rendu service ! Merci pour le spectacle !

Sa bouche se tordit de dégoût en évoquant le corps de Florent haché par quarante-neuf coups de fusil. Visiblement, cette vision le hantait.

— Quand même, il vous a avisé !

— Ouais, bon, on ne va pas en faire un rata. Que pouvait-il faire d'autre ? Je vous dis, moi, que s'il est coupable de quelque chose, il va se méfier !

— Sûrement, quand on a fait un coup comme celui-là, on ne doit pas avoir la conscience tranquille. Cependant il pense probablement que rien ne le lie à cette tuerie…

Le gendarme eut une moue évasive et Mary poursuivit :

— Le Berre - s'il est coupable - est persuadé d'avoir commis le crime parfait. Pourquoi aurait-il préparé une défense ?

— Je suis largué, fit piteusement Lucas, je suis largué… Je n'arrive pas à vous suivre !

— Comment, vous n'arrivez pas à me suivre ?

L'adjudant-chef écarta les bras en signe de découragement.

— Tout d'abord, on détient un coupable que tout accuse et vous arrivez à nous faire douter de sa culpabilité en nous proposant un nouvel assassin…

Lucas parut se perdre dans ses réflexions, puis il demanda :

— D'abord, pourquoi Le Berre aurait-il tué Raoul Florent ?

— Il nous appartient de le découvrir, Lucas.

— Il n'avait aucune raison de s'en prendre à Florent ! s'entêta l'adjudant-chef.

— Il n'avait aucune raison connue de nous, rectifia Mary.

— Martin au moins avait un mobile…

— Oui, reconnut Mary à regret.

Après un temps de silence, elle ajouta :

— Voyez, Lucas, comme une affaire apparemment simple peut se révéler complexe ?

— Surtout quand on veut la compliquer, bougonna l'adjudant-chef.

Mary le reprit :

— Attendez, Lucas !

— Attendre quoi ? demanda le gendarme morose.

— Vous étiez donc prêt à livrer Martin à la justice avec une inculpation de meurtre ?

Lucas reconnut :

— C'est bien ce qui lui serait arrivé si vous n'étiez pas intervenue.

— Alors j'ai bien fait de venir ! dit Mary avec conviction.

Elle regarda l'adjudant-chef dans le blanc des yeux :

— Il y a une chose que je ne supporte pas, Lucas, c'est l'injustice. Les coupables doivent être punis, pas les innocents. En plus, ajouta-t-elle, je subodore quelque coup tordu derrière tout ça.

— Vous subodorez… admira Lucas.

Elle confirma :

— Ouais ! Mais je trouverai le fin mot de l'histoire, faites-moi confiance !

— Je vous fais confiance, fit Lucas avec résignation.

Chapitre 10

Le manoir de Kerwern, austère demeure de grosses pierres de taille grises, était blotti dans un vallon planté de chênes et de châtaigniers plusieurs fois centenaires, qui formaient une sorte d'oasis dans cette palud aux herbes rases.

Une rivière, ou plutôt un clair ruisseau large d'à peine quatre mètres, coulait au fond de ce vallon, ce qui expliquait l'exubérance de la végétation et la présence d'arbres de haute futaie où roucoulaient des ramiers.

Il y avait en façade six fenêtres dont trois avaient leurs volets clos. Elles encadraient trois par trois une entrée principale à laquelle on accédait par une sorte de perron à cinq marches.

Pour parvenir à ce perron, il fallait franchir une grille dont les battants de fer rouillé étaient fermés. Cependant, il y avait une voiture dans la cour, ce qui semblait indiquer que le maître des lieux était chez lui.

Une cloche suspendue à deux mètres du sol tenait lieu de sonnette. Lucas tira énergiquement sur la chaîne qui l'actionnait et un son grêle, qui rappela à Mary la cloche du pensionnat, se fit entendre. La camionnette de la gendarmerie, toujours conduite par Dieumadi, stationnait devant la grille. Le gendarme resta au volant. Au son de la cloche, les pigeons cessèrent de roucouler puis s'envolèrent à grand bruit d'ailes. Un grincement se fit entendre, produit par l'ouverture d'une fenêtre. Une femme d'âge plus que canonique apparut et se pencha par une des ouvertures du rez-de-chaussée.

— Qu'est-ce que c'est ?

Sa voix grinçait presqu'autant que les ferrures de la cloche.

Lucas prit la direction des opérations :

— Gendarmerie ! Nous voudrions voir monsieur Le Berre.

— L'est pas là !

— Mais sa voiture… objecta le gendarme.

— L'est au moulin, dit la femme sur un ton indiquant qu'elle trouvait cette insistance déplacée.

— Quand reviendra-t-il ? demanda Mary.

— Est-ce que je sais, moi !

Et la fenêtre se ferma.

— On n'est pas plus aimable ! maugréa Lucas.

Mary fit une moue fort expressive.

— Il est où, ce moulin ?

Le gendarme montra la rivière :

— Cinq cents mètres en amont. Il suffit de longer le ruisseau en suivant la berge.

Mary s'élança :

— Allons-y !

Un sentier large de deux bons mètres et qui paraissait bien entretenu bordait le cours d'eau où une eau limpide courait silencieusement sur des gravières de sable roux. Des rocs moussus affleuraient le terreau sombre du sous-bois où prospéraient des fougères luxuriantes.

Après quelques minutes de marche, Mary aperçut sur une butte une sorte de table de pierre se dressant là, probablement depuis la nuit des temps.

— Qu'y a-t-il là ?

— Il paraît que c'est une ancienne motte féodale, dit le gendarme. Vous savez, avant les châteaux forts, les seigneurs se protégeaient comme ils pouvaient, en fortifiant des buttes comme celle-ci avec des palissades de bois. Ce n'est que plus tard qu'on a construit des forteresses en pierre. Le manoir de Kerwern a été bâti sur l'emplacement d'une de ces places fortes.

— On peut aller voir ?

— Si vous ne craignez pas l'escalade, dit l'adjudant.

Il fallait plus qu'une grimpette d'une demi-douzaine de mètres pour rebuter Mary Lester. Un sentier, qu'on devinait fréquenté régulièrement, menait au dolmen* qu'elle avait aperçu.

* *Du breton* dol, *« table » et* men, *« pierre » : désigne un monument mégalithique formé d'une large dalle de pierre posée sur deux montants du même matériau.*

Derrière le monument de pierre, le sol était parsemé de cartouches. Mary siffla entre ses dents :

— On dirait qu'il y a un stand de tir par ici !

Le gendarme, qui l'avait suivie, contemplait en reprenant son souffle les hautes futaies qui surplombaient ce monument millénaire.

— C'est un poste d'affût formidable, dit-il. Le Berre et son frère doivent venir à la passée tirer les pigeons.

Mary se pencha et ramassa quelques douilles de plastique qu'elle rejeta aussitôt. Avec un bâtonnet elle souleva les feuilles et trouva des dizaines d'étuis de cuivre dont certains devaient être là depuis longtemps car ils étaient complètement oxydés. Elle en trouva d'autres qui paraissaient plus récents bien que le vert-de-gris commençât à les gagner.

— Que faites-vous ? demanda Lucas en la voyant glisser quelques uns de ces étuis dans une pochette en plastique.

— Une vérification s'impose, répondit-elle.

Puis elle se redressa et descendit le chemin escarpé.

— Allons-y, Lucas…

Ils marchèrent encore quelques minutes au long du sentier, puis ils débouchèrent sur une magnifique bâtisse en pierres appareillées dont la toiture dorée de lichens s'était creusée au fil des ans.

Au pignon du moulin, car c'était bien d'un moulin à eau qu'il s'agissait, on apercevait les restes d'une très vieille roue à aubes, effondrés dans le bief. Des moignons de madriers noircis se délitaient lentement, couverts par endroits d'une mousse d'un vert éclatant. Défigurant la perspective de façade, des bassins de béton s'allongeaient comme des rectangles bien parallèles en contrebas du moulin. Entre ces bassins et le corps de maison s'étendait un terre-plein sur lequel deux personnages semblaient en grande discussion.

Mary et Lucas virent en s'approchant qu'il s'agissait d'Aimé Le Berre lui-même et d'une femme aussi grande que lui, plus maigre que mince et qui semblait lui tenir tête.

Le bruit de l'eau qui chutait en cascatelle dans le bassin principal empêchait d'entendre ce qui se disait. Cependant, la discussion paraissait animée.

Ce fut la femme qui vit les deux arrivants la première; elle s'immobilisa et resta les dévisager avec une expression tragique, probablement provoquée par l'uniforme du gendarme qui - pour elle - signifiait l'imminence de nouveaux ennuis. Cette immobilité soudaine surprit Le Berre qui se retourna à son tour.

— Bonjour messieurs dames! dit Mary d'un ton enjoué.

Si elle avait pensé dédramatiser la situation, c'était loupé! Le Berre, le visage totalement inexpressif, affichait l'air blasé et morose qui lui était habituel. Il salua les deux arrivants d'un vague mouvement de tête en regardant Lucas, semblant lui demander : « Qui c'est, celle-là ? »

Lucas répondit à cette muette interrogation :

— Je vous présente le capitaine Lester, de la Police nationale…

Puis, se tournant vers Mary :

— Capitaine, voici madame Martin, locataire de cette pisciculture et monsieur Le Berre qui en est le propriétaire.

Dans les bassins, des milliers de truites se pressaient, la gueule ouverte à la surface de l'eau, attendant leur pitance. Mary salua de la tête et la femme en profita pour rompre :

— C'est pas tout ça, il faut que je donne à manger, dit-elle d'un ton hargneux en montrant, d'un coup de menton, les bassins en effervescence.

Puis elle tourna le dos en bougonnant qu'elle était toute seule pour faire tout ce boulot alors qu'il y avait, et pas loin, des gens qui n'avaient rien à faire d'autre que de se balader et emmerder le monde.

Sur ces fortes paroles, elle disparut dans un hangar derrière la bâtisse de pierre sans que personne ne songe à relever ses propos outrageants.

— Mal embouchée ! laissa tomber Mary.

Le Berre leva les épaules en signe d'impuissance tandis que Lucas demandait :

— Vous étiez en discussion d'affaires ?

— Si on veut… maugréa Le Berre.

Lucas s'excusa :

— Pardonnez le dérangement, mais on m'a dit au manoir que je vous trouverais ici.

Si elle avait craint que Lucas mette les pieds dans le plat, Mary fut rassurée. Face au notable, le gendarme y allait avec des pincettes.

Le Berre soupira :

— Quelle importance ? Je tentais d'expliquer à cette bourrique que son exploitation n'était plus viable et qu'elle ferait mieux de renoncer à exploiter une entreprise qui ne rapporte rien.

— Ce n'est réellement pas viable ? demanda Mary.

— Évidemment ! dit l'autre d'un ton désabusé.

D'un mouvement de bras, il embrassa le bâtiment :

— Regardez, tout part en botte. Le toit est prêt à s'effondrer. Martin n'a jamais fait la moindre réparation.

— C'est dommage, dit Mary, mais c'est son affaire, après tout. Si ça l'amuse de recevoir l'eau du ciel sur la tête faute de vouloir changer les ardoises...

— Humpf ! fit Le Berre, c'est plus complexe que ça...

— Ah... vous pouvez peut-être nous éclairer ? Le moulin ne leur appartient pas ?

— Ils en ont la jouissance, dit Le Berre morose.

— Et c'est vous le propriétaire ?

— En quelque sorte.

— Donc les travaux seraient à votre charge ?

— C'est plus compliqué que ça, redit Le Berre.

— Ils ont un bail ?

— Oui et non…

— Pardonnez-moi, dit Mary, mais vous ne pouvez pas être plus clair ? Cette jouissance, comme vous dites, c'est vous qui la leur avez consentie ?

— Non, c'est l'ancien propriétaire, le marquis de Kéreleg…

— Auquel vous avez racheté la propriété ?

— Oui. C'est une histoire compliquée et il est mal commode d'en parler ici.

Il fixa Mary :

— Cependant, je ne vois pas en quoi nos affaires de famille concernent la police ?

— Je me propose de vous l'expliquer, monsieur Le Berre, mais, comme vous l'avez fait remarquer, l'endroit me paraît mal choisi. Si vous le voulez bien, nous reprendrons cette conversation chez vous, ou à la brigade de gendarmerie si vous le préférez.

La mimique ennuyée de Le Berre indiquait clairement que ce qu'il aurait préféré c'était qu'on lui fiche la paix, mais avait-il le choix ?

— Soit, dit-il à regret, retournons au manoir.

Avant de se mettre en marche, Le Berre expliqua :

— Mon frère et moi avons tenté de racheter cette espèce de droit que Martin détient, mais ces deux malheureux n'ont rien voulu savoir.

— Pourquoi dites-vous ces deux malheureux ?

— Parce qu'ils ne peuvent pas gagner leur vie de cette façon, dit Le Berre d'un air chagrin. Ils ont beau s'échiner, ils n'arrivent pas à dégager un salaire de smicard en travaillant à deux.

Il souffla, découragé :

— Je perds ma salive et mon temps ! Et maintenant que son mari est en prison, probablement pour longtemps, comment cette pauvre femme va-t-elle faire ?

Il se retourna pour montrer le moulin, dont le toit incurvé paraissait prêt à s'écrouler et demanda d'un air dégoûté :

— Regardez ce qu'ils ont fait de cette demeure admirable : un taudis, une ruine !

Il est vrai que les proportions équilibrées de ce bâtiment qui menaçait de s'écrouler étaient un enchantement pour l'œil. Le Berre se tourna vers les bassins de béton où les truites grouillaient :

— Ici, il y avait autrefois un superbe jardin. Dans ce ruisseau on pêchait la truite fario.* Maintenant, avec les traitements phytosanitaires, il n'y a plus un seul poisson sauvage. Ce maudit élevage pourrit tout !

Il avait prononcé ces mots avec une sorte de rage rentrée.

Mary et le gendarme restant muets, les bruits de la nature reprirent leurs droits. Les ramiers roucoulaient, invisibles dans les hautes branches des chênes, les truites crevaient le miroir de l'eau, en quête de moucherons imprudents. Et ça faisait « flop, flop, flop »… Le chant rafraîchissant du ruisseau tombant en cascade dans les bassins et le gloussement

** Truite sauvage marquée de points rouges, originaire du pays, par opposition à la truite arc en ciel, originaire d'Amérique du Nord et qui se prête parfaitement à l'élevage en bassins.*

de quelques poules rousses grattant la terre devant la maison d'habitation complétaient cette scène idyllique et champêtre. Ce tableau aurait charmé un peintre, un musicien, un poète. Il charmait aussi Mary Lester et même l'adjudant Lucas y était sensible. Pourtant il émanait de cette paisible rumeur de campagne une fausse sérénité... Une violence latente, palpable, planait sur cette impassibilité de façade. Le Berre rompit le charme en proposant à ses visiteurs :

— Allons-y, je n'ai plus rien à faire ici. À moins que vous n'ayez à interroger madame Martin ?

— Ce n'est pas trop le moment, dit Mary, et Lucas ajouta : « Je lui ai déjà parlé. »

Alors Le Berre s'engagea dans le sentier en haussant les épaules :

— À votre guise.

Puis, après quelques pas où il avait paru plongé dans de sombres pensées, il dit comme s'il se parlait à lui-même :

— Et l'autre pauvre fou qui est allé massacrer Florent. Pourquoi ? Le saura-t-on jamais ?

Sentant que le gendarme allait dire quelque chose, Mary lui tira la manche impérieusement et prit la parole.

— Quand il aura retrouvé son calme, peut-être...

Le Berre eut une moue signifiant qu'il en doutait.

Mary reprit :

— Je savais que vous étiez chasseur, monsieur Le Berre, mais je ne savais pas que vous vous intéressiez aussi à la pêche.

— Rien de ce qui concerne les sports de nature ne nous laisse indifférents mon frère et moi. Avant que ce Martin soit venu construire sa pisciculture, je venais souvent pêcher sur ce cours d'eau.

— Votre frère est aussi passionné que vous ? demanda Mary.

— Oui, dit Le Berre laconiquement.

— Je crois savoir qu'il est magistrat ?

— En effet…

Il ne s'étendit pas sur la carrière de son frère.

— Et ça lui laisse suffisamment de loisirs pour venir ici s'adonner à sa passion ?

Nouvelle réponse laconique :

— Il ne manque pas de revenir au pays chaque fois qu'il peut se libérer de ses obligations.

— Vous paraissez très liés, votre frère et vous.

— Nous avons été élevés ensemble, ici, sur cette terre, dit Le Berre. Depuis que nos parents sont morts, il est ma seule famille.

Ils s'en retournaient vers le manoir à une allure de promenade, Mary à côté de Le Berre, le gendarme fermant la marche.

Lorsqu'ils passèrent devant la motte féodale, Mary demanda :

— C'est un de vos postes d'affût ?

Le Berre la regarda avec curiosité :

— On vous l'a dit ?

— Non, fit-elle avec détachement. J'ai été intriguée par cette butte et comme j'ai vu qu'un sentier y menait, j'ai voulu voir le dolmen de plus près.

Elle sourit :

— Et quand j'ai vu l'accumulation d'étuis vides autour de ces pierres, je me suis dit que ce devait être un poste de tir.

— En effet, convint Le Berre. Les ramiers viennent se percher dans les arbres et il m'arrive de venir en tirer trois ou quatre lorsque j'ai des invités.

— Vous les tirez à la vingt-deux long rifle ?

Il la regarda, surpris :

— Ça m'arrive lorsque je dois assurer un nombre de pièces pour un repas.

Et il expliqua :

— La vingt-deux a un avantage, elle ne fait pas de bruit et ne fait pas fuir les oiseaux. Cependant je préfère les tirer sur l'aile, c'est plus sportif.

— La vingt-deux fait quand même un certain bruit, dit Mary.

Elle le regarda :

— À moins que vous n'utilisiez un silencieux ?

Il eut un rire sans joie :

— Vous allez m'expliquer que c'est interdit ?

Mary dit d'un ton détaché :

— Je ne suis pas garde-chasse, l'adjudant non plus. Simplement, j'ai été surprise de trouver, parmi de nombreux étuis de calibre 12, des douilles de vingt-deux long rifle. J'avais pensé que c'étaient peut-être des braconniers qui se postaient là.

Nouveau sourire sans joie :

— Ils ne s'y risqueraient pas !

— Je suppose que vous vous réservez le droit de chasse sur vos terres ?

— Évidemment, le domaine n'est pas trop grand pour deux fusils. Ainsi nous pouvons gérer notre territoire et faire en sorte que les prélèvements en gibier ne soient pas excessifs.

— C'est sage, dit Mary. Vous êtes un écologiste actif !

— On peut le dire ainsi, fit Le Berre avec un curieux sourire.

— Je suppose que ce territoire doit exciter des convoitises chez les autres chasseurs du canton.

— Ça oui ! Mais j'ai un garde particulièrement efficace, qui est à juste titre redouté de cette engeance, dit Le Berre avec, de nouveau, ce sourire étrange qu'elle lui avait déjà vu.

— Un homme de la commune ?

— Oui, Bruno de Quatrevents…

— Ah, monsieur de Quatrevents… Je crois bien avoir rencontré sa femme. N'est-elle pas conseillère municipale ?

— Elle l'était, mais comme tout le conseil, elle a démissionné lorsque madame Fontaine était maire et ensuite elle n'a pas été réélue.

— Tandis que vous l'avez été ?
— Oui.
— Si je me souviens bien, vous aviez pourtant démissionné également ?
— Oui.
Toujours ces réponses laconiques.
— Vous avez même été, avec Martin, les deux derniers conseillers qui restaient à madame Fontaine.
— En effet.
Il ajouta :
— J'ai démissionné car il n'était plus possible de gérer la commune à trois. Il fallait impérativement de nouvelles élections.
— Qui ont été emportées par monsieur Kerloc'h.
— Oui.
— Vous n'étiez pas candidat au poste de maire ?
— Non.
— Pourquoi ?
— Je n'ai pas d'ambitions politiques. Je connais bien ma commune et je veux bien servir en tant que conseiller municipal, voire adjoint, mais les premiers rôles, je les laisse aux autres.
— Que pensez-vous de monsieur Kerloc'h ?
— En tant que maire ?
— Naturellement.
— C'est un honnête homme, et aussi un homme à poigne. C'est probablement ce qu'il fallait à Trébeurnou après la folle agitation des dernières années.

— Votre collaboration est bonne ?

— Oui. C'est, comme moi, un Trébeurnais de souche.

— C'est important d'être originaire du pays pour occuper le fauteuil de maire ?

— À mon avis, oui.

— Pourquoi ?

— Ça présente l'avantage d'une bonne connaissance des gens et des lieux.

— Monsieur Kerloc'h n'a pourtant pas vécu ici pendant un quart de siècle.

— Qu'importe, il connaît chaque pouce de la commune aussi bien que moi et il connaît chacune des anciennes familles…

Il fallait lui arracher les mots et, étrangement, cette appartenance au terroir lui semblait fondamentale pour présider aux destinées de la commune. Mary changea de sujet :

— Après les élections, monsieur de Quatrevents est resté travailler à la mairie ?

— Oui, il est employé aux services techniques de la commune.

— Il s'y connaît bien en matière de chasse.

— Oui, et il est redouté des braconniers.

— Mais lui-même, ne l'est-il pas un peu ?

— Un peu quoi ?

— Un peu braconnier. J'ai entendu dire qu'il passait plus de temps dans les marais qu'au travail…

— Ce sont des racontars, assura Le Berre avec un

mouvement de bouche dédaigneux. Des propos de jaloux… Il va au marais ? Et alors ? Tout le monde y va au marais, que ce soit pour la passée au canard ou pour tirer la bécassine au cul levé. Tout ce que je lui demande c'est de ne pas braconner chez moi. Et, croyez-moi, il s'en garde bien !

— Et puis, c'est bien connu, ajouta Mary, ce sont les braconniers qui font les meilleurs gardes-chasse.

Le Berre eut un mouvement évasif de la main :

— On le dit…

Les convictions écologiques du maître de Kerwern s'arrêtaient visiblement aux limites de sa propriété.

Chapitre 11

La grille menant à la grande maison était en vue. Le gentleman farmer sortit une clé de sa poche, et actionna le pêne qui joua avec un geignement de fer rouillé qui n'aurait pas manqué de fendre le cœur du sieur Dubon Émile, l'éminent serrurier de Morlaix,* s'il avait entendu malmener ainsi une bénarde deux fois séculaire. Puis Le Berre poussa énergiquement la grille de fer qui résista vaillamment avant de céder en rajoutant son lamento à la plainte de la serrure. Dans cette maison, on ne devait pas faire une consommation immodérée d'huile de lubrification. Il escalada les cinq marches de pierre du perron et, devant la porte de vieux bois du manoir, il proposa :

— Voulez-vous entrer un moment ?

Le ton dont l'offre était faite appelait une réponse négative. Mary s'empressa pourtant :

— Volontiers !

Avec un soupir qui en disait long, Le Berre poussa le battant de bois massif et s'effaça pour les lais-

* *Voir :* Te souviens-tu de Souliko'o ?

ser entrer. Il fit une pause dans un sombre vestibule dont les fenêtres à meneaux, aux petits carreaux enchâssés dans du plomb, laissaient chichement passer la lumière de cette fin de journée. Ça sentait vaguement le moisi, le salpêtre mêlés d'autres remugles que Mary ne parvint pas à identifier. Le Berre s'assit sur un petit banc-coffre à dossier sculpté et retira ses bottes de caoutchouc vert à l'aide d'un appareil sommaire fait d'une planche échancrée destinée à cet usage. Puis il chaussa de gros sabots de paille couverts de peau de lapin et appela : « Valentine ? »

La dame qui avait accueilli - assez fraîchement - Mary et Lucas apparut et demanda, le visage renfrogné :

— Vous v'la rentré ?

— Comme vous voyez, dit Le Berre. Voulez-vous nous servir des rafraîchissements dans la grande salle ?

Elle grommela :

— Des rafraîchissements, à c't'heure ?

Le Berre fit comme s'il n'avait pas entendu.

Il se tourna vers Mary :

— Que puis-je vous offrir ? Café ? Apéritif ? Bière ?

— Un grand verre d'eau me comblerait, dit-elle.

— Moi aussi, dit le gendarme.

— Eh bien, trois verres d'eau alors, Valentine.

La femme, qui avait un faciès mongoloïde, aux yeux tirés en arrière, un teint de vieux safran et des cheveux gris qui paraissaient lissés au beurre rance haussa les épaules et s'en fut en traînant des sabots analogues à ceux du maître de maison, adoptant sans le savoir l'allure des skieurs de fond. La pièce dans laquelle Mary et Lucas pénétrèrent était aussi austère que le laissait présager la muraille sans fantaisie de l'édifice. Dans cette maison on ne devait pas rigoler tous les jours. Le sol était constitué de larges dalles de granit, comme celles qu'on trouve dans les églises. Les murs de pierres jointoyées étaient lambrissés de bois sombre à hauteur d'un mètre environ. Cette salle couvrait la moitié du manoir, c'est-à-dire qu'elle pouvait faire une douzaine de mètres de long sur environ six de large.

— Il paraît qu'à son origine, ce domaine était une commanderie de Templiers, dit Le Berre.

— Bigre ! apprécia Mary. Votre maison daterait donc du XIIIe siècle ?

— Probablement, mais il ne reste plus grand-chose des bâtiments de l'époque. Ces dalles probablement… La bâtisse a été remaniée au cours des siècles et le manoir est du plus pur style Louis XIII.

— XVIIe siècle, dit Mary.

— En effet. Nous avons des documents qui l'attestent.

Aux murs étaient pendus des massacres de cerfs, de sangliers, de chevreuils. Sur une haute armoire bretonne ornée de motifs religieux en clous de cuivre jaune, luisant, un renard naturalisé tirait une langue trop rouge à une chouette figée dans son envol.

Ce cimetière animalier était tout à fait le genre de décoration qui fichait le bourdon à Mary Lester.

— Ce sont là vos trophées ? demanda-t-elle.

— Non, ils étaient là avant que je n'achète le domaine. Les anciens propriétaires, les Kéreleg, qui ont succédé aux Templiers après la dissolution de l'ordre, étaient de grands chasseurs mais si leur territoire de chasse était bien pourvu en petit gibier, lièvres, perdrix, bécasses et, évidemment gibier d'eau, on n'y trouvait pas de grosses pièces. Les seigneurs de Kéreleg pratiquaient la petite vénerie, lièvre, renard, voire chevreuil sur leurs terres, mais la plupart de ces massacres de cerfs ou de sangliers proviennent d'autres domaines plus boisés de l'intérieur des terres où ils étaient invités.

Il n'y avait pas de feu dans la grande cheminée de pierre et la pièce était glaciale. Mary sentait le froid des dalles templières envahir ses mollets à travers la semelle de ses chaussures. Elle comprenait maintenant pourquoi le pseudo-hobereau et sa gouvernante arboraient ces sabots de paille à semelle de liège. À défaut d'être très élégants, ils devaient les prémunir contre la mortelle froidure de ce dallage de catacombes. En dehors de la cheminée, il ne semblait pas y avoir d'autre système de chauffage. Et l'âtre était trop propre pour avoir servi récemment. Était-ce trop onéreux ? Assurément, chauffer cette immense bâtisse probablement mal isolée aurait coûté une fortune.

Le nouveau hobereau et sa gouvernante devaient être de l'espèce rustique, celle qui se couvre quand il fait froid.

— Vous sembliez regretter, tout à l'heure, d'avoir Martin pour locataire.

— Ah ça oui, pour le regretter, je le regrette, dit Le Berre avec véhémence.

— Dans ce cas, pourquoi lui avoir consenti un bail?

Le Berre leva les bras au ciel:

— Ce n'est pas moi qui lui ai consenti ce bail dit-il, c'est feu le marquis!

Il leva les épaules comme pour s'insurger contre une telle inconséquence:

— Lorsque nous avons acheté le domaine, mon frère et moi, Kéreleg était complètement ruiné. Dans sa famille on avait toujours entretenu une meute d'une cinquantaine de chiens courants et une écurie de chasse à courre. Peu à peu sa maison s'est dépeuplée. Il a perdu sa femme, puis son fils, dans un accident de voiture. Néanmoins, il s'est obstiné à garder la meute. Cinquante chiens! C'est que ça coûte, de nourrir cinquante chiens. Et les chevaux... Six chevaux, alors qu'il ne pouvait plus monter. Le pauvre homme ne s'est pas rendu compte qu'on avait changé d'époque. Les terres ne rapportaient plus. Faute d'être payés, ses palefreniers se sont gagés dans les porcheries industrielles, la domesticité est partie faire la saison dans les hôtels de la côte, quant à son valet de chiens, il lui a consenti un bail gratuit à vie sur le moulin, à condition qu'il s'occupe de la meute jusqu'au bout.

— Martin était donc le valet de chiens du marquis ?

— Oui, dit Le Berre. Avec l'argent qui venait de la famille de sa femme, il a fait construire ces horribles bassins en béton pour élever des truites.

— Le marquis l'a laissé faire ?

— Le marquis…

Le Berre leva les épaules.

— Le marquis n'avait plus toute sa tête. Il était à demi-paralysé et n'a jamais vu ce que Martin avait fait de son beau moulin. La meute s'est décimée au fil du temps. Faute d'être nourris, les limiers se sont entre-dévorés et, ceux qui sont morts de vieillesse, Martin les a enterrés au cimetière des chiens…

— Il y a un cimetière des chiens ? demanda Mary effarée.

Tout d'un coup, par quelque diablerie sourdant de ces vieilles pierres, elle avait l'impression d'être passée du XXIe au XVIIe siècle, de Sarkozy regnator, à Henri IV non moins regnator.

— Oui, dit Le Berre. Enfin, il y avait… Le marquis se rendait plus souvent sur la tombe de ses chiens que sur son caveau de famille.

— Et maintenant ?

— Maintenant…

Il haussa les épaules :

— On l'a laissé en l'état pour ne pas contrarier Valentine, mais l'enclos est envahi par les ronces. Le marquis aurait voulu être enterré avec sa meute, mais les autorités en ont décidé autrement. Il a rejoint le caveau de ses ancêtres au cimetière communal. Déjà Martin avait fait tout ce qu'il voulait dans le moulin. Tout sauf entretenir les lieux. Il est resté tout seul avec Valentine, la servante au grand cœur dont la mère, la grand-mère, l'arrière grand-mère avaient servi les Kéreleg jusqu'à leur dernier souffle.

Il avait prononcé ces derniers mots avec une âcre ironie.

— C'est cette dame que nous avons vue ? demanda Mary.

— Oui, fit brièvement Le Berre. Elle est de la race des servantes d'autrefois, de celles qui meurent à la tâche et qui, en reconnaissance, ont le droit d'avoir une petite tombe anonyme près de l'enfeu de leur seigneur et maître. Sa famille a servi la famille des Kéreleg depuis plusieurs générations. Kerwern était leur univers. Valentine a assisté le marquis jusqu'à son dernier jour avec un dévouement sans faille.

— Je ne savais pas que ça existait encore à notre époque, dit Lucas.

— Alors, regardez-la bien, dit Le Berre. Vous avez probablement le dernier spécimen de la lignée sous les yeux. Pour tout vous dire, elle nous considère, mon frère et moi, comme des usurpateurs.

— C'est au décès du dernier propriétaire que vous avez acheté le domaine ?

— Non, le marquis nous l'avait vendu en viager quelques années auparavant. Mais avec des conditions : les engagements qu'il avait pris envers Martin seraient respectés et Valentine conserverait la haute main sur la maison tant qu'elle vivrait.

Il hocha la tête :

— Et la haute main, elle la tient, et bien ! Il y a des fois où je me demande si je suis chez moi ou chez elle. Aujourd'hui vous voyez le manoir en bon état, mais nous ne l'avons pas reçu ainsi. Au décès du marquis, la toiture était crevée en maints endroits et l'eau de pluie ruisselait jusqu'à cette pièce où nous sommes. La plupart des fenêtres n'avaient plus de vitres, des morceaux de carton les remplaçaient. Quant aux volets, ils avaient déjà disparu avant la guerre de quarante... La maison ne contenait plus un meuble, le marquis avait tout vendu à des antiquaires. Même les portraits de ses ancêtres, et il y en avait de très beaux, sont partis à l'encan. Ne sont restés que ces massacres dont personne ne voulait.

Il eut un nouveau petit rire amer :

— La nécessité... Le marquis est mort comme un clochard ! Grandeur et décadence...

Un assez long silence suivit ces mots. Mary le rompit en demandant :

— C'est donc vous qui avez réalisé tous ces travaux.

— En effet.

— Et, si j'ai bien compris, vous aimeriez bien récupérer le moulin pour le remettre en état ?

— C'est notre plus vif désir, à mon frère et à moi. Nous voudrions rendre au domaine le lustre qu'il avait autrefois. La première chose que je ferais si ce bien revenait dans notre patrimoine serait de démolir tous ces affreux bacs en ciment, de rendre son cours à la rivière et de recréer le parc qui se trouvait devant la maison.

— C'est un programme considérable, dit Mary. Je crois qu'il vous faudra aussi refaire entièrement la toiture.

— Bien évidemment, convint Le Berre. Et je ne vous parle pas du nettoyage !

Il soupira et embrassa la vaste salle d'un ample mouvement du bras :

— Si vous aviez vu cette pièce à la mort du marquis ! Les poules perchaient sur les dossiers de chaises, les chiens survivants de la grande époque faisaient leurs besoins où ça les arrangeait... Je ne vous raconte pas l'odeur !

Il eut une moue de dégoût qui fit sourire Mary.

— Ce n'est pas toujours gai, la vie de château, dit-elle. Mais vous êtes aujourd'hui récompensé de vos efforts, vous possédez une bien belle demeure.

Elle n'en aurait pas voulu pour un empire, mais il n'était pas mauvais de flatter le nouveau châtelain. S'il avait consenti de tels sacrifices pour en devenir propriétaire, c'est qu'il devait y trouver son compte.

Le Berre hocha la tête tandis que son regard faisait le tour de l'immense pièce.

Il n'y avait pas d'orgueil dans ce regard, pas de fierté, aucune satisfaction. N'était-il pas en train de se demander s'il n'aurait pas été plus heureux dans une maison plus modeste mais confortable et bien chauffée ?

Mary respecta sa réflexion avant de le questionner :

— Donc, le jour de la mort de ce malheureux Florent, vous vous trouviez au marais ?

— En effet.

— Vous étiez armé ?

Le Berre eut une fraction de seconde d'hésitation, puis il répondit très vite : « Non. »

— Ah, dit-elle surprise, je pensais que vous étiez allé au marais pour chasser.

— Non, si j'étais allé pour chasser, j'aurais pris mon calibre douze et mon chien. Car si on n'a pas un bon retriever* il est impossible de retrouver un gibier blessé dans cette forêt de joncs.

— Quel était donc le but de cette promenade au marais ?

— Vous l'avez dit, une promenade, une simple promenade. D'ailleurs, ajouta Le Berre, si j'avais porté une arme, on l'aurait vue !

— Vous avez donc croisé d'autres personnes ?

** Littéralement « rapporteur ». Chien (souvent un labrador) spécialisé dans la recherche et le rapport des gibiers.*

— Oui, Pierre Le Lay du bas bourg, qui coupait des joncs, monsieur et madame Plouhinec qui se promenaient, les enfants de l'école qui herborisaient avec leur maîtresse, madame Duval… Si j'avais eu un fusil, ils s'en seraient aperçus.

Il montra une armoire vitrée dans un angle de la pièce :

— Voyez, au râtelier, les armes sont là, enchaînées comme à l'armée. C'est long un fusil, ça ne se dissimule pas comme une arme de poing.

Mary se leva et vint examiner le meuble d'angle, tout de chêne, scellé dans le mur par de fortes pattes de métal.

Sur l'étagère supérieure, une vingtaine de coupes de toutes tailles étaient exposées comme à la parade. Ainsi que monsieur Le Berre l'avait fait remarquer, une chaîne d'inox fermée par un cadenas de laiton passait dans les pontets et solidarisait les armes au robuste meuble de bois massif. Il y avait là deux fusils de calibre douze aux canons juxtaposés, une canardière à un coup dont le canon dépassait de vingt centimètres ceux des autres armes, un fusil aux canons superposés et une carabine de tir à la crosse ergonomique, dotée d'une impressionnante lunette de visée.

— C'est là votre carabine de tir ? demanda-t-elle.

— Oui, j'ai autrefois participé à des concours de tir et, à l'armée, j'étais tireur d'élite.

— Vous étiez militaire ?

— Oui. Adjudant-chef dans l'infanterie de marine.

Le Berre répondait sans réticence et sans forfanterie. Il n'avait pas fait une glorieuse carrière militaire puisqu'il était resté sous-officier. Il avait dû partir en retraite à quarante-cinq ans et depuis il vivait à sa guise, sur les terres de ses parents.

— Vous avez fait campagne ?

— Oui. L'Indochine, l'Algérie, le Tchad, le Liban…

Mary examinait toujours la carabine. Elle déchiffra une inscription gravée sur la culasse : Steyr-Élite.

— Ce n'est pas une arme française ?

Le Berre sourit avec condescendance :

— Non, ça provient d'une manufacture autrichienne. En matière de haute précision, c'est à peu près ce qui se fait de mieux.

— Belle arme, dit-elle avec hochement de tête admiratif. Elle tire combien de coups ?

— Un seul, dit l'ex-adjudant. Ce n'est pas une carabine automatique. Les armes de compétition le sont rarement.

— Il faut donc réarmer après chaque tir.

— Oui. Il faut actionner la culasse, éjecter la douille vide et introduire une nouvelle cartouche.

— Vous vous en servez toujours ?

L'ex-adjudant chef répondit :

— Oui, parfois, pour aller au pigeon. Mais je ne fais plus de concours de tir. D'ailleurs, ça fait longtemps que cette carabine n'est pas sortie de l'armoire. Comme je vous l'ai dit, je préfère tirer le pigeon au vol. C'est plus sportif.

— Elle semble pourtant avoir servi récemment. Pas une trace de poussière.

— Comme les autres, dit Le Berre. J'entretiens mes armes, mademoiselle.

— Je vois… Donc vous ne pratiquez plus le tir de compétition ?

— Non, je vous l'ai dit, c'est fini tout ça…

— Je suppose que ce sont là les trophées que vous avez gagnés ?

— En effet.

Toujours rusant ses sabots de paille garnis de peau de lapin, toujours aussi malgracieuse, la servante au grand cœur avait déposé une bouteille d'eau et trois verres sur la table centrale et s'en était allée comme elle était venue, sans un mot. Le Berre remplit les verres et chacun but en silence.

Puis Mary reposa son verre et se leva :

— Nous avons assez abusé de votre temps, monsieur Le Berre. Merci de votre accueil.

— Je vous en prie, marmonna Le Berre en leur serrant la main.

Lorsqu'ils furent dans la voiture de gendarmerie, Lucas demanda à Mary :

— Eh bien, qu'en dites-vous ?

— Je dis que ce Le Berre a tout ce qu'il faut pour être notre homme.

Lucas parut soudain anxieux. Il passa l'index entre son cou et son col de chemise comme si ce dernier s'était tout soudain mis à le serrer.

— Vous croyez? demanda-t-il d'une voix étranglée.

Mary le regarda d'un air étonné:

— Oui je le crois. Mais ceci ne devrait pas vous empêcher de respirer, adjudant.

Cette réflexion - on ne sait pourquoi - déclencha un rire homérique chez Dieumadi.

— Regarde donc où tu vas, espèce de couillon! fulmina Lucas.

Dieumadi s'arrêta de rire aussi subitement que ça l'avait pris:

— Au fait, où on va, mon adjudant-chef?

Chapitre 12

Lucas revint vers Mary et répercuta la question :

— Où va-t-on ?

Puis il rajouta très vite :

— On ne retourne pas à l'hôpital, j'espère !

— Mais non, mais non !

— Parce que sans ça, dit l'adjudant, je vais finir par être bon pour y rester, moi !

— Où ça ? fit Mary qui avait l'esprit ailleurs.

— À l'hôpital, chez les dingues ! cria Lucas.

À nouveau le rire tonitruant de Dieumadi résonna dans l'habitacle de la voiture.

— Ah, ça va ! dit Lucas furieux.

Et sans se démonter Dieumadi demanda :

— Ça va où, mon adjudant-chef ?

Mary réprima un sourire.

Sous son air évaporé, Dieumadi cachait un esprit acéré et un sens de l'humour qu'on ne discernait pas au premier abord. Il se complaisait à asticoter son chef avec ses questions faussement naïves et un air parfaitement niais.

Mary ne laissa pas à l'adjudant-chef le temps de se fâcher :

— Chez madame Martin ! Mais par la route cette fois. Car je suppose qu'il y a bien une autre route que ce sentier pour y aller ?

— Ouais ! dit Lucas.

Puis il ordonna à Dieumadi :

— Tourne à droite, puis à droite encore !

— Oui chef ! dit docilement Dieumadi.

Lucas le regarda sans aménité, cette docilité lui paraissant probablement suspecte, puis il revint vers Mary.

— Qu'est-ce qu'on va y faire, au moulin ?

— Enquêter, Lucas.

— J'ai déjà interrogé madame Martin…

— Je sais, mais moi je ne l'ai pas fait !

— Votre confiance en moi est très limitée, persifla Lucas.

— Pas du tout, adjudant. Mais vous avez interrogé cette dame avant que nous n'ayons des éléments nouveaux.

— Et ces éléments sont…

Elle compléta la phrase :

— La douille de vingt-deux long rifle, le fait que ce soit Le Berre qui vous ait téléphoné, le fait qu'il ait été le premier sur les lieux du crime, le fait que c'est un tireur d'élite, le fait qu'il avait intérêt - afin de récupérer ce moulin auquel il tient tant - à ce que Martin soit inculpé. J'attends surtout la balle que le légiste ne va pas manquer de trouver dans la boîte crânienne de Florent.

— Vous paraissez bien sûre de vous !

— Moi, tant que la fin de la partie n'est pas sifflée, je ne suis sûre de rien. Vous avez insisté auprès du légiste pour qu'il recherche cette balle ?

— Oui. Et je peux vous dire qu'il n'était pas content !

— Ça ne m'étonne pas, dit Mary. Ça n'a rien d'une partie de plaisir.

Elle frissonna en pensant au tas de chair hachée que devait être le corps de Florent après avoir reçu quarante-neuf coups de fusil de chasse.

La voiture bleue passa une barrière ouverte et pénétra dans la cour qui donnait sur l'arrière du moulin. Un roquet, attaché par une chaîne à une barrique qui lui servait de niche, se mit à hurler en faisant des bonds hystériques au bout de son entrave. Une porte claqua et la grande femme osseuse parut, les mains sur les hanches :

— Encore vous ! cracha-t-elle.

Mary ne sembla pas rebutée par cet accueil pour le moins rébarbatif. Elle s'avança, tout sourire, la main tendue :

— Bonjour madame Martin !

L'autre grommela en ignorant la main que Mary lui tendait :

— Bon jour, bon jour… Y'aura plus jamais de bons jours !

— C'est là que vous vous trompez! dit Mary. Mais peut-être pourrions-nous en discuter dans un lieu plus calme?

Elle montra le petit chien blanc et noir qui se contorsionnait toujours furieusement au bout de sa chaîne:

— Votre fidèle compagnon manifeste sa joie de façon tonitruante!

— Quoi? dit la femme le front bas.

Puis elle hurla d'une voix aiguë:

— Ta gueule Kiki!

Même si elle gueulait plus fort que lui, Kiki n'avait cure des recommandations de sa maîtresse. En désespoir de cause, elle prit un balai sans poil qui traînait à terre et l'en menaça d'un grand geste. Le roquet avait déjà dû tâter du bâton. Il se recula dans l'abri de son tonneau sans cesser de gronder et de montrer les dents. Le coup de balai partit, vigoureusement asséné, mais il manqua son but car le chien s'était planqué au fond de sa barrique. L'arme improvisée heurta le bord du tonneau et se rompit en trois morceaux. La femme resta un instant stupide, considéra le tronçon de bois qui lui restait entre les mains, puis le jeta à terre en grondant d'un air dégoûté:

— Saloperie!

On ne savait trop si c'était au chien ou au balai défectueux que le qualificatif s'appliquait.

Mary se retint de rire et admira:

— Vous êtes bien gardée!

— Pff… cracha la femme en donnant un coup de pied au manche brisé, qu'est-ce que vous m'voulez encore ?

— Juste causer, dit Mary.

— Causer ! répéta la femme. Vous croyez que j'ai qu'ça à faire ?

Elle montrait du bras le moulin, ses dépendances, et ça englobait aussi les bassins où des poissons voraces attendaient leur pitance.

— Je vois bien que vous êtes très occupée, dit Mary, et c'est bien pour ça que j'ai pris la peine de venir jusqu'à vous madame Martin. Figurez-vous que ces messieurs - elle montrait les gendarmes qui se tenaient près de leur voiture - voulaient vous emmener à la gendarmerie pour vous interroger.

— Moi, mais je ne sais rien ! Rien de rien ! Est-ce que je suis la cause que ce cinglé de Martin a descendu Florent ?

Elle se tenait, les poings sur les hanches, image de la fureur indignée.

— C'est bien ce que je leur ai dit, fit Mary.

— Qu'est-ce que vous leur avez dit ?

Elle toisa Mary, méfiante :

— Et d'abord, qui qu'vous êtes ?

Mary présenta sa carte :

— Capitaine Lester, Police nationale.

— Ah ! fit la femme comme si elle n'en croyait pas ses yeux.

— Ça semble vous étonner…

— Vous êtes bien polie pour faire partie de c't' équipe ! dit-elle soupçonneuse.

— C'est parce que je suis nouvelle dans le métier.

— Ah ! fit la femme, comme si ça expliquait tout. Parce que ceux-là…

Elle avait eu un mouvement de menton assez peu avenant en direction des deux flics en uniforme.

— Et je leur ai dit, poursuivit Mary, « cette pauvre dame Martin a sûrement bien trop à faire pour pouvoir se déplacer ! » Mais vous savez ce que sont les hommes, ils ne se rendent jamais compte de tout le travail que donne une maison.

— Et en plus, maintenant je suis seule pour donner à manger aux poissons ! se lamenta madame Martin.

— C'est ce que je leur ai dit. Mais vous savez, ce sont des gendarmes, ils ne connaissent que le règlement. Ils se fichent bien des dérangements qu'ils peuvent causer.

— Ça, c'est bien vrai ! fit madame Martin avec conviction.

Elle fusilla du regard l'adjudant-chef Lucas qui suivait la conversation à trois mètres de là en roulant des yeux furibonds.

— Mais avec moi, ça va aller, assura Mary.

Elle se pencha vers la femme et lui glissa en confidence :

— Je sais comment m'y prendre avec eux.

La femme réfléchissait. Soudain, elle parut prendre une décision :

— V'nez don d'vant ! dit-elle à Mary.

D'un signe de tête, Mary appela Lucas à les suivre. La cuisine de madame Martin était un capharnaüm comme Mary n'en avait jamais vu. L'évier disparaissait sous la vaisselle sale, la table semblait n'avoir pas été desservie depuis des lustres, quant aux chaises, on les devinait ensevelies sous des amas de linge sale.

— Quel bordel, dit entre ses dents l'adjudant-chef.

Mary approuva de la même manière :

— Vous êtes en dessous de la vérité !

Par endroits on apercevait le ciment gris du sol, mais il fallait slalomer entre les cartons et les caisses vides qu'on avait posés au petit bonheur la chance pour se déplacer dans le fourbi. Comme l'avait prédit Le Berre, le jour où les locataires s'en iraient, il y aurait un sérieux travail de remise en état.

— S'cusez l'désordre, dit la dame maigre en ayant l'air de s'en foutre totalement.

Elle prit une brassée de vêtements mêlés de torchons et les balança dans un carton qui passait par là, libérant une chaise.

Elle liquida de la même manière deux autres paquets de linge sale et Mary et l'adjudant purent enfin s'asseoir, mais du bout des fesses, les jambes tétanisées, comme s'ils s'attendaient à voir des colonnes de vermine monter à l'assaut de leur anatomie.

Mary surmonta son dégoût :

— Vous avez dit à l'adjudant Lucas que votre mari avait reçu, juste avant le drame, un coup de téléphone qui l'avait troublé et qu'ensuite il avait pris son fusil et était parti en voiture.

— Oui…

Madame Martin triturait un torchon qu'elle avait ramassé par terre, peut-être dans le but louable de débarrasser un coin de table et d'offrir quelque chose à boire à ses visiteurs. Mais elle n'en fit rien, sa rancœur contre les forces de l'ordre devait l'emporter sur le respect des usages.

Vu l'état de la vaisselle, Mary préférait ça.

— Avez-vous le sentiment que ce coup de téléphone a été déterminant dans la suite du drame ? demanda Lucas.

Madame Martin regarda Mary par en dessous et demanda, le front plissé par la perplexité :

— Qu'est-ce qu'y dit ?

— L'adjudant Lucas vous demande si vous pensez que c'est ce coup de téléphone qui a mis votre mari en fureur.

— J'sais-t-y, moi, s'emporta madame Martin. Des coups de téléphone y'en a tout l'temps ! Les clients, les fournisseurs, la banque, est-ce que je sais qui téléphone ? J'vois pas quoi d'autre qui aurait pu le mettre en rogne, vu qu'on s'était même pas engueulés c'jour-là !

L'adjudant et Mary se regardèrent. Leurs pensées,

même non exprimées, convergeaient : les altercations devaient être monnaie courante dans le ménage Martin.

— Et qu'avez-vous pensé ? demanda Mary.

— C'que j'ai pensé ? répéta la femme le front plissé d'incompréhension.

— Oui, dit Mary patiemment, vous ne savez pas qui a téléphoné ?

Madame Martin fit non de la tête. Puis, après réflexion, elle hasarda :

— C'était pt'être bien la banque. Ils sont toujours après nous soi-disant à cause qu'on est découverts, comme y disent. Et puis le marchand d'aliments qui ne veut plus livrer... Et pour cause, s'il n'était pas payé...

Mary regarda le gendarme, le gendarme la regarda et ils eurent la même mimique ensemble : on n'en tirerait guère plus !

— Je vous ai vue tout à l'heure en grande discussion avec monsieur Le Berre, dit Mary. Il vient souvent vous voir ?

— Presque tous les jours. Y voudrait bien nous foutre à la porte, mais nous on est dans not' droit !

Une lueur de triomphe passa, fugace, dans ses yeux clairs et elle jeta :

— Y peut pas !

— Vous a-t-il proposé une indemnité pour quitter le moulin ? demanda Mary.

— Vous voulez dire des sous ?

— Oui.

— Eh ben oui, depuis quequ'temps, y propose des sous.

— Beaucoup de sous ?

La femme maigre hocha la tête :

— Des millions !

Elle prononçait ce nom avec une emphase gourmande, en oubliant le deuxième « i », comme s'il se fût agi du député des Bouches-du-Rhône.

— Des millions d'euros ?

— Non, de francs. Nous autres on compte encore en francs !

Ça devait même être en anciens francs !

— Et vous avez refusé.

— Où s'qu'on irait ? Et nos installations ?

— Mais maintenant que votre mari n'est plus là, allez-vous pouvoir continuer à exploiter votre pisciculture ?

Madame Martin baissa la tête sur son torchon :

— J'crois ben qu'non ! C'est trop d'train !

Elle regarda autour d'elle, découragée et émit un gros soupir.

— Vous n'avez pas d'enfants ? demanda Mary.

— Si, une fille, qu'elle est mariée avec un instituteur à Vannes, et un gars qui travaille dans l'métro, à Paris.

— Vos rapports avec monsieur Le Berre ont-ils toujours été difficiles ?

— Vous d'mandez si on s'engueulait ?

— En quelque sorte, oui.

La femme réfléchit un instant et secoua la tête négativement :

— Non. Au début, il était copain avec Léon. Il venait par là boire un canon et ils faisaient des concours de tir tous les deux.

Mary tendit l'oreille et regarda l'adjudant qui n'avait pas bronché.

— Il paraît que monsieur Le Berre est un fameux fusil, dit-elle.

— Oh, mais, dit la piscicultrice avec un curieux sursaut d'orgueil, mon Léon était ben aussi bon qu'lui, tout adjudant-chef qu'il était ! Y mettaient des bocks sur une planche là-bas, devant le gros chêne, et paf, paf, paf ! Ils les pétaient les uns après les autres.

Mary se leva et se dirigea vers la porte.

— Le gros chêne là-bas ?

Elle montrait un arbre qui se trouvait tout au bout des bassins, à une centaine de mètres de la maison.

— Oui.

— Je ne vous crois pas, dit-elle, ils cassaient des bocks à cette distance ?

— Puisque j'vous le dis ! fit madame Martin fâchée qu'on mette sa parole en doute.

— Mais votre mari n'avait qu'un fusil de chasse, ça ne porte pas à cette distance !

— Il tirait avec le petit fusil de Le Berre.

— Parce que Le Berre avait un petit fusil ?

— Ouais, un qui se dévisse et qu'on peut mettre dans sa poche.

Elle eut un geste de la main :

— Et hop, ni vu, ni connu !

Mary regarda le gendarme :

— Vous entendez ce que j'entends, Lucas ?

Le gendarme hocha la tête.

— Allons voir ce chêne, dit Mary.

Elle avisa un couteau limonadier sur la table.

— Permettez que je vous l'emprunte, madame ?

La grande femme maigre hocha la tête en les fixant stupidement. Qu'est-ce qu'ils allaient fiche avec un couteau près du gros chêne ? Ce n'est pas avec cet outil qu'ils espéraient le couper tout de même !

Mary et Lucas longèrent les bassins toujours grouillants de leur surpopulation aquatique et parvinrent au gros chêne planté au-delà de l'installation piscicole. À première vue, c'était un arbre majestueux qui ne se ressentait pas des rafales de plombs qu'il avait reçues et il fallait y regarder de bien près pour apercevoir les impacts que les balles avaient faits dans son écorce. Ce chêne était un costaud, en pleine santé et qui cicatrisait bien. Néanmoins Mary n'eut aucun mal à extraire, après avoir creusé l'écorce là où elle avait repéré des petits trous, plusieurs petits morceaux de plomb plus ou moins déformés. Elle fit un clin d'œil complice vers Lucas :

— On va donner ça à la balistique, dit-elle, je suis sûre que ça sera très instructif.

Lestée de ce butin dérisoire, elle s'en revint vers le moulin où madame Martin, intriguée, les attendait sur son seuil.

— C'est bien dans l'arbre qu'ils tiraient,fit Mary.

— J'vous avais dit !

— Où se postaient-ils pour tirer ?

— Ben, là où vous êtes.

Mary regarda autour d'elle : devant, les bassins, à gauche, une sorte de terrasse en terre battue, à droite de grands hortensias aux branches dénudées. Elle se mit à genoux et entreprit de fouiller au pied des arbustes sous l'œil intrigué de madame Martin.

— Mais qu'est-ce que vous cherchez ?

Elle sourit à la femme maigre :

— Peut-être la clé de la prison de votre mari, madame Martin.

La fermière prenait tout au premier degré. Quand elle comprenait, s'entend. Là, elle avait compris, mais mal.

— Là-dessous ? fit-elle d'un air de penser, soit qu'on se moquait d'elle, soit qu'elle avait affaire à des débiles mentaux. Visiblement elle hésitait entre les deux. Elle finit par jeter à l'adresse de Mary :

— Ben vous en êtes une drôle, vous !

Elle pouffa :

— Si vous trouvez une clé là-dessous...

Le gendarme avait compris. Il cherchait aussi et ce fut lui qui trouva la première douille, toute oxydée celle-là. Mary en trouva aussi si bien qu'ils furent bientôt en possession d'une demi-douzaine d'étuis.

— Ça ira, dit-elle à Lucas en se redressant. La balistique va se régaler, et nous aussi !

Elle remercia madame Martin en ajoutant :

— N'oubliez pas d'aller visiter votre mari, madame Martin, il a besoin de vous.

— On me laissera passer ? demanda-t-elle.

Cette fois il y avait de l'espoir dans sa voix. De l'espoir et de l'étonnement. On sentait qu'il était temps qu'elle le retrouve, son Léon. Elle n'avait plus que le chien à engueuler. C'était mieux que rien bien sûr, mais, on a beau dire, même pour ça un chien ne remplace pas un homme !

— J'y veillerai, promit Lucas. Ils ressortirent par où ils étaient venus et Kiki, le chien hurleur, leur donna une nouvelle sérénade sans que cette fois sa maîtresse songe à lui promettre le bâton.

— Il est toujours attaché ? s'inquiéta Mary.

— Non. C'est le chien de Léon. Y peut pas m'voir. L'est toujours dans ses jambes et il n'obéit qu'à lui. Mais maintenant que Léon est en prison, je l'attache pour l'empêcher de faire des conneries.

Mary considéra la bête hurleuse avec pitié. En fait, elle hurlait sa douleur de ne plus voir son maître et d'être à la chaîne. Elle n'avait pas été habituée à ça. Il était temps qu'il revienne, Léon Martin, car vu l'affection que portait sa femme au pauvre Kiki, s'il tardait trop le malheureux clébard pourrait bien servir de nourriture aux truites affamées.

Chapitre 13

— Et maintenant ? demanda Lucas lorsqu'ils furent de nouveau dans le véhicule de gendarmerie.

— Balistique, mon cher Lucas, balistique. Et si vous pouviez dire à votre labo de faire fissa,* ça n'en serait que mieux.

— Ils feront fissa, comme vous dites, fit Lucas sobrement.

Il ajouta à l'intention de Dieumadi qui attendait silencieusement les ordres :

— On retourne à la brigade, gendarme !

Dieumadi, docile, relança la voiture sur la route.

Lorsqu'ils arrivèrent à la gendarmerie, Lucas fit signe à Mary de venir dans son bureau.

— Je vais appeler le légiste, dit-il.

Il l'invita à s'asseoir, ferma soigneusement la porte derrière lui en demandant qu'on ne le dérange pas, forma un numéro sur le cadran et appuya sur la fonction « haut parleur » en adressant un clin d'œil complice à Mary. Lorsqu'il eut quelqu'un au bout du fil, il se présenta :

* *Faire vite.*

— Adjudant Lucas…

Une voix tonitruante résonna dans l'écouteur :

— Adjudant Lucas ! Vous m'en faites faire des drôles de choses, adjudant Lucas ! Vous venez vous informer des résultats de l'autopsie ?

— Oui, docteur.

— Vous êtes un petit futé, adjudant Lucas ! Un chercheur de petite bête ! Comment avez-vous deviné que ce type n'était pas mort de la manière qu'on aurait pu croire ?

La voix sonore du morticole faisait vibrer l'appareil. Une voix à réveiller ses clients, pensa Mary.

L'adjudant regarda Mary, un peu gêné. Elle lui montra son auriculaire, le collant à son oreille. Lucas comprit et il glissa :

— C'est mon petit doigt qui me l'a dit !

— Ah ah ! fit la voix du légiste, quand on vous le coupera, gardez-m'en donc une phalange ! Je commence à devenir dur de la feuille.

— Promis, dit Lucas. Je suis désolé de vous avoir infligé cette corvée.

— N'y pensez plus, adjudant ! Je n'ai eu qu'à faire une radio du crâne - par bonheur il n'avait pas éclaté, parce que le reste des os, je ne vous dis pas ! On a vu ce corps étranger qui était resté dans la boîte crânienne. Je n'ai eu qu'à donner un coup de scie électrique pour décalotter, et récupérer le plomb.

Rien que ça ! pensa Mary en grimaçant. Elle allait s'enquérir de la balle, mais le toubib la devança :

— C'est bien une balle de vingt-deux long rifle, pas trop écrasée. Je pense que les services de la balistique pourront en tirer pas mal d'enseignements.

— Vous la leur avez fait parvenir ?

— Bien sûr. C'est toujours ainsi qu'on procède.

— Épatant ! dit Lucas. Je vous remercie beaucoup, docteur.

— Ce fut un plaisir, cher ami, dit le légiste en s'essayant à faire le mondain.

Mary se tortilla sur sa chaise en marmonnant entre ses dents :

— Tu parles d'un plaisir !

Elle s'imaginait le légiste découpant à la scie électrique ce qui restait du crâne de ce paquet de viande hachée qui avait été un sémillant professeur de tennis. Elle crut même entendre le bruit de la lame attaquant l'os et ça la fit grimacer.

Lucas la regardait curieusement. Il reposa l'appareil sur son support et s'enquit :

— Qu'est-ce qui vous arrive ?

— Rien, assura-t-elle, rien ! J'ai trop d'imagination, voilà tout.

— Pour ça, dit Lucas sarcastique, on ne vous a pas oubliée le jour de la distribution !

Et il ajouta, après avoir raccroché l'appareil :

— Je suppose qu'il nous faudra aussi nous enquérir du « petit fusil » de Le Berre ?

— Celui qui se dévisse ? dit Mary, et comment !

Le gendarme demanda :

— Qu'est-ce qu'on fait ? Une perquisition ?
— Il faudra obtenir une commission rogatoire.
— Ça ne devrait pas poser trop de problèmes.
— Non, mais ça va prendre du temps !
— Alors, qu'est-ce que vous proposez ?
— On pourrait demander à Le Berre de nous montrer ce petit fusil…
— Ouais, dit le gendarme pensif, on pourrait… Mais s'il nous affirme n'avoir jamais détenu d'arme de ce type ?
— Dans ce cas il se mettrait en mauvaise position…
— Comment ça ?
— Madame Martin a vu cette arme…
— Ce serait sa parole contre celle de la dame en question. Le Berre est adjoint au maire, dans le pays c'est une personnalité qui compte et son frère…
— Est magistrat, tandis que madame Martin est une pauvre fermière plutôt fruste… je le sais bien, Lucas. Néanmoins, il serait bien surprenant que personne d'autre que madame Martin n'ait vu ce fusil démontable. Si Le Berre s'en est servi au moulin devant le couple de pisciculteurs, c'est qu'il ne craignait pas de le montrer. De vous à moi, adjudant-chef, je ne crois pas qu'il puisse nous cacher son existence.
— Vous proposez donc…
— Qu'on aille lui poser la question, tout simplement.

— On peut toujours tenter le coup, dit l'adjudant-chef songeur.

Mary se leva, comme si un ressort l'avait propulsée hors de sa chaise :

— Eh bien, allons-y ! Qu'est-ce qu'on attend ?

L'adjudant-chef ne paraissait pourtant pas si pressé de courir chez Le Berre.

— On pourrait peut-être lui téléphoner, suggéra-t-il.

Mary secoua la tête de droite à gauche :

— Ce n'est pas une bonne idée, Lucas. Au téléphone il pourra nous raconter n'importe quoi…

— Chez lui aussi, objecta l'adjudant-chef.

— Oui mais chez lui, je verrai ses yeux, je verrai s'il dit la vérité ou s'il ment.

L'adjudant-chef s'étonna :

— Vous lisez la vérité dans les yeux des gens, vous ?

— Et comment ! Allez !

Elle ouvrit la porte :

— Vous appelez Dieumadi ?

— Je peux conduire, assura l'adjudant-chef.

Ils s'installèrent dans la fourgonnette bleue qui fit demi-tour sur le gravier de la cour. Au passage Mary aperçut le visage maussade du major Langlois derrière une vitre.

— Ce bon major nous fait le coup du mépris, dit-elle d'un ton léger. Ne serait-il pas en train de bouder ?

— Je crois surtout qu'il a autre chose à faire, éluda Lucas.

Mary n'en croyait rien, mais après tout, elle n'avait rien à faire des états d'âme du nouveau patron de la brigade de Trébeurnou.

Le crépuscule assombrissait le ciel lorsque la camionnette s'arrêta une nouvelle fois devant la grille rouillée de Kerwern.

Actionnée par l'adjudant-chef Lucas, la cloche tinta au pignon de la maison. Une minute plus tard, la porte du manoir s'ouvrit et le visage méfiant d'Aimé Le Berre apparut.

La vue de l'uniforme du gendarme ne lui rendit pas le sourire. D'ailleurs, l'avait-on jamais vu sourire ? Néanmoins il parut rassuré :

— Ah, c'est vous, adjudant-chef?

— Pardonnez-nous de vous déranger à cette heure, monsieur Le Berre, mais nous avons oublié de vous demander quelque chose.

— Ah…

Le Berre paraissait toujours aussi ennuyé. Il disparut un instant et sortit de nouveau :

— J'arrive…

Il vint ouvrir la grille en traînant les semelles de ses sabots de paille sur les dalles humides du perron. La serrure grinça, la grille poussa son geignement lugubre ; Mary et Lucas entrèrent dans la propriété. Le Berre, après avoir longuement examiné les sous-bois, la referma soigneusement.

Le vestibule dans lequel le néochâtelain laissait ses bottes était faiblement éclairé. Mary aperçut un fusil de chasse ouvert posé sur une desserte.

Elle regarda Le Berre :

— Vous êtes allé à la chasse ?

Il secoua la tête négativement.

— Alors, pourquoi ce fusil ? Vous craignez quelque chose ?

— Non, mais quand on sonne à cette heure, j'ai le droit de me montrer prudent.

Était-ce une façon de leur dire que l'heure de cette visite était inconvenante ? Si c'était cela, Mary fit celle qui ne comprenait pas.

— Prudent ? répéta-t-elle, c'est plus que ça, monsieur Le Berre, je vous trouve particulièrement méfiant ! Y a-t-il une raison particulière à cette méfiance ?

Comme Le Berre ne répondait pas immédiatement elle remarqua :

— Je vous ai vu examiner les bois tout à l'heure, avant de fermer la porte.

Le Berre répondit sans ambages :

— J'ai toujours été méfiant, c'est probablement pour ça que je suis encore en vie, mademoiselle.

— Vous avez été menacé ici, à Trébeurnou ?

L'adjudant-chef Lucas, un peu décontenancé, suivait cet échange sans comprendre où Mary voulait en venir.

— Non, je parlais de l'époque où j'étais dans l'armée. La prudence était la condition de la survie. C'est peut-être de la déformation professionnelle.

La grande salle où ils avaient été reçus un peu plus tôt était parcimonieusement éclairée par des ampoules ridiculement insuffisantes.

Les hauts plafonds restaient dans l'ombre et les yeux de verre des trophées naturalisés projetaient comme de petits phares rouges, verts, blancs, des éclats maléfiques.

Le Berre les invita :

— Entrez !

Mary, saisie par l'atmosphère lugubre des lieux, frissonna. Elle était bien contente d'être accompagnée par l'adjudant-chef, même si celui-ci semblait lui-même un peu tendu.

— Mettez-vous à l'aise, dit Le Berre d'un ton morne en écartant une chaise de la vaste table de bois massif.

Il plaisantait ou quoi ? Pour se sentir à l'aise dans cette nécropole animalière, il fallait une singulière configuration de l'âme !

— Nous ne vous retarderons pas longtemps, monsieur Le Berre, dit Mary. J'ai juste une question à vous poser.

Le Berre tendit la tête en avant en reniflant, d'un air de dire : « J'attends… ».

— Madame Martin nous a dit que vous faisiez parfois des concours de tir avec son mari.

— C'est exact, dit Le Berre attentif.

— Il semble que vous utilisiez pour ce faire une carabine pliante.

Il corrigea, toujours de la même voix neutre :

— Pas pliante, démontable.

— J'ai examiné votre râtelier d'armes, je n'y ai pas vu de carabine de ce type.

— Elle n'y est pas, dit Le Berre.

— Elle existe donc ?

— Oui. C'est une carabine automatique de fabrication belge, à chargement par la crosse de la manufacture d'Herstal. Une très belle arme.

— Où est-elle ?

— Dans ma chambre.

Le Berre parlait sans réticence et sans émotion. Tout juste pouvait-on lire dans ses yeux une interrogation non formulée.

— Vous gardez une arme dans votre chambre ?

— Oui mademoiselle. Comme vous avez pu le voir, l'endroit est isolé...

Elle redemanda :

— Vous craignez donc d'être agressé !

Le sang-froid de Le Berre faillit se lézarder :

— Je n'ai aucune raison particulière de le redouter, mais j'ai toujours pensé qu'il valait mieux être prêt à toute éventualité.

La voix était toujours calme, mais plus ferme et plus froide.

— Par qui ?

Le Berre regarda Mary curieusement :

— Pardon ?

— Par qui craignez-vous d'être agressé ?

— Je n'en ai pas la moindre idée, dit-il, mais je lis tous les jours dans les journaux que des maisons ont été pillées, que leurs habitants ont été ligotés, torturés… Si des gens venaient ici avec de mauvaises intentions, je ne me laisserais pas faire sans me défendre.

Mary regarda le gendarme. Le Berre était du genre « à se défendre hardiment », comme disait La Fontaine.*

— Humm… fit le gendarme. Pourrions-nous voir cette arme, monsieur Le Berre ?

— Bien sûr, dit Le Berre sans se troubler.

Il ne demanda même pas pourquoi la police s'intéressait à sa carabine.

— Un instant.

Il disparut dans la pénombre et quelques instants plus tard on entendit le plancher craquer sous des pas. Puis Le Berre se matérialisa comme un fantôme sort du néant, en faisant tressaillir Mary.

— Voilà, dit-il en posant un coffret sur la table.

C'était une boîte rectangulaire gainée de cuir marron, avec des renforts d'angle en cuivre brillant. Elle faisait une cinquantaine de centimètres de long, peut-être quinze de large et autant de haut.

Le Berre sortit une petite clé de son gousset et s'en servit pour actionner les deux serrures miniatures qui fermaient la boîte.

* *Voir :* Le loup et le chien.

Le couvercle bascula et l'arme, en deux morceaux, apparut calée dans cet écrin tapissé de satin bleu pâle. Maintenant que les deux éléments de l'étui reposaient bien à plat, on s'apercevait que ce qui constituait le couvercle contenait une lunette de visée dont les optiques étaient protégées par des bonnettes de cuir, un tube noir long d'une vingtaine de centimètres qui devait être un silencieux, un nécessaire de nettoyage avec une baguette de cuivre prolongée d'un écouvillon métallique et une burette d'huile. Il y avait également deux emplacements pour deux boîtes de balles. L'arme en elle-même se composait d'une crosse en noyer ciré, à la culasse noir mat et d'un canon court, noir mat lui aussi.

L'adjudant-chef Lucas siffla entre ses dents, en connaisseur :

— Belle arme !

Sans mot dire, Le Berre prit les deux éléments de la carabine et les assembla avec dextérité. Il tourna une molette dissimulée dans le talon de la crosse et tira à lui une baguette d'une vingtaine de centimètres ; ensuite, par un orifice creusé sur le côté de la crosse, il introduisit quelques balles qui disparurent dans la crosse. Il repoussa alors la baguette et tourna la molette. Toujours sans mot dire, il adapta le silencieux au canon de l'arme, ramena la culasse en arrière pour l'armer, la laissa revenir avec un claquement sec et l'épaula vivement en direction de l'âtre. Il y eut cinq détonations étouffées qui se confondirent presque tant elles s'étaient rapidement succédées. Les douilles de cuivre jaune s'éjectèrent sur la table, bien brillantes sur le bois sombre.

Mary avait voulu demander ce qu'il faisait, mais tout avait été trop vite. Le percuteur battit le vide.

Le Berre démonta alors posément le silencieux, puis il désolidarisa les deux éléments de l'arme qu'il posa sur la table. Une âcre odeur de cordite s'était répandue dans la salle. Le Berre se leva, marcha vers l'âtre et ramena une bûche dont les spires dessinaient une sorte de cible. L'une des balles avait frappé cette cible en plein milieu, les quatre autres dessinaient un X quasi-parfait autour de la première.

De nouveau Lucas siffla entre ses dents, impressionné.

— Qu'avez-vous voulu prouver, monsieur Le Berre, demanda Mary, que vous êtes un tireur d'élite ?

— En la matière je n'ai plus rien à prouver, dit Le Berre. Et puis, faire un tir comme ça à cette distance est à la portée de tous les tireurs de kermesse.

— Pas à cette vitesse, fit remarquer Mary.

Il eut un demi-sourire :

— Si vous êtes venus chez moi à cette heure et si vous vous intéressez à cette arme, ce n'est pas pour admirer son bel écrin, c'est pour expertiser les projectiles qu'elle tire.

Il se tourna vers le gendarme :

— Est-ce que je me trompe, adjudant-chef?

— Il faut en effet, bredouilla Lucas que… que…

Il quêta le secours de Mary Lester du regard mais Le Berre prévint l'intervention éventuelle de celle-ci.

— Il n'est pas question que cette arme quitte mon domicile, dit-il nettement.

Mary voulut objecter, mais il la coupa :

— Dans cette bûche, vous avez les projectiles que cette arme tire, sur la table, les étuis. Voilà qui devrait suffire à vos expertises. Cette arme ne m'a jamais quittée. Si Martin s'en est parfois servi, ce fut toujours en ma présence et pour tirer sur des cibles. Si vous voulez la saisir, il vous faudra obtenir une ordonnance du tribunal.

Il fit un pas en avant, puis ramena sa jambe en arrière :

— Ah, j'oubliais…

Il sortit une petite clé de son gousset et s'en fut au râtelier d'armes. Il ouvrit le cadenas et dégagea précautionneusement l'arme de compétition.

— Celle-ci étant du même calibre que l'autre, je vais également vous fournir un échantillon des projectiles qu'elle tire afin que, le cas échéant, vous n'ayez pas à vous déranger une nouvelle fois pour venir à Kerwern.

Ce qui voulait explicitement dire : « Pour que vous ne veniez pas me casser les pieds une nouvelle fois. ».

Il ouvrit la culasse, mit une balle et repoussa le mécanisme qui s'enclencha avec un bruit de mécanique bien huilée. Il visa une autre bûche mais comme il n'avait pas de silencieux, la détonation résonna contre les murailles de granit. Il fit tomber la douille dans sa paume, la tendit à Mary et enclencha une nouvelle balle. Il y eut une nouvelle détonation qui fit accourir la dévouée servante de feu le marquis.

— Ma… ma… ma… s'exclama-t-elle la main sur le cœur. Ma Doué* ! Des coups de fusil dans la maison, vous n'êtes pas bien ?

— Retournez donc dans votre cuisine, ordonna Le Berre d'une voix égale. Et occupez-vous de vos affaires !

Le ton n'admettait pas de réplique ; c'était celui du militaire qui ordonne et qui entend être obéi sans murmure. La vieille ne se le fit pas dire deux fois et sortit en crabe, toujours traînant ses sabots de paille sur le pavement, comme si elle redoutait de prendre un coup de pied aux fesses.

Le Berre prit l'autre bûche et la tendit à Mary avec la deuxième douille.

— Voilà, dit-il, avec ça vous pourrez faire toutes les expertises que vous souhaitez. Autre chose ?

Mary savait reculer lorsqu'elle n'était pas en mesure de faire autrement.

— Non, non monsieur Le Berre, dit-elle, nous saurons nous contenter de ça pour le moment.

* *Mon Dieu !*

Le Berre ricana :

— Pour le moment... Tiens, puisque vous vous intéressez aux balles de vingt-deux long rifle, je vais vous en fournir d'autres encore.

Il tira à lui un tiroir dissimulé dans le haut bout de la table de bois massif et en sortit une arme étrange qui paraissait tout droit issue d'un film de science-fiction.

— Je vous présente une arme rare, dit Le Berre. Un Buhag Zentrum à crosse ergonomique. Je l'ai gagnée à un concours international interarmées il y a bien longtemps.

Il tira en arrière la culasse bien huilée, introduisit une balle de vingt-deux et visa posément une autre bûche. Une nouvelle fois la détonation fit vibrer les murs. Dans sa cuisine, la servante au grand cœur devait serrer les fesses.

Le Berre fit tomber l'étui, le donna à Mary et retourna à l'âtre prendre la bûche qui avait été touchée par le projectile.

— Voilà, dit Le Berre, vous ne pourrez pas vous tromper : cinq balles de ma carabine démontable, deux balles de ma carabine de tir, une balle de ce pistolet de compétition...

Ses yeux brillaient, comme si l'odeur de la poudre avait eu le pouvoir de le faire sortir de son impassibilité.

Mary prit les bûches, renifla les impacts, puis elle s'en fut à l'âtre et, éclairée par la petite lampe électrique qui pendait à son porte-clés, examina soigneusement les autres bûches les unes après les autres sous le regard ironique de Le Berre.

— La confiance règne, laissa tomber le maître de Kerwern.

Elle lui sourit :

— La méfiance chez les policiers est comme la prudence chez les soldats : une seconde nature.

— Je vois, apprécia Le Berre.

Un demi-sourire faisait luire sa canine d'acier dans l'ombre.

Elle lui tendit la main qu'il serra :

— Merci de votre collaboration, monsieur Le Berre.

Il marmonna quelque chose comme « Je vous en prie » et les raccompagna à la grille. La nuit était maintenant tombée.

Quelque part une chouette hulula, puis un curieux glapissement lugubre et angoissant troua les ténèbres et pendant un instant un silence total se fit dans les bois.

— Le renard est en chasse, dit Le Berre d'une voix caverneuse, une voix qui donna la chair de poule à Mary qui avait de mauvais souvenirs d'un autre renard.*

Poussée par le propriétaire des lieux, la grille pleura une nouvelle fois de toutes ses articulations rouillées tandis que, faisant demi-tour, la camionnette de gendarmerie prenait le chemin du retour.

* *Voir :* Le renard des grèves.

Chapitre 14

— Pas fâchée de quitter cette sinistre turne! dit Mary avec conviction.

— Une turne, dit le gendarme réprobateur, c'est ainsi que vous qualifiez la plus belle demeure de Trébeurnou ?

— La plus belle pour les plus beaux cauchemars, dit-elle avec conviction. Brrr... Il faudrait me payer cher pour me décider à vivre là-dedans!

— J'ai cru comprendre que vous n'étiez pas trop à l'aise, en effet.

— Et vous, Lucas, vous étiez à l'aise parmi ces fantômes de pauvres bêtes massacrées ?

— Bof, je ne crains pas les fantômes, assura Lucas, et surtout pas ceux des animaux. Je craindrais plutôt l'autre Le Berre, le frère...

— Quel est son prénom ?

— Jérôme... Mine de rien, ces Le Berre ont le bras long.

— Jérôme, c'est le magistrat ?

Le gendarme hocha la tête affirmativement.

Il demanda :

— Qu'est-ce que vous aviez à renifler ce morceau de bois ?

— Je voulais m'assurer que c'était bien celui-là qu'il venait de toucher.

— C'est pour ça que vous êtes allée inspecter toutes les autres bûches ?

— Oui, Lucas.

Elle garda un moment le silence et rajouta :

— Supposez que Le Berre ait prévu notre visite… Avant notre arrivée, il loge cinq balles dans un morceau de bois du bûcher avec une autre carabine.

— Combien d'armes détient-il à votre avis ? ironisa Lucas.

— Plus que vous croyez, Lucas. Il y a des gens qui sont fous de timbres, de vins vieux ou de cartes postales anciennes. Le Berre, lui, est fou d'armes.

— Qu'est-ce qui vous fait dire ça ?

— La manière dont il les regarde, dont il les touche, ce sont presque des gestes sensuels.

Lucas se mit à rire :

— Comme vous y allez ! Sensuels, vous avez dit sensuels ?

— Absolument ! Et ce refus de nous confier son arme préférée… Je vous le redis, cet homme entretient des rapports excessifs, pour ne pas dire troubles, avec les armes à feu. Je sens quelque chose de malsain dans son attrait pour ces machines à tuer.

— Donc, selon vous, il tire cinq balles avant que

nous arrivions, puis, avec sa carabine préférée, il en tire cinq autres n'importe où dans le tas de bois? Dans quel but?

Mary fit la moue:

— Ce n'est qu'une hypothèse, Lucas, mais il aurait pu être tenté de nous impressionner par sa virtuosité au tir…

Le gendarme fit la moue:

— Je ne vois pas l'intérêt…

— Vanitas vanitatum…

— Quoi? fit Lucas en plissant le front.

Elle traduisit:

— Tout est vanité, mon cher. C'est un travers qui a fait pendre bien des criminels.

— Pff! fit Lucas, qu'est-ce que vous allez chercher?

— La petite bête, hein?

Lucas hocha la tête affirmativement.

— Écoutez plutôt la suite de mon raisonnement: il prend la bûche préparée et nous la donne en refusant de nous laisser l'arme.

— Pff! souffla le gendarme, ce n'est plus de la méfiance, c'est de la paranoïa.

— Peut-être… Mais nous faisons un métier où il est préférable d'être trop méfiant que trop naïf, Lucas.

Le gendarme regimba:

— C'est pour moi que vous dites ça?

Elle protesta de sa voix la plus séraphique:

— Pas du tout, adjudant-chef, qu'allez-vous encore imaginer ? D'ailleurs cette hypothèse que je viens d'évoquer reste une hypothèse. Le Berre a bien logé ses cinq balles dans la bûche devant nous. C'est un redoutable tireur.

Et elle pensa que Fortin aurait apprécié la démonstration. Lucas ne dit rien, il se contenta de la regarder d'un œil torve.

— De deux choses l'une, ajouta-t-elle, ou Le Berre a tiré sur Florent, ou il est innocent. S'il est coupable, il doit se demander ce que nous avons découvert et les raisons qui nous poussent à vouloir des projectiles de sa carabine. En tout état de cause, il doit être sur des charbons ardents.

— Il devrait, corrigea Lucas.

— Vous avez raison, Lucas, il devrait. Or, Le Berre ne m'a pas donné l'impression d'un type sur des charbons ardents.

— À moi non plus, mais attendez, c'est un ancien sous-off de la coloniale, il a été dans des dizaines de coups durs en Indochine, en Algérie, au Tchad et il s'en est toujours tiré sans trop de dommages.

— Qu'en concluez-vous ?

— C'est un animal à sang-froid car on ne sort pas indemne des situations dans lesquelles il a été plongé sans un sang-froid à toute épreuve.

— Donc vous pensez qu'il pourrait être coupable tout en ne se trahissant pas ?

— Tout à fait.

Le gendarme se tourna vers Mary :

— Pas vous ?

— Je ne sais pas, dit-elle, je ne sais pas… Apparemment tout est contre lui. Il a le mobile : cette envie de récupérer son beau moulin, il était le premier sur les lieux du crime…

— Après Martin tout de même, objecta-t-il.

— Qui sait ? Et c'est toute la question. Je crois que nous pouvons tenir pour établi que lorsque Martin est arrivé, Florent gisait sur le sable de sa cour, derrière son tracteur.

— Ça c'est Martin qui le dit !

— Et il dit vrai, Lucas ! Rappelez-vous qu'on a trouvé une balle de vingt-deux dans le crâne de Florent. Or ce n'est pas Martin qui l'a tirée !

— Ah oui ! fit le gendarme qui semblait un peu perdu.

Il conduisait lentement au long de la route qui menait à la gendarmerie, mais le fait de devoir conduire l'empêchait peut-être de réfléchir.

Derrière eux, une file de voitures qui n'osaient pas doubler le véhicule de gendarmerie se formait.

— Donc c'est…

— Tout accuse Le Berre, dit Mary, mais ce n'est pourtant pas pour ça qu'il est coupable. À mon avis, il y a trop de preuves !

— Ah, s'emporta le gendarme en donnant un coup de poing sur son volant, vous avez déjà dit ça pour Martin !

— Et j'avais raison, Lucas, reconnaissez que j'avais raison !

— Ben oui… fit piteusement le gendarme en massant de la main gauche sa paume droite qu'il avait meurtrie contre le volant.

Ce qu'il regrettait de n'être pas parti pour Ponchâteau une semaine plus tôt ! Ce qu'il le regrettait, c'était rien de le dire ! La camionnette se gara dans la cour de la gendarmerie et Lucas demanda :

— Qu'est-ce qu'on fait, maintenant ?

— Allez donc faire le relevé des coups de téléphone donnés et reçus par Martin avant qu'il ne soit venu fusiller Florent.

— Et vous ?

— Moi ? Je me rends de ce pas chez ma logeuse, Monette Charron à Ty Coz. Elle aura préparé le dîner. Je vais prendre un bain et nous dînerons devant le feu en papotant. Ensuite j'irai dormir et demain matin pas trop tôt - disons neuf heures - nous nous retrouvons ici et, en fonction des renseignements que vous aurez obtenus, nous verrons ce qu'il convient de faire.

Elle descendit de la camionnette et fit un gracieux geste à l'intention de l'adjudant-chef :

— Tchao, Lucas, bonne nuit !

Les poings sur les hanches, l'adjudant-chef regarda les feux de la Twingo s'éloigner, puis gronda :

— Il y en a qui ne s'emmerdent pas !

***

Avec Monette, les choses se passaient différemment que lors de la première visite. L'infirmière paraissait plus décontractée car le redoutable Vanco avait disparu de la circulation.

Ses chevaux étaient revenus à Trébeurnou et ils pâturaient paisiblement à quelques mètres de la maison. Mary les aperçut dans les phares lorsqu'elle se gara dans la cour.

Pourtant, il semblait qu'un invisible espace s'était creusé entre les deux femmes. Monette avait découvert une Mary Lester qu'elle ne connaissait pas, une Mary Lester capable, sous son aspect séraphique, d'envoyer au tapis non seulement le voyou qui terrorisait le village mais aussi les flics qui assuraient sa protection et même de renvoyer dans les cordes le corps préfectoral qui défendait ses flics.

Du coup, elle ne regardait plus son amie avec les mêmes yeux. Comme quoi les professions, les habitudes, la vie, peuvent séparer des êtres qui, au temps de l'adolescence, paraissaient indissociables.

Mary, confrontée quotidiennement à la délinquance, à la crapulerie et même aux peaux de bananes que déposaient sous ses pas des confrères jaloux ou mal intentionnés, était devenue méfiante, rusée, et elle s'attendait toujours au pire.

Monette, elle, voyait l'humanité par ses côtés les plus vulnérables : la maladie, la vieillesse, la mort faisaient partie de son quotidien d'infirmière. Elle avait beau essayer de se barder contre les calamités qui frappaient chaque jour ses clients, elle ne pouvait s'empêcher de partager leurs peines.

Mary, qui avait garé sa Twingo près de la Clio de Monette, lui demanda :

— Tu rentres toujours ta voiture ?

— Il n'y a plus besoin, dit Monette, maintenant que le fada a quitté le pays…

— Et maintenant que vous avez un maire à poigne, ajouta Mary. Au fait, vous en êtes satisfaits ?

— De qui ?

— Du maire, de ce brave Corentin !

— Et comment ! Il a mis tout le monde au pas, plus de passe-droit, plus de petites combines, à dix heures il est à la mairie dans son fauteuil roulant, et à dix-huit heures il y est encore. Il exige que tout lui passe dans les mains et il examine les dossiers à fond. Tu as fait un miracle !

— Faut pas exagérer, dit Mary, il s'agissait avant tout de le faire manger comme il en a toujours eu l'habitude, et non pas comme un rat de laboratoire, et de lui donner de l'occupation et de l'espoir.

— N'empêche que maintenant il se lève pour faire ses discours, dit Monette. Je n'aurais jamais cru ça possible. Les médecins n'en reviennent pas ! Ceux de l'ancienne équipe essayent bien de le dénigrer, mais le père Kerloc'h gère sa commune en gendarme : il y a la loi, et rien que la loi. Il y a ce qui est permis et ce qui ne l'est pas. C'est simpliste mais…

— Non, dit Mary, c'est simple, pas simpliste.

Ceux qui l'accusent de simplisme sont ceux qui s'ingénient à embrouiller les choses pour tirer profit de ces embrouillaminis. Et Sonia ?

— Sonia, elle est dans le Sud-Ouest chez sa fille. Elle va bien.

— A-t-elle vendu sa maison ?

— Finalement, non. Elle compte y revenir à la belle saison.

Elles continuèrent à papoter devant le feu, le bol de soupe sur les genoux et, inévitablement, on en vint au nouveau drame qui venait d'endeuiller la commune.

— Tu iras à son enterrement ? demanda Mary.

— Oui, assura Monette. Mais sans verser de larmes.

Elle fit la moue :

— Ce n'était pas quelqu'un de bien reluisant.

Monette ne paraissait pas prête à porter le deuil de Florent.

— Je m'en suis aperçue, dit Mary.

— Pour ses vols de poutres à l'église ? S'il n'y avait eu que ça !

Mary la regarda attentivement :

— De quoi veux-tu parler ? Des vols de documents à la mairie ?

— Broutilles ! dit l'infirmière.

Mary s'étonna :

— Ah bon ? Il y a plus grave ?

— Et comment !

Mary attendit une suite qui ne vint pas, ce qui l'agaça :

— Tu en as trop dit, ou pas assez, Monette !

L'infirmière paraissait sérieusement embarrassée.

— Je ne pense pas être autorisée à t'en dire plus, ça ressort du secret professionnel.

— Dans ce cas…

Mary eut un geste du bras qui signifiait : « Garde-le donc pour toi, ton secret professionnel ! ». Elle changea d'orientation à la conversation.

— Et sa femme ?

— Qui s'assemble se ressemble, fit l'infirmière. Elle ne vaut pas beaucoup mieux que lui.

— On m'a dit qu'elle occupait un poste important dans l'Éducation nationale ?

— Oui, elle est chargée, entre autres, de noter les enseignants du primaire dans le département.

— Elle l'a échappé belle, dit Mary, car si elle avait été là…

— Si elle avait été là, Florent serait toujours vivant !

Cette opinion péremptoire troubla Mary.

— Tu penses qu'elle pourrait être pour quelque chose dans la mort de son mari ?

L'infirmière se recula dans son fauteuil :

— Je n'ai rien dit de tel !

Puis elle ajouta :

— C'est Martin qui a tué Florent, non ?

— Ouais… fit Mary d'un air mal convaincu.

— Ce n'est pas lui ?

— Je n'ai rien dit de tel, répondit Mary du tac au tac.

— Tu sais quelque chose !

Ce n'était pas une question, mais bien une affirmation.

— Évidemment que je sais quelque chose ! Si je ne savais rien de plus que toi, ça serait malheureux, c'est moi qui enquête, tout de même !

Monette la regardait avec une telle interrogation dans le regard qu'elle ne put s'empêcher de la taquiner. De l'index tendu balayant devant elle comme un essuie-glace, elle fit « non, non, non ! »

Puis elle ajouta :

— Secret professionnel, ma vieille !

Monette regarda ses mains, embarrassée, et dit d'un ton de reproche :

— Tu n'as pas confiance en moi ?

— Pas plus que toi en moi…

Il y eut un long silence, Monette regardait Mary par-dessus son bol vide sans mot dire et d'un air si triste que ce fut Mary qui rompit ce silence.

— Nous voilà bien avancées, avec nos secrets professionnels ! La situation est bloquée, comme disent les diplomates et les syndicalistes.

Elle braqua son index vers son amie :

— Mais je te fais remarquer que c'est toi qui as commencé !

Chapitre 15

— Bon, dit enfin Mary, on ne va pas rester jusqu'à demain à se regarder en chiens de faïence. Je vais te prouver que j'ai confiance en toi et te livrer un élément nouveau que personne ne connaît… Bien entendu, c'est top secret!

La curiosité allumait l'œil de Monette.

— Ça restera entre nous, assura-t-elle.

— Ce n'est pas Martin qui a tué Florent.

— Ce n'est pas…

Monette en restait sans voix.

— Mais pourtant…

— Oui, je sais, dit Mary, on l'a retrouvé en train de tirer des coups de fusil sur le corps de Florent, mais voilà, à ce moment, Florent était déjà mort.

— Comment…

L'infirmière était tellement stupéfaite qu'elle n'en terminait pas ses phrases.

— Comment je le sais? Tout simplement parce que l'autopsie a révélé que Florent avait une balle de vingt-deux long rifle dans le cerveau.

Elle ajouta :

— Ce n'est pas grand, une balle de vingt-deux long rifle, un petit lingot de plomb qui ne fait même pas un centimètre et demi de long et qui pèse quelques grammes. Et pourtant, bien administrée, une bricole comme ça vous bousille un bonhomme aussi bien qu'une balle blindée foudroie un éléphant. En plus, c'est sournois, ça entre dans un crâne, ça fait un dégât effroyable, et ça n'en sort pas. Une balle plus puissante aurait fait éclater l'arrière de la boîte crânienne. Là, rien ! Si le pruneau est entré par l'œil, comme le corps a été littéralement déchiqueté, il était absolument impossible de s'en apercevoir.

Monette grimaçait d'horreur, comme si elle sentait physiquement le petit morceau de plomb pénétrer dans son œil.

— T'inquiète pas, lui dit Mary, si ça t'arrive, tu ne sentiras rien.

Et elle ajouta, en touchant des doigts la boursouflure de sa cicatrice maintenant cachée par les cheveux :

— J'en sais quelque chose !

Monette, les mains à plat sur les tempes, les yeux serrés, grinçait des dents comme si Mary lui infligeait un insupportable supplice. Elle implora :

— Tais-toi !

— Te voilà bien sensible, dit Mary d'un ton badin. Tout à l'heure tu me suppliais de parler et maintenant…

Elle s'adressa au portrait de la grand-mère en coiffe accroché au-dessus de la cheminée :

— Ça passe son temps à enfoncer des aiguilles dans la peau de ses concitoyens en leur assurant que ça ne leur fera pas mal et ça tombe en pâmoison quand on parle de quelque chose de vraiment indolore !

— Tu exagères ! dit Monette secouant la tête.

Mary la reprit :

— Comment, j'exagère ? Je te le jure, cette balle dans la tête m'a fait moins de mal que la série de piqûres que j'ai subie à l'infirmerie du pensionnat de la part de sœur Angèle quand j'ai eu ma pneumonie.

— Tss ! fit Monette en feignant la colère, il faut toujours que tu exagères !

— Je t'en fous ! Cette vieille bique usait d'un trocart gros comme une aiguille à tricoter et à peine plus affûté !

Cette fois, Monette prit le parti d'en rire :

— Ce n'est plus comme ça maintenant ! Les aiguilles sont tellement fines…

— Qu'on ne sent rien, compléta Mary. Ça va, on connaît la chanson ! Forcément, toi tu es toujours du bon côté de la seringue !

Monette haussa les épaules.

— Comment l'as-tu su ?

— Su quoi ?

— Que Martin avait une balle dans la tête !

Mary se toucha le nez du bout de l'index :

— Le raisonnement, ma grande, le raisonnement ! Et puis le pif !

— Et qui a fait ça ?

Mary écarta les bras en un geste d'ignorance.

— Pour le moment, on n'en sait rien.

— C'est vrai ?

— On a des soupçons, mais aucune preuve. À toi, maintenant.

— À moi quoi ?

— Allons, dit Mary, ne jouons pas au plus fin ! Tu as quelque chose à me dire à propos de Florent.

— Ce n'est pas beau, dit l'infirmière en tournant la tête d'un air dégoûté.

— Rassure-toi, j'ai l'habitude !

— Il s'en est pris plusieurs fois à de jeunes enfants.

— Tu veux dire qu'il était pédophile ?

Monette hocha la tête affirmativement.

— Et il est resté dans l'Éducation nationale ?

— Grâce à sa femme qui le protégeait. Comme elle note les enseignants…

— Je vois, dit Mary avec dégoût, que de bassesses, de lâchetés par peur d'être mal noté !

— Il a quand même fini par être mis en retraite anticipée, dit l'infirmière, mais par le biais de ses cours de tennis, il continuait ses saloperies. C'est même pour ça qu'il a été amené à démissionner de son poste de maire. Le père d'un jeune tennisman qu'il entraînait avait menacé de venir faire un scandale au conseil municipal.

— Et c'était qui, ce jeune homme ?

— Le fils d'un commerçant de Morlaix. Pourquoi ?

— Parce que ce commerçant prend immédiatement place sur la liste des suspects. Et en bonne position encore.

Monette mit sa main devant sa bouche :

— Oh, et moi… Je ne voulais pas faire d'ennuis à ce pauvre homme !

— Monette, dit Mary sur un ton de reproche, qu'est-ce que tu t'imagines ? Qu'on n'aurait pas trouvé ton bonhomme ? Dès lors qu'il y a crime, il y a enquête… Et quand il y a enquête, bien peu de choses échappent aux enquêteurs. Surtout quelque chose d'aussi énorme que les déplorables penchants de Florent !

— Pourtant jusque-là vous n'aviez personne d'autre dans le collimateur !

— T'ai-je jamais dit cela ?

— Vous aviez un autre suspect ?

— Oui.

— Je peux savoir qui ?

— Tu peux, puisque tu as juré le secret.

Elle garda le silence un moment pour ménager le suspense, puis laissa tomber :

— Aimé Le Berre.

— Oh…

La stupéfaction de Monette n'était pas feinte.

— Ça paraît te surprendre.

— Ce n'est pas possible, pas Aimé…

— Je n'ai pas dit que c'était lui, mais il y a beaucoup d'éléments à charge contre lui.

— Son fusil ?

— Tu vois, tu en as déjà trouvé un !

— Pas difficile, ici, il y a un fusil dans chaque maison.

— Oui, mais pas forcément un fusil démontable.

— Parce que le sien…

— Un des siens, oui, un des siens est démontable. Il se démonte et se monte en un clin d'œil, il dispose d'une lunette de tir, d'un silencieux… Une vraie arme d'exécuteur.

Monette fit la moue.

— Et quoi encore ?

— Le moulin.

— Le moulin de Kerwern ?

— Oui, cette admirable ruine où le couple Martin a sa pisciculture. Figure-toi qu'elle appartient aux frères Le Berre.

— Je le sais bien, puisqu'ils ont racheté le domaine en viager au vieux marquis de Kéreleg.

— Oui, et Kéreleg a donné jouissance à vie de ce moulin à Martin…

— Qui était son ancien valet de chiens… Je sais ça aussi, dit l'infirmière.

Et elle rajouta :

— Mais ils ne peuvent rien faire! La clause a été clairement stipulée par-devant notaire. Sauf si Martin décède…

— Ou s'il va en prison…

Monette regarda Mary Lester comme si elle avait entendu une incongruité:

— Qu'est-ce que ça change, s'il va en prison? Le contrat notarié reste valable!

— Sans aucun doute, mais qui va s'occuper de la pisciculture? Sa femme? La pauvre! Déjà qu'à deux ils n'y arrivaient pas… Lorsque nous sommes allés à Kerwern cet après-midi, Le Berre était absent. La vieille chouette qui lui sert de majordome nous a dit qu'il s'était rendu au moulin. Avec l'adjudant-chef Lucas, nous avons remonté le cours de la rivière et nous sommes arrivés au moulin alors que Le Berre et madame Martin avaient une très vive discussion, pour ne pas dire une altercation, qui s'est éteinte dès que Lucas et moi sommes apparus. Plus tard, madame Martin nous a confirmé que Le Berre voulait leur racheter cette clause et les faire quitter le moulin. Et Le Berre interrogé à ce sujet n'a pas fait mystère de ce projet. Tu ne penses pas que le fait que Martin soit inculpé arrange ses affaires?

— Vu comme ça… concéda Monette.

— On sait que Le Berre possède une carabine démontable, une vingt-deux long rifle précisément et c'est un tireur remarquable. Autre élément, il était le premier sur les lieux du crime…

Monette dut admettre que ça faisait beaucoup. Elle demanda :

— Alors, tu crois que c'est lui ?

— Non, dit Mary nettement. Trop c'est trop ! C'est comme les quarante-neuf coups de fusil dans la carcasse de Florent, c'est quarante-sept de trop !

— C'est pour ça que tu penses à monsieur Seznec ?

Elle plissa le front :

— Monsieur Seznec ? Le père du garçon que Florent a agressé ?

— Oui.

— Que fait ce monsieur dans la vie ?

— Il tient un magasin de souvenirs bretons à Morlaix.

— Tiens tiens, dit Mary pensive.

Monette s'inquiéta :

— Tu vas aller le voir ?

— Oui, je crois qu'une visite s'impose chez ce brave homme !

— Tu ne lui diras pas que c'est moi… commença Monette, alarmée.

Mary la rassura :

— Ne t'inquiète pas. Je mènerai cette enquête en souplesse et avec doigté.

Chapitre 16

Le lendemain matin, Mary mit le cap sur Morlaix où elle avait deux personnes à rencontrer : monsieur Seznec, commerçant en souvenirs bretons, et Gisèle Florent, veuve de Raoul Florent dont le corps, réduit à sa plus simple expression, attendait dans un frigo de la morgue la fin de l'enquête judiciaire.

L'adjudant-chef Lucas, qui n'avait toujours pas reçu les résultats des analyses demandées par Mary à propos des cartouches et du téléphone portable retrouvés près du cadavre de Raoul Florent, lui donna l'adresse de mademoiselle Niche, sœur de Gisèle Florent, chez qui celle-ci s'était réfugiée après la mort de son mari.

Mademoiselle Niche - ses parents lui avaient fait la mauvaise blague de la prénommer Anika - n'était pas à son domicile.

Elle était domiciliée dans une ZUP, au second niveau d'un bâtiment gris et morne, parfaitement en harmonie avec le reste du quartier, où toutes les « résidences » comptaient dix étages.

— Tu parles de résidences, soliloqua Mary en sonnant avec insistance à la porte de mademoiselle Niche. Elle examina le palier, elle ne se serait pas vue « résider » en ces lieux.

Comme on ne répondait pas, elle donna du poing contre la porte à s'en meurtrir les phalanges. En vain. Personne ne se manifesta hors une obligeante voisine de palier alertée par les coups répétés qui vint lui indiquer qu'il n'y avait personne.

Mademoiselle Niche, précisa cette dame, n'était pratiquement jamais chez elle car elle habitait ailleurs. Mademoiselle Niche passait certes régulièrement prendre son courrier, elle recevait aussi les journalistes et ses camarades dans cet appartement, mais en réalité elle habitait à Carantec.

Mary s'étonna :

— Elle a une maison à Carantec ?

— Oui, dit la dame, et une belle encore, juste devant la mer.

Carantec étant une des stations les plus huppées de la côte Nord, Mary s'étonna que mademoiselle Niche ne préférât pas recevoir ses amis là-bas plutôt que dans ce cadre peu reluisant d'une cité HLM.

— C'est rapport à son travail, dit la dame.

Raison de plus, pensa Mary. Mais la dame lui expliqua : mademoiselle Niche occupait un poste de direction au sein du mouvement syndical d'une grande entreprise nationale. Il n'eût pas été de bon ton qu'elle reçût les journalistes et les camarades du mouvement dans une villa de milliardaire. Donc, en fait, cet appartement était son bureau. Dans cette cité, elle pouvait montrer une image plus conforme à son statut de représentante des prolétaires et des damnés de la terre.

Mary remercia l'obligeante voisine qui jeta par-dessus la rampe, alors qu'elle avait commencé à descendre l'escalier :

— C'est malheureux, tout de même, il y a tant de jeunes couples qui voudraient un appartement comme ça !

— C'est en effet malheureux, approuva Mary. Puis elle s'arrêta net, avant de lancer :

— Vous ne l'avez pas vue avec une autre femme ces temps-ci ?

La voisine répondit superbement :

— Je ne m'occupe pas des affaires des autres, moi ! Et sa porte claqua.

Mary se prit à sourire. Restait maintenant à voir monsieur Seznec.

La boutique de monsieur Seznec occupait le rez-de-chaussée d'une maison à encorbellements dans le centre du vieux Morlaix. Elle avait pour enseigne « *Aux Délices de la Baie* ». Il s'agissait de la baie de Morlaix, bien entendu.

Derrière une vitrine posée sur un rebord de pierres taillées sur lesquelles on devait autrefois présenter les marchandises de l'échoppe après en avoir tiré les contrevents, on apercevait un échantillonnage de ce que recelait la boutique : un étrange mélange de livres régionaux, de biscuits non moins régionaux, de copies de vêtements de marin, de faïences souvenir et de produits alimentaires du terroir.

En arrière-plan, des présentoirs à cartes postales que l'on devait sortir à la belle saison.

Une sonnette à l'ancienne tintinnabula délicieusement lorsque Mary poussa une porte à petits carreaux, un peu branlante sur ses gonds. Aussitôt son odorat fut assailli par un bouquet de senteurs qu'elle n'avait pas respirées depuis son enfance, lorsqu'elle allait avec sa grand-mère chez Marie, l'épicière du bas de la rue Sainte-Catherine à Douarnenez où l'on trouvait, comme ici, à boire, à manger, de quoi s'habiller et se chausser à condition qu'on aimât marcher en sabots.

Monsieur Seznec était un quinquagénaire de petite taille, replet, chauve et avenant. Mary remarqua immédiatement qu'il portait une chaussure orthopédique et qu'il boitait bas.

— Vous désirez ? demanda-t-il avec beaucoup de style en s'inclinant plus qu'il n'était nécessaire.

Il tenait ses mains jointes sur son petit ventre dodu, tel un valet de comédie attendant les ordres d'un tout puissant majordome.

Mary lui présenta sa carte :

— Police ! Vous êtes bien monsieur Seznec ?

Le visage du commerçant s'était rembruni. La police, chez lui ? Que se passait-il donc ?

— Georges Seznec, en effet, confirma-t-il avec un geste de recul. Qu'est-ce que...

— Vous êtes bien le père de Jean-Paul Seznec ?

— En effet... Qu'est-ce... Qu'est-ce...

Le pauvre homme en bredouillait. Mary le rassura :

— Qu'est-ce qu'il a fait ? Rien de mal à ma connaissance, monsieur Seznec, mais je voulais vous parler des... comment dire, des difficultés qu'il a rencontrées avec son professeur de tennis.

Le visage du bonhomme changea de couleur et d'expression. Mary n'avait plus devant elle un aimable petit gros que la présence de la police dans sa boutique perturbait quelque peu, mais le masque furieux d'un homme outragé.

— Ce... ce salopard ! Il est mort ! rugit-il. Je l'ai vu dans le journal et j'en suis bien content !

— Vous rendez-vous compte de ce que vous êtes en train de me dire, monsieur Seznec ?

La fureur du commerçant n'était pas feinte, ou alors c'était un grand comédien.

— Oui, je vous dis que je suis bien content d'apprendre que cette ordure n'est plus de ce monde ! Quelqu'un a fait ce que j'aurais voulu faire, ce que j'aurais fait sans cette fichue patte folle ! Ce... ce... Martin, je crois ?

Mary hocha la tête affirmativement tandis que Seznec bombait le torse et jetait d'un air de défi :

— J'irai le féliciter ! J'irai à son procès et je crierai devant le tribunal que ce n'est que justice !

— Et si ce n'était pas Martin ? demanda Mary doucement.

Le boutiquier eut un rire sans joie.

— Vous rigolez ou quoi ? Ce Martin a tiré je ne sais combien de coups de fusil sur lui. Les gendarmes l'ont même pris sur le fait.

Il tapa d'un revers de main sur un journal ouvert sur son bureau :

— C'est écrit dans le journal ! Alors…

Il regardait Mary d'un air de défi, un air de dire, « allez, prouvez-moi le contraire, que je rigole un peu ».

— J'ai dit « si », monsieur Seznec. Rendez-vous compte que « si » l'enquête qui est en cours innocentait Martin, vous occuperiez une place de choix sur la liste des suspects.

— Mais il n'y a pas de « si », fit Seznec en balayant l'objection d'un revers de bras, il y a flagrant délit et…

— Où étiez-vous à l'heure du crime, monsieur Seznec ?

Le bonhomme eut le souffle coupé :

— Où j'étais ? Où j'étais ? Ah, c'est trop fort…

Il en oubliait presque de respirer mais la nature le rappelant à l'ordre, il aspira une grande goulée d'air et jeta :

— D'abord, il faudrait que je connaisse l'heure du crime !

— Vous l'avez lue dans le journal !

— Peut-être, mais je m'en fous de l'heure du crime puisqu'on a arrêté le coupable. Ce qui compte c'est que ce salopard n'ira plus souiller de jeunes enfants.

— Possédez-vous une arme à feu, monsieur Seznec ?

Nouvelle mimique de stupéfaction :

— Une arme à feu ? Pour quoi faire ?

— Pour faire feu, pardi ! Un type vous déplaît, vous ennuie - elle fit mine d'épauler une arme et ferma un œil -, pan ! Vous faites feu, et le type est feu !

— Feu quoi ? bredouilla le commerçant qui avait du mal à suivre.

— Il est feu, il est mort quoi. Il ne vous embêtera plus !

Seznec regardait Mary avec une mine ahurie :

— Il ne m'embêtera plus ? Mais c'est là que les ennuis commencent, mademoiselle…

— Lester, dit Mary en représentant sa carte. Capitaine Lester…

— Eh bien, capitaine Lester, vous êtes la…

— La police oui, et je vois que je vous ennuie !

— Beuh… fit le bonhomme pris de court.

— Mais si, je vous ennuie, je le sens bien, assura Mary. Dommage, j'avais vu, dans votre vitrine, un pull-over qui me plaisait bien !

— Un pull-over ? Vous plaisantez ?

— Pas du tout, monsieur Seznec, les capitaines

de police - même lorsque ce sont des femmes - mettent des pull-overs de temps en temps.

Elle le regarda comme si elle le soupçonnait de noirs desseins :

— Rassurez-moi, vous n'avez pas de prévention contre la présence de femmes dans la police ?

— Oh non ! protesta Seznec avec véhémence.

Le sourire commercial fit timidement sa réapparition sur les lèvres de monsieur Seznec qui se frottait les mains l'une contre l'autre comme s'il était en train de se les savonner.

— Vous me parliez du pull marine ?

— C'est cela !

Il s'empressa, considéra Mary un instant et cueillit une boîte de carton sur une étagère :

— 38, ça devrait vous aller.

Il déplia le pull sur un comptoir bas, en bois ciré, le caressa de la main avec ravissement et s'extasia :

— Une qualité comme ça, on n'en trouve plus guère. Pure laine peignée, fabrication traditionnelle... Si vous voulez le passer...

Mary ôta son blouson de cuir et enfila le pull.

— Peut-être auriez-vous dû enlever votre autre pull, suggéra le commerçant.

— Pas la peine, dit-elle, il est très mince et j'aime les vêtements un peu amples.

Le bonhomme avait le coup d'œil.

Elle se regarda dans une glace, tourna sur elle-même et convint que c'était exactement le vêtement qui manquait à sa garde-robe.

— Combien ? demanda-t-elle.

Seznec considéra l'étiquette par-dessus les petites lunettes perchées sur son nez et jeta :

— Cent cinquante euros...

Et, comme s'il s'attendait à une objection quant au prix il ajouta :

— Ça les vaut vous savez, bien sûr on trouve moins cher, mais la qualité se paye !

Mary n'avait pas l'intention de discuter.

— Vous prenez les cartes de crédit ?

Le visage du bonhomme se rembrunit :

— Euh... Non, je ne suis pas équipé. Cependant il y a un distributeur de billets à la banque, juste en face.

— Dans ce cas, je vais vous faire un chèque.

Elle sortit son carnet et remplit le formulaire, le signa et le tendit au commerçant qui continuait de se frotter les mains comme s'il venait de réaliser l'affaire du siècle.

Il replia le pull avec un soin exagéré, le remit dans sa boîte et la boîte dans un grand sac de papier à poignées.

— Merci, merci ! dit-il en jetant un coup d'œil discret au chèque pour voir s'il était bien rempli.

— Pour en revenir à ce que nous disions, monsieur Seznec, vous savez bien ce qu'on fait avec une arme à feu !

De nouveau le bonhomme fut sur la défensive :

— Je sais ce qu'on fait, mais je ne sais pas le faire.

Il tapa de la main sur sa jambe appareillée :

— Avec cette foutue patte, je n'ai même pas fait mon service militaire ! Alors non, je n'ai pas d'arme à feu !

Mary faillit lui expliquer que, même les types qui tiraient COMME des pieds ne tiraient pas AVEC les pieds, mais elle y renonça. Trop compliqué pour monsieur Seznec, visiblement plus expert en confection qu'en maniement d'armes. Elle revint au but de sa visite :

— Monsieur Seznec, je voudrais que vous me racontiez ce qui s'est réellement passé entre votre fils et Florent.

Toute la misère du monde parut s'abattre sur l'échine du boiteux.

— Vous y tenez vraiment ? demanda-t-il.

Mary hocha la tête affirmativement :

— C'est nécessaire, monsieur Seznec.

Le bonhomme leva les épaules - qu'il avait fort étroites - avec résignation.

— Venez par là, dit-il à Mary en indiquant d'un mouvement de tête le fond de sa boutique, on parlera mieux assis.

Et il ajouta comme en s'excusant :

— La station debout m'est pénible.

Semblable aux autres maisons de cette rue moyenâgeuse, celle de monsieur Seznec avait pignon sur rue. C'est-à-dire qu'elle était toute en profondeur, relativement étroite, avec des présentoirs et des étagères contre les murs.

Tout au fond une pièce vitrée à usage de bureau prenait le jour sur une petite cour cernée de murs. C'est là que monsieur Seznec gardait ses livres de comptes. Car il comptabilisait à l'ancienne, monsieur Seznec. De gros registres couverts de toile noire étaient soigneusement alignés sur des étagères de bois blanc qui ployaient sous leur poids. C'est en vain qu'on eût cherché un écran ou un clavier d'ordinateur sur son bureau de bois ciré. En revanche, on y trouvait un encrier, un porte-plume et un tampon buvard sur un sous-main de cuir vert. Seul signe de progrès, un téléphone au coffre de bois verni qui devait dater de Graham Bell et que Mary ne put s'empêcher d'admirer.

— Vous regardez mon téléphone, dit Seznec fièrement, il date de l'ouverture de la boutique par ma grand-mère, il y aura bientôt cent ans. À l'époque, elle était la seule à avoir le téléphone, dans la rue. Tout le monde venait téléphoner ici.

— Celui-là au moins, il est amorti, admira Mary.

— Si vous dites ça pour que je vous le vende, n'y comptez pas, je le garde !

Elle sourit devant cette véhémence :

— Vous avez bien raison, un souvenir de famille, ça ne se vend pas !

Le petit homme se rengorgea vaniteusement :

— Oh, mais c'est qu'on m'en a proposé de l'argent pour que je m'en dessaisisse ! Jamais, ai-je dit, jamais !

Où l'orgueil va-t-il se nicher ? Pour certains il s'agit d'être au dernier cri de la mode, de la technique, pour d'autres, comme monsieur Seznec, la fierté consistait à user d'objets d'un autre âge qui étaient déjà obsolètes avant sa naissance et elle se demanda si le bonhomme circulait toujours en traction avant.

— Avez-vous une voiture, monsieur Seznec ?

— Oui, une deux-chevaux camionnette. Pourquoi ?

Et il ajouta précipitamment :

— Elle me sert à transporter mes marchandises.

Il n'ajouta pas qu'il ne l'utilisait pas pour transporter des macchabées, ou encore pour faire des hold-up ou quelques trafics louches, mais Mary le sentait inquiet. Elle réprima un sourire. Elle n'était pas passée loin.

— Pour rien…

Puis elle revint à l'objet de sa visite :

— Pour revenir à ce qui m'amène chez vous, monsieur Seznec, c'est-à-dire l'agression qu'a subie votre fils de la part de Florent, je voudrais que vous me racontiez ça ?

— Il n'y a pas grand-chose à raconter ! bougonna le bonhomme. Mon fils Jean-Paul a commencé à pratiquer le tennis à l'école et, à ce que disait son professeur de gymnastique, il était très doué. Alors, sa mère et moi, nous avons voulu lui faire prendre des cours pour qu'il progresse. On nous a indiqué Raoul Florent...

— Qui ça ?

— Le gardien de la salle municipale. Florent avait plusieurs élèves et il paraît que c'était un professeur très qualifié.

— Vous n'aviez jamais entendu parler de ses tendances perverses ?

— Jamais !

Il hocha la tête douloureusement :

— Sans ça, vous pensez bien...

Elle pensait bien, en effet, qu'il aurait choisi un autre professeur pour son fils.

— Que s'est-il passé alors ?

— Florent était très gentil et Jean-Paul progressait à pas de géant. Un jour, au printemps, il a invité mon gamin à aller le voir.

— Quel âge Jean-Paul avait-il alors ?

— Quatorze ans et il était déjà classé quinze-six.

Il disait ça avec fierté. Quinze-six, ce n'était pas rien que d'être quinze-six à quatorze ans !

— Donc Florent a invité Jean-Paul à lui rendre visite à Trébeurnou.

— Oui. Jean-Paul allait souvent à la plage là-bas, il y a de grosses vagues et il y faisait du surf avec ses copains.

— Il y est allé avec ses copains ?

— Oui, comme ils le font régulièrement l'été. Florent lui avait dit qu'il serait derrière les tripodes, vous savez ces triangles de béton que les Allemands avaient disposés sur la plage pour empêcher le débarquement des Alliés. Il en reste encore quelques uns, à demi ensablés au milieu de la plage, à l'endroit le plus désert. Jean-Paul est donc allé voir son prof, et Florent l'a entraîné dans les joncs de l'autre côté de la dune. Florent s'est entièrement déshabillé et il a invité Jean-Paul à l'imiter. Comme celui-ci refusait de s'exécuter, il s'est moqué de lui et, finalement, il a essayé de lui enlever son maillot de force en procédant à des attouchements.

Il avait dit ces derniers mots en baissant la tête et en rougissant. Il respira fort et reprit son self-control.

— Comme il était beaucoup plus fort que mon gamin, Jean-Paul a fait mine de céder ; puis il a réussi à lui jeter une poignée de sable dans les yeux.

— C'est un gaillard qui a de la ressource, votre Jean-Paul !

— Oui, dit le commerçant. On peut dire qu'il n'a pas les deux pieds dans le même sabot !

Il jeta un regard dépité à son appareillage et dit tout bas :

— C'est pas comme moi !

Mary ne fit pas de commentaire, et Seznec ajouta :

— Jean-Paul s'est dégagé de cette manière, puis il s'est sauvé à toutes jambes et a rejoint ses copains.

— Il leur a raconté ce qui s'était passé ?

— Non, il avait trop honte.

— Mais à vous il vous a raconté ?

— Pas tout de suite. J'ai d'abord été étonné qu'il ne veuille plus retourner aux cours de tennis, j'ai insisté, je me suis même fâché et c'est là qu'il m'a tout déballé.

— Qu'avez-vous fait alors ?

— Je me suis précipité chez Florent pour lui dire son fait, mais je suis tombé sur sa femme. Elle m'a pris de haut, elle m'a dit que de telles insinuations pourraient me coûter cher et qu'elle pourrait très bien me poursuivre en diffamation... Qu'elle allait porter plainte contre mon gamin qui était un affabulateur, un pervers qui provoquait les adultes.

— Alors ?

— J'ai eu peur, dit Seznec piteusement. Devant tant de méchanceté, j'ai eu peur. Cette femme n'est pas bien grande, elle n'est pas bien grosse non plus, mais elle est... comment dire... féroce, oui, c'est ça, féroce. Une louve défendant ses petits n'aurait pas eu les yeux plus flamboyants, les griffes plus acérées.

Monsieur Seznec, sans le savoir, était un lyrique. C'était beau comme du Shakespeare. On la voyait dans son regard, la louve à tête humaine et aux griffes acérées. Il poursuivit, constatant avec regrets :

— Moi, je suis plutôt gentil. La méchanceté me fait peur. Vous comprenez, je suis dans le commerce, et un procès… Et puis mon gamin, quelle réputation aurait-il eue ?

— Vous avez laissé tomber !

— Pas tout à fait. Je lui ai quand même dit qu'à la prochaine réunion du conseil municipal de Trébeurnou - Florent était maire à l'époque -, je serais au premier rang pour raconter à ses conseillers et adjoints comment leur maire se comportait avec les enfants. Mais Florent n'est pas venu. Il a reculé, et puis il a démissionné.

— Et vous y êtes allé, à ce conseil municipal ?

— Oui, et au premier rang des spectateurs, comme je l'avais promis. Et sa femme était là, blême, tendue, qui me dévisageait avec des yeux noirs comme des canons de pistolets, des yeux à faire peur. Mais moi je n'ai pas reculé, je n'ai pas lâché son regard non plus. C'est elle qui a baissé les yeux. Finalement elle a prétendu d'une voix mal assurée que son mari étant fréquemment souffrant, il ne pouvait plus assurer ses fonctions de maire. Elle a donné au premier adjoint une lettre de démission que celui-ci a lue à l'assemblée.

— Dès lors, vous vous êtes estimé vengé ?

— Je ne cherchais pas à me venger, je voulais empêcher Florent de nuire.

— Je ne sais pas si c'était la bonne méthode, dit Mary, mais je ne peux pas vous en vouloir.

Le commerçant la regarda anxieusement :

— Qu'est-ce qui va se passer maintenant ?

— L'enquête se poursuit, monsieur Seznec.

— Je pourrais savoir…

Mary montra le journal sur le bureau :

— Certainement ! Il y a les journaux pour ça !

Si le commerçant, au prétexte que son fils avait été victime de Florent, pensait bénéficier d'informations de première main sur la progression de l'enquête, il en fut pour ses frais.

Il raccompagna Mary en claudiquant jusqu'à la porte et lui tendit timidement la main pour lui dire au revoir.

Chapitre 17

Maintenant, se dit Mary lorsqu'elle eut regagné sa voiture, il me reste à dénicher cette bonne dame Florent qui protégeait son mari et ses vices avec tant de pugnacité.

Elle réfléchissait à la meilleure façon de l'aborder lorsque son téléphone sonna. Elle reconnut immédiatement la voix de l'adjudant-chef Lucas.

— Allô, Mary ? Où êtes-vous ?

— Présentement ? À Morlaix et je m'apprêtais à partir à Carantec.

Il y eut un blanc sur la ligne.

— À Carantec ? Et que faites-vous à Morlaix ?

— Oh... Je me promène, j'enquête aussi un peu. C'est joli, Morlaix. Je viens de trouver le pull que je cherchais depuis longtemps. J'avais oublié un pull semblable dans la machine et il a si bien rétréci que je ne peux plus le mettre.

Elle rit silencieusement, imaginant un Lucas sans voix, la mâchoire pendante devant son téléphone.

— Allô ? Vous êtes toujours là, adjudant-chef ?

— Euh… Oui.

— Vous ne dites rien ?

— Euh… Non.

— Alors, pourquoi m'avez-vous appelée ?

L'adjudant-chef mit une poignée de secondes à se ressaisir :

— Pour vous dire que les résultats du labo étaient arrivés.

— Ah… Voilà une bonne nouvelle ! J'arrive !

Elle coupa la communication et lança la Twingo en direction de Tréouergat.

Elle s'arrêta dans la cour de la gendarmerie une petite demi-heure plus tard.

Le gendarme Blaise qui était de permanence au standard lui indiqua que l'adjudant-chef Lucas était chez le major Langlois.

Mary remercia le jeune gendarme d'un signe de main et s'en fut frapper à la porte du chef de corps.

— Ouais ! fit une voix rogue.

Elle ouvrit, passa la tête et vit le visage rond de Langlois se renfrogner.

— Bonjour major, dit-elle enjouée. On m'a dit que l'adjudant-chef Lucas était chez vous ?

— En effet, dit Lucas.

Elle ne l'avait pas vu car il se tenait dans le fond de la pièce.

— Oh, bonjour adjudant-chef !

Elle lui tendit une main qu'il serra sans chaleur.

— Vous m'attendiez ?

Ce fut le major qui répondit d'une voix sarcastique :

— Pas de sitôt. Il paraît que vous étiez à Morlaix ?

— Tout à fait, major.

Langlois consulta sa montre-bracelet :

— Vous n'avez pas mis bien longtemps pour faire la route.

— En effet, je n'ai pas traîné.

— Hum… fit Langlois, les limitations de vitesse, ça ne vous dit rien ?

— Si bien sûr. Soyez assuré que je les respecte scrupuleusement.

— J'aimerais vous croire, capitaine.

— Mais vous pouvez, major. Lorsque j'y fais une entorse, c'est toujours dans l'intérêt du service.

— Intéressant, dit le major.

Il avait joint ses mains qui formaient comme un énorme poing à dix doigts sur lequel reposait sa grosse tête. Ses coudes étaient plantés dans le buvard du bureau. Ses petits yeux durs ne montraient pas la moindre trace de gaîté.

— Intéressant, redit-il. Et, en l'occurrence, quel était l'intérêt du service ?

— Prendre connaissance au plus tôt des résultats d'expertise du labo.

— Vous êtes trop bonne d'avoir interrompu votre shopping pour voler à notre secours.

Le major faisait toujours dans le sarcasme.

— Mais j'en avais fini, dit-elle légèrement.

— C'était probablement aussi un achat « dans l'intérêt du service »…

Elle parut frappée par la pertinence du propos.

— On ne saurait mieux dire ! admira-t-elle.

— Expliquez-moi ça, capitaine, fit le major d'une voix trop lisse.

— Nous autres pauvres flics, commença Mary, n'avons pas l'avantage d'être pourvus par notre administration de pull-overs chauds et élégants comme ceux que vous portez dans la gendarmerie. Il nous faut donc nous débrouiller tout seuls. Il se trouve qu'au cours de mon enquête, j'ai trouvé l'article qui me convenait. Alors je l'ai acheté !

— Dans l'intérêt du service, persifla Langlois.

— Évidemment. Je n'avais plus de pull et j'avais froid. J'aurais pu prendre mal et me trouver en arrêt de travail pour dix, quinze jours…

— Vu comme ça… dit Langlois en ayant le plus grand mal à contenir l'explosion de colère qu'il sentait monter en lui.

Il se tourna vers Lucas qui, ayant pris le parti d'en rire, se retenait pour ne pas éclater :

— Qu'en dites-vous, adjudant-chef ?

— Rien, dit Lucas en se reprenant, je n'en dis rien. D'ailleurs, il n'y a rien à dire. Le capitaine Lester ne faisant pas partie de la gendarmerie, elle doit des comptes à son patron qui est, je crois, le divisionnaire Fabien. Pas à nous.

Il fit un geste qui signifiait clairement : d'ailleurs, je m'en lave les mains !

— Parfait, Messieurs, parfait, dit Mary très à l'aise. Si nous voyions ces résultats, Lucas ?

Avant que l'adjudant-chef ait eu le temps de dire quoi que ce soit, elle ajouta :

— Ah, j'oubliais, vous ne me demandez pas où j'ai acheté ce pull ?

— Qu'est-ce que ça peut nous foutre ! dit grossièrement le major Langlois.

— Oh ! fit Mary, la bouche en cul-de-poule, comme si elle était choquée par la verdeur du propos.

Elle se retourna vers Lucas :

— Le major ne s'en soucie pas, dit-elle un ton mondain, mais vous, adjudant-chef...

— Moi ? Vous voulez que je vous demande où vous avez acheté ce pull, capitaine Lester ?

— Ce serait une bonne idée, je pense.

— Alors, je vous le demande : où avez-vous acheté votre pull-over ?

— Dans une boutique du vieux Morlaix, adjudant-chef. Une boutique qui a pour enseigne « *Aux Délices de la Baie* ». Ça ne vous dit rien, les « *Délices de la Baie* » ?

— Ça devrait ? demanda l'adjudant-chef le front plissé.

— Je pense bien !

Elle se tourna vers Langlois :

— Et à vous, major, ça ne dit rien non plus ?

— Que voulez-vous que ça me foute, l'endroit où vous achetez vos pull-overs ! cria Langlois exaspéré.

Mary revint à Lucas toujours très chochotte :

— Je crois bien que ça indiffère toujours le major.

Le major martela sa table de ses gros poings :

— Ça ne m'indiffère pas, capitaine Lester, je m'en tape, je m'en fous, je m'en branle, je…

— Chut ! fit-elle impérieusement, l'index devant la bouche. Vous allez devenir grossier, major. J'ai bien compris que ça ne vous intéressait pas. Lucas, ne pouvons-nous trouver un autre bureau ? Ce que j'ai à vous dire n'intéresse pas le major et, par moments, j'ai l'impression que je l'agace.

Elle regardait Langlois de biais, avec des yeux chargés de réprobation.

Le major respira fort, expira et jeta :

— Allez-y, terminez, vous n'en avez pas pour deux plombes, si ?

— Je ne pense pas, dit Mary. Lucas, si je vous dis que ce magasin est tenu par un nommé Georges Seznec…

— Je ne vois pas.

— Un type d'une cinquantaine d'années, affligé d'un pied-bot…

— Je ne vois toujours pas…

— Qui a un fils prénommé Jean-Paul, un petit champion de tennis…

Le mot « tennis » parut faire tilt dans le cerveau de l'adjudant-chef. Il risqua :

— Un élève de Raoul Florent ?

Mary s'écria triomphante :

— Et voilà, bravo Lucas ! Quinze pour vous !

— Quinze quoi ? demanda Lucas.

— Quinze/zéro ! C'est comme ça qu'on compte au tennis. Avantage Lucas !

Elle cligna de l'œil en direction du major qui bouillait sur son siège :

— Fûté, hein ?

— Fûté, fûté, je ne vois pas en quoi, gronda le major.

Mary tira une chaise vers elle :

— Permettez que je m'assoie ? Je parle plus facilement assise.

Le major cligna des paupières pour indiquer qu'il permettait et Lucas approcha lui aussi une chaise sur laquelle il s'assit.

— Lucas, dit Mary redevenue sérieuse, vous n'êtes sûrement pas sans savoir que Raoul Florent a été plusieurs fois soupçonné d'avoir un penchant pour les jeunes enfants.

— Pédophile ? gronda Langlois comme un dogue.

Son attention paraissait tout soudain affûtée.

— C'est en effet comme ça que ça s'appelle, dit Mary.

Elle cita :

« *Article 227-25 : le fait par un majeur d'exercer sans violence, contrainte, menace ni surprise une at-*

teinte sexuelle sur la personne d'un mineur de quinze ans est puni de cinq ans d'emprisonnement et de 75 000 euros d'amende. Peine portée à dix ans d'emprisonnement et 150 000 euros d'amende lorsqu'elle est commise par une personne qui abuse de l'autorité que lui confèrent ses fonctions (Article 227-26). »

— Vous connaissez cet article, major ?

— Pas par cœur comme vous, grommela le major, mais je sais que la pédophilie est un grave délit.

— Pour ce qui concerne Florent, ce ne sont que des rumeurs, laissa tomber Lucas. Il n'y a jamais eu de plainte.

— Pas de fumée sans feu, dit Mary. J'ai donc cherché…

— Cherché quoi ? demanda Langlois.

— Pas QUOI, QUI ! Cherché QUI avait été victime de Florent. Où pouvait-il approcher ses victimes potentielles maintenant qu'il n'enseignait plus ? Mais à ses cours de tennis, pardi !

L'adjudant-chef se leva :

— Il suffisait donc, dit-il soudain excité, de connaître les élèves de Florent et de les cuisiner.

Mary hochait la tête négativement en souriant :

— Zéro, élève Lucas ! Avantage détruit !

Elle continuait à compter les points, comme au tennis. L'adjudant piqué au vif se rassit.

Mary atténua sa contrariété :

— C'était presque bon, quand même. Ses ex-élèves, Lucas. Les parents ont assez de bon sens pour ne pas laisser approcher leurs enfants par un sale type comme ce Florent, dès qu'ils connaissent ses penchants.

— Et si les enfants ne disent rien ?

— S'ils ne disent rien à leurs parents, il y a peu de chances qu'ils se confient à nous. J'ai donc cherché parmi les ex-élèves de Florent et je suis tombée sur un certain Jean-Paul Seznec, un jeune et brillant tennisman entraîné par Florent.

— Et vous êtes allée voir son père, dit Lucas.

Mary approuva de la tête :

— Exactement !

— Ça nous avance à quoi ? demanda le major sur un ton méprisant. Florent est mort... Qu'espériez-vous ? Que Seznec porte plainte ?

Mary regarda Langlois d'un air peiné. Ce type ne comprendrait donc jamais rien ?

— Souvenez-vous de la façon dont est mort Florent, major.

Elle se pencha vers lui :

— Vous avez des enfants ?

— Je ne vois pas le rapport, dit le major sur la défensive.

Il ne voyait pas le rapport !

Mary martela :

— Si vous aviez eu un garçon ou une fille, dans l'innocence de sa jeunesse, agressé par un salopard comme Florent, auriez-vous eu envie de porter plainte ?

— Je lui aurais cassé la gueule avant, gronda le major en serrant ses redoutables poings.

— Ouais, mais le pauvre Seznec, avec sa patte folle, son torse de grillon et ses bras de sauterelle, vous pensez qu'il aurait pu - comme vous dites - casser la gueule à Florent qui était un sportif dans la fleur de l'âge ? Non. En revanche, il pouvait bien lui coller une balle dans la tête.

— Vous le soupçonnez ? demanda Lucas.

— Après l'avoir vu ? Non ! Mais il était tout de même nécessaire de vérifier.

Elle regarda les deux hommes alternativement :

— Maintenant, ces analyses ?

Le major poussa une chemise tenue par un élastique devant Mary :

— Voyez vous-même…

Chapitre 18

Mary ouvrit la chemise sous le regard attentif des deux gendarmes.

Elle contenait plusieurs dossiers : l'un concernait les éléments retrouvés dans la cour de Florent, l'autre établissait un comparatif entre la balle retrouvée dans le crâne de Florent et celles que Le Berre avait logées dans un rondin dans la cheminée de Kerwern, un autre encore portait sur les relevés téléphoniques de l'appareil du pisciculteur.

Mary s'intéressa tout d'abord au projectile qui avait été trouvé dans la boîte crânienne de Florent.

Le rapport balistique établissait de manière irréfutable que les projectiles n'avaient pas été tirés par la même arme.

Elle leva le regard vers les deux gendarmes et le major lui demanda :

— Eh bien, qu'est-ce que vous en dites ?

— Rien, je lis…

— Ça prouve au moins que Le Berre n'est pas dans le coup, fit le major.

Elle le contra, l'index levé :

— Pardon, pour moi, ça prouve seulement ce que dit ce rapport : les projectiles ne proviennent pas de la même arme. Rien de plus !

— Et Le Berre n'est donc pas coupable, s'obstina le major.

— Ce n'est pas prouvé !

— Alors, qu'est-ce qu'il vous faut ?

— Réfléchissez, Messieurs ! Le Berre est un tireur d'élite. Il voue une passion aux armes et il en détient tout un râtelier.

— En toute légalité, fit remarquer Lucas.

— D'accord. Mais qui vous dit qu'il n'en détient pas d'autres de manière plus discrète ?

— Vous voulez dire…

— Je veux dire que dans une bâtisse comme Kerwern, rien n'est plus facile que de dissimuler une carabine vingt-deux long rifle !

— Vous le soupçonnez de nous avoir menti ?

— Même pas, puisque Le Berre a obtempéré à toutes nos demandes sans la moindre réticence. Pourquoi ?

— Parce qu'il n'est pour rien dans tout cela ! s'exclama le major en tapant du poing sur son bureau.

Il se leva, bousculant sa chaise et fit trois pas vers la fenêtre.

— Voilà pourquoi, c'est évident !

Il fit trois autres pas dans le sens contraire et reprit place derrière son bureau.

— Ça paraît évident. Cependant je vous le répète, il se peut aussi qu'il ait d'autres armes et que ce soit l'une d'entre elles qui ait servi à tuer Florent.

Le major ne paraissait pas convaincu.

— Vous pensez qu'on devrait perquisitionner chez lui ? demanda l'adjudant-chef Lucas.

— On devra probablement le faire, acquiesça Mary. Cependant, je mettrais ma tête à couper qu'on ne trouvera rien. Le manoir est vaste, les dépendances ne manquent pas, quant aux bois alentour, Le Berre en connaît chaque recoin.

— Alors ? demanda le major.

Il regardait Mary avec rancune et paraissait regretter que l'on ait découvert ce minuscule morceau de plomb dans le crâne de la victime. Sinon Martin faisait un coupable de premier choix et personne n'aurait contesté sa culpabilité. Comme c'était un cinglé, on l'aurait bouclé dans un asile psychiatrique et tout était dit. Maintenant, d'un dossier qui aurait dû être clos, cette fliquette avait fait un dossier pourri et il ne voyait vraiment pas comment on pourrait en sortir.

Il renifla avec humeur en regardant Mary sans aménité. Sans se soucier des états d'âme du major, elle passa au dossier suivant qui concernait les communications reçues par le pisciculteur.

— D'après sa femme, Martin avait reçu quatre communications ce matin-là : la première d'un fournisseur d'aliments pour truites, la seconde de sa banque, le Crédit Maritime, la troisième de Le Berre, la quatrième de... Raoul Florent!

— J'ai pris la liberté de m'informer des raisons pour lesquelles le fournisseur d'aliments et la banque avaient téléphoné ce matin-là, dit le major.

— Bien! approuva Mary. Qu'en ressort-il?

— Il en ressort que pas plus la banque que le fournisseur d'aliments n'ont téléphoné ce matin-là.

— Ah... Quelqu'un se serait fait passer pour eux?

— Probablement.

— Dans quel but?

— Exaspérer le bonhomme.

— On pourra toujours demander à Le Berre, quant à Florent, ça sera plus difficile, dit Lucas.

— Je suppose, dit Mary songeuse, que ça avait trait au moulin. Les frères Le Berre voulaient à toute force racheter cette espèce de bail à Martin. D'ailleurs, lorsque nous l'avons trouvé en discussion avec la femme de Martin, c'était à ce sujet. Madame Martin ne s'en est pas cachée.

— En fait, dit Lucas, c'est probablement cette succession de coups de téléphone qui a déclenché la folie meurtrière de Martin.

Il y eut un temps de silence, puis Mary laissa tomber:

— Il y a pourtant quelque chose qui ne colle pas... C'est le coup de téléphone de Florent. Pourquoi Florent aurait-il téléphoné à Martin?

— On n'en saura jamais rien, fit le major.

— Je vous trouve bien pessimiste, répliqua Mary. Florent ne nous dira certainement rien, mais Martin est toujours en vie que je sache. Il pourra nous éclairer.

— Un dingue ! grommella le major, quel crédit accorder aux déclarations d'un type qui est capable de coller quarante-neuf coups de fusil à un cadavre ?

— Peut-être plus que vous ne pensez, dit Mary.

Elle prit le troisième dossier, celui qui se rapportait aux éléments trouvés sur les lieux du crime. Le technicien du laboratoire de police scientifique avait consciencieusement fait son boulot. Chaque cartouche avait été soigneusement examinée et toutes portaient trace des empreintes plus ou moins complètes du pisciculteur. Elle continua de lire puis soudain s'arrêta en s'écriant : « Ça alors ! ». Elle regarda alternativement les deux gendarmes.

— Vous avez lu ces rapports ?

Les deux gradés se regardèrent, revinrent vers Mary et répondirent ensemble : « Oui. ».

— Et rien ne vous a frappés ?

Lucas et Langlois se regardèrent de nouveau et secouèrent la tête négativement.

— Qu'est-ce qui aurait dû nous frapper, capitaine ? Les cartouches portent les empreintes de Martin, quoi de plus normal ?

— Je ne vous parle pas des cartouches, mais du téléphone portable ! Vous avez bien ramassé un téléphone portable dans la cour ?

— Oui, affirma le major, comme je vous l'ai déjà dit, il était en trois morceaux, la batterie et le couvercle s'étaient séparés de l'appareil, probablement à la suite du choc lorsque l'appareil est tombé.

Il regarda Lucas :

— Je le sais bien, c'est moi qui l'ai ramassé.

— Vous aviez des gants, je suppose ?

— Évidemment ! fit le major en haussant les épaules.

— Et vous l'avez immédiatement déposé dans un sachet de plastique que vous avez scellé.

— Oui. C'est la procédure habituelle.

— Alors, expliquez-moi, major, comment se fait-il que ce téléphone ne porte AUCUNE empreinte.

— Eh bien…

Le major parut pris de court et Lucas vint à son secours :

— L'appareil aura frotté dans la poche de Florent et ses empreintes se seront effacées…

— C'est ça, renchérit le major, ses empreintes se seront effacées !

— D'accord, concéda Mary, les empreintes extérieures auraient pu, à la rigueur, s'effacer. Mais les empreintes intérieures ?

Les deux gendarmes se regardaient avec inquiétude.

— Quelles empreintes intérieures ? demanda Lucas.

— L'appareil de Florent est du type « à clapet », dit Mary. C'est-à-dire qu'il faut l'ouvrir pour téléphoner et ensuite on le referme. On aurait donc dû trouver les empreintes de Florent au moins sur les touches puisqu'il a téléphoné à Martin quelques minutes avant de mourir.

— C'est pourtant vrai ! s'exclama Lucas.

Il jura en tapant du poing droit dans sa main gauche :

— Putain, Eugène, on n'a même pas vu ça !

— Mais… Qu'est-ce que ça prouve ? demanda bêtement le major.

Lucas qui avait l'esprit plus vif que lui s'écria :

— Ça prouve que ce n'est pas Florent qui a téléphoné !

— Mais alors, qui ? fit le major qui n'y était plus.

— L'assassin, tout simplement, dit doucement Mary.

Elle se leva :

— Messieurs, je crois qu'il serait urgent que nous retournions sur les lieux du drame.

***

Une nouvelle fois la camionnette des gendarmes s'arrêta devant la grille de la maison du crime. Le major, qui disposait des clés de la propriété, déverrouilla le portail et les trois représentants des forces de l'ordre entrèrent dans la cour. Il se campa au milieu de l'espace sablé, les pouces dans le ceinturon et, arborant une posture conquérante, demanda :

— Et maintenant ?

— Maintenant, on va faire une reconstitution de la scène, major.

— Une reconstitution, mais pour faire une reconstitution, jeune personne, il faudrait au moins les protagonistes du crime.

— D'accord avec vous, beau vieillard, lui répondit-elle du tac au tac. Il faudrait même un juge d'instruction. Aussi, je vous l'accorde, ce ne sera pas à proprement parler une reconstitution, du moins sur le plan strict de la procédure. Cependant je voudrais vous dire comment je vois les choses et ensuite vous me donnerez votre avis.

Elle pointa l'index sur le major :

— Restez là, major, vous ferez le cadavre...

Elle vit Lucas réprimer un sourire tandis que le major Langlois fronçait les sourcils.

— Vous, Lucas, tenez-vous à l'écart, en observateur en quelque sorte. Moi, je fais le tueur...

Elle sortit de la cour, traversa la route et s'accroupit derrière le talus.

Puis elle se redressa et cria :

— Est-ce que vous me voyez lorsque je suis accroupie, Lucas ?

— Non ! cria Lucas.

Elle revint dans la cour, très concentrée :

— Bien ! Le tueur s'est planqué derrière le talus avec son arme. Il téléphone à Martin et lui dit quelque chose qui va l'exaspérer.

Pendant ce temps, Florent, qui a tondu son pré, redescend dans la cour sur son tracteur. Le tueur lui loge une balle dans le crâne, Florent bascule, tombe au sol, il est mort. Le tracteur s'arrête automatiquement grâce à ce dispositif dont je vous ai expliqué le fonctionnement. Le tueur replie son arme, la range dans son sac à dos, essuie soigneusement le téléphone et le jette dans la cour. Puis il s'en va à petites foulées, comme quelqu'un qui fait son jogging. Martin arrive et cherche Florent. Il l'appelle, personne ne répond, et pour cause! Martin entre alors dans la cour et il aperçoit Florent couché derrière son tracteur. Ce pauvre homme n'est plus dans son état normal, il croit que Florent se cache et cette attitude le rend littéralement fou de rage. Il entreprend alors de le démolir à coups de fusil. À ce moment il ne raisonne plus, il est en état de démence. Là-dessus, Le Berre, qui fait sa promenade au marais, entend les coups de feu, il vient voir et il aperçoit Martin qui tire sur une forme étendue à terre. Il vous prévient, vous arrivez, et, en bonne logique, vous arrêtez Martin…

— Ça se tient, dit Lucas songeur.

Le major objecta:

— Ça se tient sauf que ça n'explique pas comment le tueur aurait eu le téléphone de Florent…

— C'est le hic, en effet, reconnut Mary.

Mary dut en convenir.

— Je propose une autre version, dit l'adjudant-chef Lucas après réflexion : Le Berre qui s'est pris le bec avec Martin à propos du moulin décide d'en finir. Il dispose d'une carabine démontable, il l'emporte au marais et, en passant il voit Florent qui tond son pré. Il se cache derrière le talus pour voir sans être vu et là, l'occasion est trop belle : il loge une balle dans la tête de Florent, démonte sa carabine et vient dans la cour prendre le téléphone du mort. Il téléphone à Martin pour le pousser à bout en impliquant Florent dans les refus d'extension de son établissement. Puis il essuie soigneusement le téléphone de Florent et le jette auprès du cadavre. En tombant, le téléphone s'ouvre et la batterie se désolidarise de l'appareil. Ensuite Le Berre n'a plus qu'à descendre tranquillement au marais, à jeter son fusil dans un de ces trous d'eau insondables et à remonter paisiblement de la dune. Là, il entend les coups de fusil de chasse, il se dissimule de nouveau derrière le talus et nous prévient. Nous arrivons et nous embarquons Martin.

— C'est également possible, dit Mary, sauf que…

— Sauf que quoi ?

L'adjudant-chef Lucas ne paraissait pas ravi de voir Mary contester une théorie aussi brillante.

— Sauf que Le Berre nous a montré sa carabine démontable…

L'adjudant-chef parut contrarié :

— Il en avait peut-être deux…

— Ouais, dit Mary. C'est très courant, dans ce pays d'acheter ses fusils par paire, comme les chaussures ?

Agacé par le ton sarcastique de Mary, Lucas répondit vivement :

— Son frère pouvait en avoir un tout pareil.

— Celui qu'il nous a montré ?

— Pourquoi pas ?

— Pourquoi pas, en effet.

Lucas l'interpella :

— Vous n'avez pas l'air convaincue.

— Pas vraiment…

Le major, qui avait suivi cet échange verbal sans mot dire, abonda dans la version de son collègue :

— Ouais… D'un côté on a un suspect sérieux, Le Berre, de l'autre on n'a personne.

Mary secoua la tête :

— Ça ne va pas, Messieurs !

Les deux gendarmes se regardèrent, inquiets.

— Qu'est-ce qui ne va pas ? demanda le major d'un ton rogue.

— Un cerveau particulièrement ingénieux a imaginé de donner à Martin une succession de coups de téléphone propres à lui faire perdre son sang-froid. Moi, j'y vois un plan soigneusement élaboré.

— Et alors ? demanda le major, ne pensez-vous pas que Le Berre aurait pu être l'instigateur de ce plan ?

— Si vous me demandez si Le Berre est suffisamment malin pour avoir imaginé cette construction, la réponse est oui. Mais le premier coup de téléphone a été donné tôt dans la matinée, à une heure où Le Berre ne pouvait pas détenir l'appareil de Florent !

— C'est donc Florent qui aurait appelé et qui se serait fait passer pour un banquier, puis pour un marchand d'aliments pour les truites, dit Lucas.

— Si ce n'est lui, le coup de téléphone provient sûrement de son appareil.

— Bouh… Vous m'abrutissez ! dit le major en se prenant la tête entre les poings. Je vais demander une commission rogatoire pour une perquisition au manoir de Kerwern !

Mary acquiesça :

— Le Berre ou pas Le Berre, on ne pourra pas y couper.

La perspective d'aller fouiller chez Le Berre ne paraissait pas ravir l'adjudant-chef Lucas, mais le major, lui, paraissait fermement déterminé. Il ferma soigneusement la barrière de la propriété de feu Florent et, à petite vitesse, le fourgon regagna la gendarmerie.

Chapitre 19

Dans la cour de la gendarmerie stationnait une voiture portant sur ses portières le sigle d'une chaîne de télévision.

— Qu'est-ce que c'est que ça? gronda le major.

— Les journalistes, dit Mary. La télé se déplace, c'est la gloire, major!

— J't'en foutrais de la gloire… M'en vais virer tous ces peigne-culs…

— À votre place je n'en ferais rien, suggéra Mary. S'ils vous prennent comme tête de Turc…

— Tu veux que je m'en occupe, Eugène? proposa l'adjudant-chef Lucas.

Le major accepta en soupirant:

— J'veux bien… Je ne sais pas ce qui se passe aujourd'hui, mais tout semble se liguer pour me pourrir la vie.

Il montra la voiture de la télévision:

— Manquait plus que ça! Enfin, tu as l'habitude, toi, maintenant…

Il avait bien sûr suivi l'affaire Vanco* et il s'était rendu compte que Lucas, qui s'était trouvé sous les feux des projecteurs, avait su communiquer adroitement avec les médias. C'est cette habileté, autant que les excellents résultats de « son » enquête, qui lui avait valu cette promotion pour le moins inhabituelle.

— Heureusement qu'ils ne nous ont pas suivis chez Florent ! dit Mary.

— Ouais, fit Lucas laconique.

Il regarda Mary :

— Qu'est-ce que je leur raconte à votre propos ?

— À mon propos ? Je ne sais pas… Peut-être vaudrait-il mieux que je vous accompagne ? Si j'ai l'air de les fuir ils vont me coller aux basques. Je dis deux mots et je me tire.

— Vous rentrez chez votre amie ?

— Non, je vais aller jusqu'à Quimper. J'ai un patron moi aussi, il faut que je lui rende compte. Mais je reviendrai sans tarder. Officiellement, il vaudrait mieux que Martin reste coupable pour le moment. Vous me suivez ?

Lucas hocha la tête affirmativement :

— Pas à pas…

Dans le hall de la gendarmerie, le major qui s'était fait accrocher par les journalistes, une jeune femme et un homme d'une trentaine d'années qui portait une caméra, vit Mary et Lucas approcher avec soulagement. Lucas aborda les journalistes avec un large sourire.

* *Voir :* Te souviens-tu de Souliko'o ?

— On se connaît ! dit-il à la jeune femme qui sourit à son tour en lui tendant la main.

Puis il ajouta :

— Si vous voulez bien excuser le major Langlois, il vient de prendre le commandement de la brigade et il a beaucoup de choses à régler. Par ailleurs, comme je suis cette affaire…

— Je croyais que vous étiez muté en Loire-Atlantique, s'étonna la jeune femme.

— En effet, fit-il aimablement, mais je reste encore quelques jours pour clore le dossier en cours.

— Qui concerne la mort de Raoul Florent ?

— Tout à fait…

Le gendarme prit un air affligé.

— On devrait dire le massacre de ce pauvre Florent.

— Vous n'avez pas tardé à arrêter le meurtrier.

Lucas répondit prudemment :

— Nous avons en effet arrêté quelqu'un, l'arme à la main, sur les lieux du drame.

— Un nommé Martin ?

— C'est cela, Léon Martin, pisciculteur à Trébeurnou.

— Léon Martin est donc inculpé de meurtre sur la personne de Raoul Florent ?

— Pour le moment, il n'est inculpé de rien. Il y a de fortes présomptions bien sûr, mais Martin est actuellement hospitalisé en psychiatrie. Nous n'avons pas encore pu l'interroger.

La journaliste insista :

— Il ne semble pas y avoir de doute quant à sa culpabilité.

— Comme vous dites, « il ne semble pas », cependant dans toute affaire de ce genre, il convient d'être prudent. Il semblerait que Martin ait agi dans un moment de démence.

— C'est bien lui qui a tiré ?

La journaliste insistait.

— Il a tiré, c'est certain…

— Et pourtant vous hésitez à dire qu'il est coupable.

— En la matière il faut être prudent, madame. Comme je vous l'ai dit, nous n'avons pas encore pu interroger Martin. Une expertise psychiatrique sera vraisemblablement diligentée par le tribunal pour évaluer sa responsabilité et lorsqu'il aura retrouvé ses esprits, il pourra probablement nous éclairer sur ses mobiles et aussi sur les circonstances qui l'ont amené à venir chez Florent armé d'un fusil. En attendant, tant que nous n'avons pas reconstitué la chronologie du crime, nous ne pouvons pas nous prononcer avec certitude.

Ça, se dit Mary en souriant intérieurement, si ce n'est pas de la langue de bois…

— Ça peut prendre du temps ? demanda la journaliste.

— Ça prendra le temps qu'il faut ; en matière de justice, la précipitation n'est pas de mise.

Un jeune homme qui s'était approché lança :
— En matière de police non plus ?
L'adjudant-chef toisa le nouvel intervenant et répondit avec hauteur :
— La gendarmerie a fait son devoir, monsieur. Léon Martin est hors d'état de nuire. À qui ai-je l'honneur ?
Le jeune homme sortit sa carte et se présenta :
— Luc Chiflet, *Le Courrier Léonard*. Vous considérez donc Martin comme étant le coupable du meurtre de Raoul Florent ?
— Je viens de vous dire qu'il n'est que coupable présumé, monsieur. Tant que nous ne l'aurons pas interrogé…
— L'affaire paraît pourtant simple, dit le jeune homme.
— Elle le paraît en effet.
Lucas conservait un calme et un sourire imperturbables mais le jeune journaliste n'entendait pas le lâcher de sitôt. Il jeta un regard en biais vers Mary.
— Dans ce cas, pourquoi avoir requis les services du capitaine Lester ?
Mary ainsi mise en cause avança d'un pas :
— Qu'est-ce qui vous fait dire que j'ai été requise, monsieur ?
— Le fait que vous soyez là au moment de l'enquête.
— Coïncidence, dit-elle en souriant. Une de mes excellentes amies - Monette Charron - habite

à Trébeurnou et j'étais venue lui rendre visite, ainsi qu'à un autre ami, monsieur Kerloc'h…

— Le nouveau maire de Trébeurnou…

— Exactement! Lors de cette visite, monsieur Kerloc'h m'a appris que l'adjudant Lucas avait bénéficié d'une promotion et qu'il quittait Tréouergat pour prendre le commandement d'une importante brigade en Loire-Atlantique. Compte tenu de nos excellentes relations lors d'une précédente enquête, j'ai voulu le féliciter et il m'a présenté son successeur, le major Langlois.

— Tout simplement! dit le journaliste d'un air de ne pas croire ce que Mary venait de lui raconter.

— Tout simplement, confirma-t-elle en souriant.

— Et… vous êtes là pour quelques jours?

Ce garçon était tenace.

— Non, je m'apprêtais à partir. Je ne suis pas en vacances, mon patron m'attend à Quimper.

— Comptez-vous revenir à Trébeurnou?

— Ça n'est pas exclu. C'est un très bel endroit pour se reposer. D'autant que mon amie a ramené ses chevaux et que j'adore galoper sur la plage… Maintenant, si vous voulez bien m'excuser…

Elle tendit la main à Lucas:

— Adjudant-chef, au plaisir de vous revoir.

— Au revoir, capitaine.

— Madame, Messieurs…

Elle serra des mains, regagna sa Twingo et prit

la route de Quimper. Lorsqu'elle atteignit le Roc'h Trévezel, ce point culminant de la Bretagne, elle s'arrêta sur le bas-côté de la route et sortit de sa voiture.

La vue était exceptionnelle et, tout au loin, la mer brillait sous le soleil. Les vieux Monts d'Arrée, qui faisaient le dos rond depuis des millénaires sous les pluies et les bourrasques venues de la côte, s'étaient parés d'un somptueux manteau de bruyères magiques, roses ou mauves, qui savaient changer de couleur au fil des heures et qui se boutonnaient de l'or des ajoncs et des genêts. Trouant cette parure princière, çà et là, la terre montrait ses crocs acérés comme si les bises de galerne avaient découvert la mâchoire de quelque géant gisant là depuis la nuit des temps.

Mary s'arracha à ce spectacle qu'elle aurait pu contempler des heures durant et appela l'adjudant-chef Lucas sur son portable.

— Allô, Lucas ? Vous avez satisfait la presse ?

— Je crois, dit Lucas, encore que ce type du *Courrier Léonard* - que par ailleurs je n'ai jamais rencontré - me semble être un redoutable fouineur.

Mary acquiesça :

— J'ai moi-même eu l'impression qu'il ne croyait pas ce que je lui racontais.

— Je vais m'en méfier, assura Lucas. Dites donc, si j'ai bien compris vous ne serez pas là pour la perquisition au manoir ?

— Il vaut peut-être mieux que je ne me montre pas, avec ce… Comment s'appelle-t-il ?

— Luc Chiflet.

— C'est ça, avec ce Luc Chiflet dans les parages, je vais me tenir sur mes gardes !

— Ça vous arrange bien ?

— Que voulez-vous dire ?

— Rien d'autre que ce que j'ai dit : ça vous arrange bien de ne pas paraître chez Le Berre !

— Ne soyez pas parano, Lucas ! Si j'avais pensé que cette perquisition puisse être de quelque utilité, j'aurais été la première à vouloir y assister.

— Mais vous n'êtes pas convaincue qu'elle apportera quelque chose.

— Franchement, non.

Il y eut un silence, puis l'adjudant-chef demanda :

— Pourtant vous étiez d'accord pour qu'elle se fasse ?

— Je le suis toujours.

— Je ne comprends pas, dit le gendarme.

— C'est bien simple, Lucas, dans l'état actuel de l'enquête, on ne peut pas y couper !

Nouveau silence sur la ligne. Mary ajouta :

— On ne peut pas y couper sous peine d'être soupçonnés de ménager des notables. Vous savez, une certaine presse adore ça, en ce moment : la chasse au notable. En aucun cas je ne veux leur donner du grain à moudre en ce sens.

— Ah… fit Lucas décontenancé. Qu'allez-vous faire ?

— Comme je vous l'ai dit, je vais tout d'abord rendre compte à mon patron, ensuite je vais passer chez moi voir mon chat et je vais me pencher sur les dossiers que j'ai emportés.

Lucas en eut presque le souffle coupé par l'indignation.

— Vous avez emporté les dossiers ? Ils ne devaient pas sortir de la gendarmerie.

Elle le taquina :

— Vous n'avez qu'à porter plainte pour vol !

— Je ne plaisante pas, Mary ! Vous auriez au moins pu m'avertir !

— Voilà qui est fait !

Il s'agaça :

— Je voulais dire « me prévenir » !

— Je ne pouvais pas vous prévenir devant les journalistes ! Mais ne pleurez pas, je vous les rendrai, vos précieux dossiers !

— Quand ça ?

— Quand je les aurai consultés, bien entendu.

Il gronda : « Vous alors ! » puis il demanda :

— Promis ?

Elle le rassura :

— Promis !

Et elle ajouta :

— Dès demain si je peux !

— Bon, dit Lucas à regret.

Elle le prit par les sentiments :

— Lucas, si j'avais demandé à les emporter ces foutus dossiers, vous auriez accepté ?

— Sûrement pas ! Le règlement...

Elle le coupa cavalièrement :

— Alors j'ai bien fait.

Et elle ajouta avec la plus parfaite mauvaise foi :

— Après tout, je ne suis pas censée connaître les règlements de la gendarmerie.

— Vous savez bien que ça vaut pour tout le monde ! protesta Lucas. Ce n'est pas un règlement propre à la gendarmerie. Les dossiers sensibles ne doivent pas sortir...

— Tss... Moi, mon patron me confie régulièrement des dossiers à compulser chez moi.

— Votre patron, votre patron, il fait ce qu'il veut, votre patron...

— Encore heureux ! Et moi, je fais comme lui. Une seule chose compte pour nous, l'efficacité.

Lucas en resta sans voix. Elle demanda :

— Quand aura lieu la perquisition ?

— Demain en fin de matinée. Si vous êtes par là...

— Je n'y serai probablement pas,. Mais, si je peux me permettre un conseil, allez-y avec doigté.

— Pour ça, vous pouvez compter sur moi, assura l'adjudant-chef.

Mary sourit en refermant son portable. S'il y avait une chose dont elle était sûre, c'est que les gendarmes feraient leur devoir en marchant sur des œufs. L'ombre menaçante du frère, haut magistrat à Paris, planait sur leurs carrières.

Elle rentra directement chez elle, venelle du Pain Cuit, où elle retrouva Amandine qui s'affairait dans le jardin.

— Ah, vous voilà! dit Amandine.

Elle examina Mary des pieds à la tête.

— Ça va, dit-elle enfin, vous avez l'air à peu près intacte.

— Votre « à peu près » me va droit au cœur, Amandine, assura Mary en l'embrassant.

Sa vieille amie avait les joues fraîches et roses. Ses bons yeux exprimaient un plaisir sincère de retrouver « sa » Mary Lester.

— Je suis sûre qu'un thé vous ferait plaisir, dit Amandine. Je ne sais pas pourquoi, j'avais comme un pressentiment que je vous verrais bientôt.

Puis elle ajouta en confidence:

— J'ai fait des tuiles aux amandes!

— Alors, dit Mary, j'ai bien fait de rentrer!

Amandine montra le gros dossier que Mary tenait sous son bras:

— Qu'est-ce que c'est que ça?

— Eh eh, une affaire bien embrouillée.

— Vous me raconterez? demanda Amandine la mine gourmande.

— Sûrement, mais j'ai encore beaucoup de choses à vérifier avant de vous en parler.

— C'est intéressant ?

Les yeux d'Amandine brillaient d'excitation.

— Passionnant ! Chère Amandine, vous ne serez pas déçue !

Mary prit le thé assise sur son canapé devant le feu qu'Amandine avait allumé. Les tuiles aux amandes étaient délicieuses, elle complimenta sa vieille amie qui rosit de plaisir. Puis Amandine repartit au jardin tandis que Mary, Mizdu sur les genoux, compulsait le dossier qu'elle avait emporté à l'insu des gendarmes.

Lorsqu'elle eut pris toutes les notes qui lui semblaient intéressantes, elle referma le dossier et appela le commissariat.

L'agent de permanence lui passa le commissaire Fabien qui manifesta sa joie en l'entendant.

— Eh bien, capitaine Lester, je désespérais d'avoir de vos nouvelles !

— Je ne pouvais pas vous appeler avant d'avoir quelques éléments à vous présenter.

— Bien entendu !

Oh ! Oh ! le commissaire était d'humeur conciliante.

— Je me proposais de passer vous voir demain matin.

— Ça me va très bien ! acquiesça Fabien. J'ai une réunion à dix heures. Pouvez-vous être là à neuf heures ?

— Sans problème, patron ! Je vous souhaite une bonne soirée.

— Merci, dit Fabien en raccrochant.

La nuit tombait, Amandine qui entrechoquait les plats dans la cuisine passa la tête par la porte et demanda :

— Un filet d'églefin avec du riz, ça vous irait pour ce soir ?

— Et comment ! accepta Mary.

— Avant j'ai un potage de légumes…

— Ce sera parfait. Je peux vous aider, Amandine ?

— M'aider ? Pour si peu ? Reposez-vous donc !

Mary se dirigea vers le piano, l'ouvrit et débarrassa le clavier de la bande ouatinée qui protégeait les touches d'ivoire.

Elle plaqua quelques accords, fit des gammes pour se délier les doigts et attaqua ce nocturne de Chopin qui était une des seules pièces classiques qu'Amandine appréciât. Elles dînèrent sous la véranda et, à son habitude, Amandine avait atténué les éclairages électriques et posé des bougies sur la table.

Précieuse Amandine, avec elle c'était la table de Noël tous les jours !

Chapitre 20

Le commissaire Fabien écoutait Mary religieusement. Il ne l'interrompit pas une seule fois, mais lorsqu'elle se tut, il s'inquiéta :

— En somme vous avez prouvé que le meurtrier n'était pas celui que tout accusait, mais hors ça vous n'avez aucune autre piste pour découvrir le véritable assassin.

— Pour le moment, non, patron. Mais je n'ai pas encore totalement exploré l'environnement de la victime.

— Que voulez-vous dire ?

— Je n'ai pas interrogé sa femme.

— Vous comptez sur elle pour apporter des éclaircissements ?

Mary fit la moue :

— Je ne sais pas. Il paraît qu'elle n'est pas commode. Mais enfin, il faudra bien que je la voie.

— Et ce… Le Berre, c'est ça ?

— C'est ça, patron. À mon sens il fait un coupable trop parfait.

Elle regarda sa montre.

— En ce moment, les gendarmes doivent être en train de perquisitionner chez lui pour essayer de trouver l'arme du crime.

— Vous ne semblez pas donner cher de leurs chances de réussite.

— En effet. Le Berre nous a fourni, sans opposition aucune, les projectiles des trois armes de calibre vingt-deux qu'il possède.

— Il peut en posséder une quatrième…

— Oui, c'est d'ailleurs pour cela qu'on ne pouvait pas éviter de perquisitionner chez lui. Mais comme je l'ai dit aux gendarmes de Tréouergat, ce type est trop malin pour avoir conservé chez lui une arme qui aurait servi à tuer un homme, si toutefois il est coupable bien entendu.

— Et ce Martin, qu'est-ce qu'il encourt ? Il ne va pas s'en tirer comme ça, tout de même !

— En vertu de l'article du code pénal qui traite du respect dû aux morts, article 225/17, Martin encourt une peine de un à deux ans de prison assortie d'une amende de 15 000 à 30 000 euros.

— Ah, fit Fabien, c'est moins cher qu'une inculpation de meurtre !

— Oui, mais c'est encore en dehors de ses moyens. Ce type est sur la paille. Son exploitation piscicole ne lui rapporte rien, il doit de l'argent partout. J'espère que le tribunal sera indulgent envers lui, en tenant compte du fait qu'il ait été poussé à bout.

Fabien ricana :

— Vous ne pouvez pas vous empêcher de faire l'avocate, hein ?

Elle reconnut :

— Pas quand j'éprouve de la compassion pour les gens.

— Êtes-vous sûre que ce type mérite votre compassion ?

— Tout à fait. Il a commencé par être valet de chiens chez le marquis…

Elle hocha la tête :

— Rien que cette dénomination, valet d'chiens ! Ça ne s'articule pas, ça se crache.

Et elle redit avec dégoût :

— Valet d'chiens !

— Ce ne sont que des mots !

Le commissaire tentait de dédramatiser ce qui choquait si fort Mary.

— Justement, mais ça peut faire mal, des mots. Que diraient les gendarmes de la brigade cynophile s'ils étaient qualifiés de « valets de chiens » ?

— Ne nous égarons pas ! dit le commissaire.

— D'accord, patron…

Elle revint à son propos :

— C'est quand Kéreleg n'a plus pu assumer sa meute que Martin est devenu pisciculteur. Les autres domestiques, hors la vieille servante qui est toujours à Kerwern, sont partis travailler ailleurs. Savez-vous quelle est la première chose que Martin m'a demandée lorsqu'il s'est décidé à parler?

— Dites…

— Il m'a demandé des nouvelles de son chien.

Elle répéta:

— De son chien. Pas de sa femme, ni de ses truites, de son chien! C'est probablement la seule créature vivante qui lui manifeste de l'affection.

— Et sa femme?

Mary haussa les épaules:

— J'ai comme l'impression qu'elle se fiche bien de lui! Il sert à nourrir les poissons, c'est tout. C'est l'homme de peine, avant il était valet de chiens, maintenant il est valet de truites. Avant il avait un marquis sur le dos, maintenant il a une mégère. Je ne suis pas sûre qu'il ait gagné au change. Ce que sa femme voit, c'est que depuis que Martin n'est plus là, tout le boulot lui retombe sur le dos. Quant au chien, si elle pouvait l'assommer, elle ne le manquerait pas.

— C'est assez sordide tout ça, fit le commissaire. Vous y retournez?

— Oui, comme je vous l'ai dit, j'ai quelques autres pistes à examiner.

Son portable se mit à vibrer dans sa poche. Elle l'ouvrit avec un geste d'excuse pour le commissaire, puis elle s'exclama:

— Quoi ?

Son interlocuteur parlait, elle écoutait attentivement, puis elle dit :

— J'arrive ! Je suis là dans deux heures.

Elle referma le clapet en hochant la tête tandis que le commissaire demandait :

— Du nouveau ?

— Je pense bien, il paraît que les gendarmes ont découvert un véritable arsenal chez Le Berre !

— Allez-y ! ordonna le commissaire en se levant, et appelez-moi dès que vous en saurez plus.

— Entendu, patron.

Elle gagna la porte et dévala l'escalier.

***

Mary n'avait pas traîné sur la route. Elle se rendit directement au manoir de Kerwern où stationnaient trois véhicules de gendarmerie. Le major Langlois paradait, fier comme Artaban.

— Ah capitaine, s'exclama-t-il, c'est bien vous qui étiez si sûre que l'on ne trouverait rien à Kerwern ?

— Je n'ai pas dit tout à fait ça, major, j'ai simplement prétendu que l'on n'y trouverait pas l'arme du crime.

— Il y a là-dedans, poursuivit Langlois, de quoi armer un bataillon de terroristes : fusils-mitrailleurs, lance-roquettes, vingt-sept modèles de fusils, quarante-sept armes de poing… Mes hommes sont en train d'établir l'inventaire.

— Ça ne me dit pas si vous avez retrouvé la vingt-deux qui a servi à trucider Florent.

— Pas encore, dit le major avec assurance, il y a tant de flingues là-dedans… Mais ça viendra !

— J'admire votre confiance. Où est Le Berre ?

— Avec l'adjudant-chef à l'intérieur. Moi, j'attends la télévision.

— Vous avez prévenu la télévision ? demanda Mary effarée.

— Et comment ! Ce n'est pas tous les jours qu'on saisit un tel arsenal !

Mary secoua la tête devant tant d'inconséquence, puis entra dans le manoir. Le Berre était accoudé à la grande table de la pièce de séjour, face à l'adjudant-chef Lucas, et il ne paraissait pas s'en faire.

— Adjudant-chef, dit Mary, savez-vous que le major a prévenu la télévision ?

Lucas regarda Mary ironiquement :

— Il n'aurait pas dû ?

— Je ne pense pas, non.

Lucas lui tendit un feuillet :

— Regardez-moi cet inventaire. Il y a là-haut une bonne centaine d'armes de guerre… Vous ne pensez pas qu'il y a là matière à un bon reportage télé ?

Elle prit le feuillet et le parcourut. Puis elle leva les yeux sur Lucas.

— Vous avez lu ce qu'il y a d'écrit là-dessus ?

— Ben oui, fit l'adjudant-chef qui visiblement ne comprenait pas.

Elle lut :

— Un revolver Lefaucheux, un colt 45, un Smith et Wesson, un 6/35 Beretta…

Elle leva les yeux sur Lucas :

— Un de chaque sorte, adjudant-chef, ça ne vous dit rien ?

— Que voulez-vous que ça me dise ? Je vois qu'il y a une forte concentration d'armes, la plupart de guerre, dans cette pièce et, chez nous, on appelle ça un arsenal ! Pas chez vous ?

Allons bon, voilà que Lucas se mettait à l'ironie.

— Non, vu de ma fenêtre, ce n'est rien d'autre qu'une accumulation d'objets hétéroclites, c'est au pire un vrai bordel et au mieux une collection. Ces armes sont-elles bien rangées ?

— Assurément !

— Sont-elles exposées ?

— Oui, dans des vitrines !

— Je confirme, dit Mary, c'est donc une collection.

En arrière-plan, Le Berre paraissait s'amuser. C'était bien la première fois, depuis qu'elle le connaissait, qu'elle lui voyait cette lueur malicieuse dans le regard.

Mary l'interpella :

— Qu'en dites-vous, monsieur Le Berre ?

Le Berre leva ses mains comme pour se rendre :

— La police a toujours raison.

— La police ou la gendarmerie ?

Il répondit, amusé :
— Aujourd'hui, c'est la police.
Mary revint à Lucas :
— Voyez-vous, monsieur Le Berre collectionne les armes comme d'autres les pièces de monnaie, les bagues de cigares ou les étiquettes de boîtes de camembert ! Avez-vous trouvé des munitions ?
— Quelques-unes…
— Vous n'avez pas lu le dossier de monsieur Le Berre ? Il ne se contente pas d'être un tireur d'élite, dans l'armée il avait également la spécialité d'armurier. Je parierais volontiers que toutes ces armes sont inutilisables.
— Et vous gagneriez, dit Le Berre de sa voix calme. Conformément à la loi, elles sont démilitarisées, c'est-à-dire rendues inopérantes. Dans ces conditions, je suis - toujours au regard de la loi - parfaitement fondé à les détenir chez moi. Les seules armes en état de marche sont mes fusils de chasse et mes armes de tir. Toutes déclarées en préfecture, toujours conformément à la loi.
— Pourquoi ne pas nous l'avoir dit ? bredouilla Lucas.
— Parce que vous ne me l'avez pas demandé. Vous êtes venus à trois reprises chez moi, vous avez prélevé des balles en provenance de mes deux carabines et de mon pistolet sans me dire à quelle fin. M'avez-vous demandé si je possédais d'autres armes ? Non, vous êtes venus brutalement frapper à ma porte ce

matin, munis d'une commission rogatoire qui vous autorisait à fouiller ma maison comme si j'étais un criminel.

Le Berre vit le major Langlois passer la porte et il l'interpella :

— Alors, major, elle arrive cette équipe de télévision ?

Le major ricana :

— Vous ferez moins le malin tout à l'heure, Le Berre.

— Je n'en suis pas sûr, major.

Le Berre se tourna vers Lucas :

— Vous devriez lui expliquer, adjudant-chef.

— Expliquer quoi ? aboya le major.

Lucas prit son collègue par le coude et l'entraîna vers l'escalier.

— Viens par là, Eugène.

— Qu'est-ce qui se passe ? demanda Langlois en jetant autour de lui des regards d'incompréhension.

— Il se passe qu'on va passer pour des charlots ! dit Lucas crûment. L'arsenal, c'est en réalité la collection de monsieur Le Berre. Il paraît que toutes ces armes sont démilitarisées.

— Qu'est-ce que c'est que cette connerie ? demanda le major avec humeur. Démilitarisées ? Je t'en foutrais ! Il y a même des cartouches avec !

— Désamorcées et vides de leur poudre, major. Vous pourrez vérifier.

C'était encore Le Berre qui intervenait. Il montait l'escalier avec Mary dans son sillage et, en dépassant les deux militaires, il s'excusa fort civilement :

— Pardon messieurs…

Il entra dans une vaste pièce dont tous les murs étaient occupés par des vitrines. Deux gendarmes occupaient la pièce. L'un d'entre eux tapait sur un ordinateur portable les références que l'autre lui dictait en examinant les armes contenues dans les vitrines.

— On arrive au bout, major, annonça fièrement le gendarme. Vous allez pouvoir procéder à l'enlèvement.

Lucas, qui venait d'entrer à son tour, jeta un froid :

— On n'enlève rien !

Il renvoya les gendarmes :

— Merci Messieurs, vous pouvez disposer.

Surpris, les gendarmes se retirèrent mais avant qu'ils ne sortent, Le Berre, soulevant le couvercle d'un lutrin, leur dit :

— Vous auriez pu vous épargner bien de la peine, Messieurs, l'inventaire de la collection était là.

Les deux gendarmes interdits regardèrent leurs supérieurs, puis ils sortirent la bouche pincée, sans faire de commentaires.

Le Berre fit le tour de ses vitrines, en ouvrit une et prit un curieux fusil à crosse de bois clair muni d'un chargeur circulaire.

— Mitraillette Thomson 11/43, dit-il. L'arme préférée des bootleggers pendant la prohibition aux États-Unis.

Il tendit l'arme au major.

— Ça vous irait bien, major.

Le major se saisit de l'arme avec précaution, les sourcils froncés, semblant se demander où était le piège, puis l'examina avec attention.

Le Berre, très à l'aise, tendit un petit pistolet à deux canons à Mary :

— Une arme pour dames, capitaine. Un Derringer vingt-deux long rifle à deux canons, appelé aussi « arme de la dernière chance ».

Immédiatement l'attention de Lucas fut en éveil.

— Vingt-deux long rifle ? Vous m'aviez assuré que vous n'aviez pas d'autres armes de ce calibre que celles que vous nous avez montrées.

— Je vous ai dit que je n'avais pas d'autre arme de ce calibre en état de marche, nuance.

Mary demanda :

— Parce que celui-là n'est pas en état de marche ?

— Non ! dit Le Berre.

— Et la Thomson, renchérit le major, elle paraît être en parfait état.

— Elle l'est, admit Le Berre. Tous les mécanismes de ces armes sont en parfait état, ceux qui ne l'étaient pas, je les ai refaits moi-même, mais...

Trois paires d'yeux étaient fixées sur lui. Il ménagea ses effets :

— Mais j'ai coulé du plomb dans les canons…
— Du plomb…
Le major examina l'arme qu'il portait et jura :
— Vingt Dieux ! C'est pourtant vrai !
Il s'adressa à Mary :
— La vôtre aussi, capitaine ?
— La mienne aussi, confirma Mary après examen.
— Ainsi que toutes les armes que vous voyez là, dit Le Berre.
Il regarda par la fenêtre :
— Je crois que vos amis de la télévision viennent d'arriver, dit-il au major avec une courtoisie un peu outrée. Vous devriez aller les accueillir et les faire monter. Je leur expliquerai volontiers votre méprise.
Le visage du major s'empourpra et il se mit à bégayer.
Mary lui mit la main sur le bras :
— Laissez, major, je vais m'en occuper.
Le major bredouilla un remerciement qu'elle ne comprit pas car elle avait déjà quitté la pièce.

Chapitre 21

Légère, elle descendit les marches au moment où la journaliste entrait dans la grande salle aux animaux naturalisés.

— Capitaine Lester ! s'exclama celle-ci surprise en voyant apparaître Mary.

Mary la salua avec enjouement :

— Bonjour ! Ma présence paraît vous surprendre.

— Pour le moins... Après ce que vous nous aviez déclaré hier...

— Je n'aurais pas dû être là, assura Mary. Mais les circonstances ont fait que ce matin, à Quimper...

— Vous étiez à Quimper ce matin ?

— Oui, j'étais même dans le bureau de mon patron, le commissaire Fabien, lorsque j'ai appris que la gendarmerie perquisitionnait chez monsieur Le Berre.

— Où l'on a découvert une cache d'armes, à ce que m'a dit le major Langlois.

— Justement non. Il y a eu confusion. Vous savez, après les événements de l'automne dernier* où la

* *Voir :* Te souviens-tu de Souliko'o ?

gendarmerie a découvert que les hangars de Vanco servaient de paravent à un vaste trafic, on a encore un peu les nerfs à vif à la brigade.

La journaliste ne se perdit pas en circonlocutions :

— Il n'y a donc pas d'armes ?

— Si, mais pas une cache comme on l'avait d'abord pensé.

— Je ne comprends pas, dit la journaliste. Vous ne pourriez pas être plus claire ?

— C'est tout simple, monsieur Le Berre est un collectionneur et, à ce titre, il détient de nombreuses armes qui sont toutes neutralisées.

— C'est-à-dire ?

— C'est-à-dire qu'elles sont inopérantes. Les canons ont été obstrués au plomb fondu, ce qui les rend parfaitement inoffensives.

— Est-ce qu'on pourrait voir cette collection ?

— Oui, mais sans caméra. Il y a là des pièces de valeur et monsieur Le Berre, comme ça peut le concevoir, ne tient pas à exciter la convoitise d'éventuels cambrioleurs.

— Si je comprends bien, mon vieux Fred, dit la jeune femme au caméraman, nous nous sommes déplacés pour rien.

Mary proposa :

— À titre personnel, vous pouvez toujours voir cette collection, si vous le souhaitez.

— Pff, fit la journaliste, si ça avait été des bijoux,

ou des tableaux je ne dis pas, mais des armes…

Elle changea de sujet :

— Rien de nouveau au sujet de la mort de Florent ?

— Non. Monsieur Martin n'est pas encore en état d'être entendu et le psychiatre n'a pas rendu son rapport. Cependant, je vous laisse ma carte et si vous voulez bien me confier la vôtre, je ne manquerai pas de vous appeler si jamais il y a du nouveau.

— D'accord, dit la journaliste.

Elles échangèrent leurs cartes et la journaliste, qui devait être le chef d'équipe, regarda le caméraman :

— On rentre à Brest, Fred. Il y a une inauguration à Océanopolis à dix-huit heures.

— OK, fit laconiquement le caméraman en changeant la prise de son appareil.

Mary regarda la voiture faire son demi-tour et, après un dernier signe de la main à ses occupants, elle remonta auprès des trois hommes qui attendaient en se regardant en chiens de faïence.

— Voilà, dit-elle, j'ai réglé l'affaire.

Le major parut soulagé. Il regarda son collègue Lucas en soupirant tandis que Le Berre se fendait d'un sourire :

— Vous êtes une redoutable négociatrice, .

— Bof… fit-elle. Il vaut toujours mieux dire la vérité aux gens, ne trouvez-vous pas ?

— Si, dit Le Berre en plissant les yeux. Et à moi, allez-vous la dire, cette vérité ?

— Oui monsieur Le Berre, dit-elle nettement.

Elle tira une chaise et demanda :

— Vous permettez ? Puis elle s'assit sans attendre l'autorisation du maître de maison.

Mieux, faisant comme chez elle, elle invita les deux gendarmes et Le Berre à s'asseoir également, ce qu'ils firent après un instant d'hésitation.

— Voilà, dit Mary lorsque tout le monde fut installé, contrairement à ce que tout laissait à penser, ce n'est pas Martin qui a tué Florent.

Le Berre qui ne s'était pas attendu à cela perdit son impassibilité :

— Mais je l'ai vu, de mes yeux vu ! protesta-t-il, j'étais là le premier…

— Non monsieur Le Berre, vous n'étiez pas le premier. Quelqu'un vous avait précédé.

— Quelqu'un ? Mais qui ?

— L'assassin, tout simplement.

Le Berre, éberlué, regarda tour à tour ses trois voisins. Puis dit avec conviction :

— Mais, je vous le jure, il n'y avait personne d'autre que moi et Martin !

— Je ne mets pas en doute votre sincérité, monsieur Le Berre, mais quelqu'un a tiré sur Florent avant Martin. Seulement ce quelqu'un est parti avant que vous n'arriviez !

— Alors Martin…

— Martin s'est acharné à fusiller un mort !

— Comment pouvez-vous affirmer ça ?

— Tout simplement parce qu'on a retrouvé une balle de vingt-deux long rifle dans le crâne de Florent.

— Une balle…

Son regard fit de nouveau le tour de ses trois interlocuteurs.

— Mais qui a eu l'idée d'aller chercher une balle dans ce qui restait de ce pauvre type ?

— L'autopsie, monsieur Le Berre… La médecine scientifique ne laisse rien au hasard. Vous conviendrez que Florent aurait difficilement pu conduire son tracteur avec une balle dans la tête ?

Le Berre haussa les épaules :

— Évidemment !

— C'est donc qu'il était mort avant que Martin n'arrive. Car Martin n'avait qu'un fusil de chasse de calibre douze, ça ne pouvait pas être lui l'assassin.

Et elle martela :

— Florent était mort avant que Martin n'arrive !

Le visage de Le Berre s'éclaira d'un coup. Il avait compris !

— C'est pour ça que vous cherchiez à savoir si c'est moi qui avais fait le coup.

— Dame, monsieur Le Berre, comme coupable potentiel, vous étiez en pole position si j'ose dire.

Elle énuméra sur ses doigts :

— D'abord, vous possédez plusieurs armes de calibre vingt-deux long rifle, vous nous avez montré deux carabines et un pistolet, vous avez fait la démonstration que vous saviez vous en servir en virtuose ensuite, enfin, vous aviez un motif…

— Un motif pour tuer Florent ? s'exclama Le Berre abasourdi, quel motif? D'accord, je ne l'appréciais pas particulièrement, sa suffisance et le mépris qu'il manifestait à mon endroit ne me le rendaient pas sympathique, mais de là à lui loger une balle dans la tête…

— Nous vous avions prêté un raisonnement bien plus subtil que ça, monsieur Le Berre. Nous avions vu que vous vouliez à toute force récupérer votre moulin…

— À toute force, coupa Le Berre, il ne faudrait tout de même pas exagérer, capitaine. Nous souhaitions ardemment récupérer ce bâtiment, c'est sûr, mais pas au prix de la vie d'un homme!

— Néanmoins, si Martin avait été éliminé, ça vous aurait bien arrangés, pas vrai ?

— Je vous laisse la responsabilité de ces assertions! J'aurais préféré qu'ils s'en aillent de leur plein gré, avec une indemnité. C'est d'ailleurs ce que je leur ai toujours proposé.

— Permettez que je poursuive mon raisonnement ? demanda Mary.

— Allez-y ! laissa tomber Le Berre en prenant l'air du type qui s'apprête à boire le calice des inepties jusqu'à la lie.

— Compte tenu de ce contentieux à propos du moulin, si vous aviez collé une balle dans la tête de

Martin, vous auriez immédiatement été sur la sellette. Tandis qu'en exécutant Florent - et c'est bien d'une exécution qu'il s'agit - et en amenant Martin à se déchaîner contre Florent, qui avait déjà contrarié ses projets, vous ne pouviez être soupçonné : Martin collait deux coups de fusil de chasse à Florent, on l'arrêtait et il partait en taule pour un bon moment. Sa femme ne pouvant mener l'exploitation de la pisciculture toute seule, vous récupériez votre moulin. Mais voilà, ce diable de Martin s'est mis à faire du zèle. Au lieu de se contenter d'un ou deux coups de fusil qui suffisent d'ordinaire à refroidir leur homme définitivement, il s'est amusé à vider deux boîtes de cartouches sur le corps de son ennemi. Et là je me suis dit : « Trop c'est trop ! ça cache quelque chose... » et voilà comment nous en sommes arrivés à faire une recherche dans la boîte crânienne de Raoul Florent.

— Vous n'en avez pas l'air comme ça, mais vous avez l'esprit joliment tordu, admira Le Berre.

— La contagion avec d'autres, plus tordus que moi encore, plaida Mary.

— Cependant, ceci n'explique pas comment l'assassin pouvait être assuré que Martin allait réagir comme il l'a fait ?

— Parce qu'il a pris la peine de téléphoner à trois reprises à Martin dans la matinée pour le pousser à bout.

— C'était donc quelqu'un qui connaissait bien Martin, fit remarquer Le Berre.

— Judicieuse réflexion, je me la suis faite, moi aussi, et comme je savais que vous connaissiez particulièrement bien Martin, ça ne pouvait qu'ajouter aux charges qui pesaient sur vous. D'ailleurs, j'ai repensé à votre témoignage : vous m'avez dit que vous aviez aperçu deux ou trois coureurs à pied sur la dune ?

— En effet, il y en a toujours qui s'entraînent en bord de mer.

— Vous pourriez les reconnaître ?

— Je ne pense pas. Vous savez, ces types ont la plupart du temps le visage déformé par l'effort, souvent ils portent une casquette, des lunettes de soleil, parfois même une serviette autour du cou. Alors, pour les identifier…

— On ne vous demande pas de les identifier formellement mais de donner quelques éléments permettant de les retrouver. Il suffit parfois d'un détail… Ils sont probablement étrangers à l'affaire, néanmoins ils pourraient, eux, avoir vu quelque chose ou quelqu'un et pourraient nous mettre sur une piste.

— Je comprends, soupira Le Berre. Mais tout ce que je pourrais dire éventuellement c'est s'ils étaient grands, petits ou gros, noirs ou blancs, mâles ou femelles…

Il sourit et ajouta :

— Et encore, on a parfois du mal à les distinguer.

Puis il demanda :

— C'est important ?

— Nous n'avons pas d'autres témoins. L'assassin est peut-être l'un d'eux.

— Vous y croyez vraiment? demanda Le Berre dubitatif.

— Tenant pour acquis que ce n'est pas vous, que ce n'est pas non plus Martin, il faut bien que ce soit quelqu'un d'autre!

Elle consulta son petit carnet de notes:

— Vous m'avez dit avoir croisé monsieur Le Lay qui coupait du jonc, monsieur et madame Plouhinec qui se promenaient et les enfants des écoles qui herborisaient avec leur maîtresse, une dame…

— Duval, précisa-t-il, oui, je m'en souviens bien.

Et il ajouta:

— Je pense qu'ils s'en souviendront aussi, je les ai salués.

— C'est tout?

— Pour ceux que j'ai reconnus, oui. Vous savez, à cette saison il y a peu de gens à se balader sur la dune en semaine.

— Ça ne pouvait pas être monsieur Le Lay?

— Quoi, qui a tiré?

Le Berre regardait Mary comme si elle était complètement folle.

— Vous n'y pensez pas!

— Je fais le tour de la question, monsieur Le Berre. Vous connaissez ces gens, moi pas.

— Monsieur Le Lay a soixante-dix ans passés. C'est un agriculteur retraité. De plus, il boite bas.

« Ça fait le deuxième boiteux dans cette histoire », se dit Mary en pensant à monsieur Seznec, le commerçant de Morlaix.

— Il aurait fallu qu'il coure sur plus d'un kilomètre pour aller tirer Florent et qu'il refasse le parcours pour revenir à ses joncs. C'est impensable, il a déjà du mal à se déplacer et je peux vous assurer qu'il ne va pas vite !

— D'accord, fit Mary. Exit monsieur Le Lay. Et les autres ?

— Monsieur et madame Plouhinec sont deux instituteurs en retraite et ils ont plus de quatre-vingts ans. Monsieur Plouhinec est presque aveugle et il ne sort qu'au bras de sa femme.

— Je vois, on peut donc les éliminer de la liste des suspects. Quant à la maîtresse d'école, je crois qu'on peut l'exclure elle aussi.

— Ça paraît évident, dit Le Berre.

Mary constata :

— Restent donc les joggeurs…

— Oui, mais comment les retrouver ? demanda le major.

Mary se leva :

— Nous allons y réfléchir…

Elle s'adressa aux gendarmes :

— Messieurs, je crois qu'il est temps de prendre congé, et de présenter nos plus plates excuses à monsieur Le Berre.

Le major ne semblait pas très fort en matière

d'excuses ; il bredouilla quelques mots inaudibles en serrant la main de Le Berre qui, très à l'aise, le salua courtoisement avec une lueur d'ironie dans le regard. L'adjudant-chef essaya d'être plus prolixe mais Le Berre interrompit ses explications embarrassées d'un « je vous en prie, c'est oublié » qui parut rassurer Lucas.

— Un mot encore, dit Mary en prenant congé à son tour, inutile de vous recommander la discrétion sur ce qui s'est dit ici ce soir, monsieur Le Berre. Personne ne sait encore comment est réellement mort Florent. L'assassin est persuadé que son crime n'a pas été découvert. Pour avoir mis au point cette machination diabolique, nous pouvons penser qu'il est redoutablement intelligent. La meilleure façon de le confondre serait de l'amener à commettre une imprudence. Pour cela, il faut le conforter dans son sentiment d'invulnérabilité. Donc, motus. Officiellement, et jusqu'à nouvel ordre, Martin est toujours l'assassin de Florent.

— Vous pouvez compter sur ma totale discrétion, assura Le Berre.

— Je n'en doute pas, dit Mary en lui serrant la main. Merci encore.

Lorsqu'ils furent sortis de la maison, Mary monta dans sa Twingo et demanda à Lucas :

— On se retrouve à la gendarmerie ?

— OK, dit Lucas laconiquement.

Chapitre 22

Lorsqu'elle fut dans sa voiture, Mary rappela le commissaire Fabien qu'elle eut immédiatement sur sa ligne directe.

— Alors, cet arsenal, Mary?

— Important, commissaire.

— Ah bon?

— Une centaine d'armes allant du fusil-mitrailleur de la dernière guerre à la Thomson 11/43 des bootleggers, en passant par trois douzaines d'armes de poing diverses.

Elle entendit le commissaire siffler dans l'appareil:

— Ça va faire du bruit!

— Je ne crois pas, dit-elle. Et d'ailleurs, il ne vaudrait mieux pas...

— Pourquoi? Une saisie de cette importance...

Elle étouffa un petit rire.

— On n'a rien saisi, patron. Ces armes sont

parfaitement inoffensives. Ce n'est pas un arsenal, mais une collection. Aimé Le Berre est un passionné qui collectionne les armes comme d'autres les vieilles bagnoles. Toutes les armes que nous avons vues étaient neutralisées, c'est-à-dire que Le Berre a coulé du plomb dans les canons, ce qui les rend impropres au tir.

— Mais alors…

— Mais alors on en est au même point… Officiellement j'ai confirmé que nous tenions Martin pour coupable du meurtre de Florent, mais que son état de démence n'avait pas encore permis son audition par le juge. J'espère qu'ainsi le véritable meurtrier baissera sa garde.

— Espérons-le, dit Fabien.

— Bon, patron, je dois revoir les gendarmes. Je vous tiens au courant.

***

Mary Lester arrêta la Twingo dans la cour de la gendarmerie et prit sur le siège passager le dossier emprunté la veille.

Puis elle appela Lucas sur son portable.

— Où êtes-vous ? demanda l'adjudant-chef.

— Dans la cour de la gendarmerie.

— Eh bien venez ! Je suis dans le bureau du major, fit-il.

— Non, venez, vous, dit-elle. Vous savez bien que j'ai quelque chose à vous remettre.

L'adjudant-chef mit un moment à comprendre, puis il réalisa et jeta un bref: « J'arrive. » Presque aussitôt Mary le vit sortir et venir à sa rencontre. Elle lui tendit le dossier sans mot dire et Lucas le cala sous son bras. Une fois dans le hall il lui glissa:

— Allez toujours chez le major, je vous y rejoins.

Mary frappa donc à la porte du major Langlois et, quand elle entendit quelque chose qui pouvait ressembler à « entrez », elle entra.

— Ah, capitaine Lester, dit-il en se levant à demi de son siège.

Lui montrant une chaise, il l'invita du geste à s'asseoir. Il paraissait embarrassé, préoccupé, mais moins hostile à l'égard de Mary. Elle s'assit et comme il ne disait rien, elle demanda, très à l'aise:

— Eh bien, major, où en sommes-nous?

— Nulle part, je le crains, dit le major.

Sa voix baissa d'un ton pour dire:

— Si ce n'est qu'on a frôlé la catastrophe chez Le Berre. Mais je ne sais pas si vous avez bien fait de le tenir au courant de l'évolution de l'enquête.

— Pouvions-nous faire autrement, major?

Le major arborait une mine perplexe.

— Je ne sais pas, dit-il d'un air dégoûté, je ne sais plus…

— Vous auriez préféré qu'il aille raconter à la presse…

— Parlez pas de malheur! s'exclama le major avec effroi. D'ailleurs, heureusement que vous avez rattrapé le coup avec la fille de la télé! Cette perquisition, ah quelle connerie!

— Je ne le pense pas, major, dit-elle. Cette perquisition était devenue obligatoire. Compte tenu des éléments que nous avions sur Le Berre, on ne pouvait s'en dispenser. Si vous ne l'aviez pas faite, là oui, c'eût été un pas de clerc!

— Un quoi? demanda le major le front plissé.

— Une connerie, si vous préférez.

Le major ne préférait peut-être pas, mais il comprenait mieux ainsi. Il fit: « Ah... » et Mary ajouta:

— L'erreur a été de faire venir la presse.

— Je m'en rends compte, fit Langlois d'une voix étranglée.

Et, voyant la sueur perler sur son front rougeaud, Mary comprit combien cet aveu lui coûtait. Il y eut un coup bref à la porte et Lucas fit son entrée.

— Je suis allé chercher le dossier que vous m'avez demandé, dit-il à Mary avec un clin d'œil complice.

Elle le prit:

— Merci Lucas. Si vous disposez d'un bureau où je puisse me poser, je voudrais m'y mettre pour revoir tout ça à tête reposée.

— Vous pensez qu'il en sortira quelque chose? demanda le major dubitatif.

— Je n'en sais rien et je ne vous promets rien. Mais ce que je sais, c'est que je n'ai pas d'autres documents de travail.

— Venez par là, dit Lucas, je vais vous trouver un endroit tranquille.

Ils sortirent dans le couloir et Lucas poussa une porte qui donnait sur un local meublé de rayonnages métalliques qui montaient jusqu'au plafond. Chaque étagère supportait des dossiers pareils à celui qu'elle avait sous le bras.

— C'est la salle d'archivage, dit Lucas. Ici vous serez tranquille.

Au milieu de la pièce il y avait une table de bois blanc et quelques chaises. Mary posa le dossier sur la table et dit à Lucas :

— Je vous le laisse. J'ai eu tout le temps d'étudier ces documents hier soir.

— Qu'est-ce que ça vous a inspiré ?

— Il me manque quelques éléments.

— Ah ? Lesquels ?

— Je suppose que Florent disposait d'une ligne téléphonique fixe à son domicile ?

— Je pense que oui.

— J'aurais aimé avoir l'état des communications envoyées et reçues sur ce poste disons... dans les huit jours qui ont précédé sa mort.

— Vous pensez que...

— On n'a rien d'autre, Lucas ! Je cherche. Ça ne donnera probablement rien, mais je ne voudrais pas laisser de piste inexplorée derrière moi, même s'il est fort improbable que ça nous amène quelque chose de nouveau.

— D'accord, dit Lucas, je m'en occupe.

— Et puis, jusqu'à présent je n'ai pas vu la veuve, je pense que je devrais la rencontrer.

— Elle serait chez sa sœur à Morlaix. Elle a laissé un numéro de téléphone pour que nous puissions la joindre en cas de besoin.

— Je l'ai noté, assura Mary.

Elle ne précisa pas qu'elle s'était déjà livrée à une reconnaissance des lieux.

— Vous comptez l'interroger ?

— Bien sûr !

— Voulez-vous que je vous accompagne ?

Elle secoua la tête négativement.

— Ce ne sera pas la peine, Lucas.

— Ah ! fit-il vaguement déconfit.

Elle le rassura :

— Ce n'est pas que je me méfie de vous, Lucas, mais j'aime autant qu'on n'aille pas agiter des uniformes dans le périmètre de cette dame.

Lucas la regardait comme s'il voulait voir dans son cerveau.

— Vous, vous avez une idée derrière la tête !

— J'en ai même plusieurs, reconnut-elle. Reste à savoir s'il y en aura une de bonne.

— Vous ne pouvez rien me dire ?

— Pour le moment, non. Mais si j'ai quelques soupçons, vous en serez le premier averti.

Lucas hocha la tête en signe d'accord.

***

À propos de premier averti, se dit Mary Lester, j'en connais un qui doit bouillir dans son siège à roulettes en attendant de mes nouvelles, c'est le père Corentin ! C'est ainsi qu'elle évoquait - un peu cavalièrement - le nouveau maire de Trébeurnou, monsieur Kerloc'h.

Comme il était dix-huit heures, Monsieur le Maire avait regagné ses pénates. La mairie était fermée, les bureaux éteints.

Mary descendit donc vers la côte, s'arrêta quelques minutes sur ce parking où, pour la première fois, elle avait rencontré l'illustre Vanco,* au cours d'une mémorable tempête.

Ce soir-là la mer était apaisée. Un soleil rouge plongeait sur l'horizon et la plage immense n'était arpentée que par des centaines de goélands argentés qui se dandinaient pataudss et solennels sur leurs palmes jaunes en une mystérieuse procession dont les humains ne pouvaient deviner le sens.

Sur l'immensité grise, des feux commençaient à s'allumer, verts, rouges, blancs, annonçant les passes et les dangers des rocs immergés à ceux qui savent lire dans le grand livre de la mer.

Mary remonta dans sa voiture et prit la direction de la maison des Kerloc'h.

Après qu'elle eût sonné la barrière s'ouvrit et, une fois encore, elle fut accueillie comme le fils prodigue et, si on ne tua pas le veau gras (ce n'était pas l'heure), on lui proposa du café qu'elle accepta sa-

* *Voir :* Te souviens-tu de Souliko'o ?

chant bien que le breuvage que madame Kerloc'h appelait ainsi ne l'empêcherait pas de dormir.

— Corentin, dit-elle pendant que madame Kerloc'h mettait son eau sur le feu, je suis venue pour vous expliquer comment avance l'enquête.

— Ah! fit le vieil homme en frottant ses mains ossues l'une contre l'autre, elle avance? C'est déjà ça! Cette fois ce n'était guère difficile, même ce couillon de Langlois aurait pu trouver le coupable, puisqu'il lui est tombé dessus alors qu'il accomplissait son crime!

— Langlois... commença Mary, Langlois ne me porte pas dans son cœur. Il fait bonne figure parce qu'il sait que vous me soutenez, mais dans le fond, il regrette bien que je sois là.

— C'est un couillon! jeta Corentin Kerloc'h péremptoire.

Visiblement il avait changé de tête de Turc. Avant c'était à l'adjudant Lucas qu'il réservait ses mots doux.

— Mais non! dit Mary. Je lui ai enlevé un coupable idéal, et maintenant il n'a plus personne à se mettre sous la dent. Alors il n'est pas content!

— Vous voulez dire que ce n'est pas Martin...

— Exactement!

Mary regarda le vieil homme et, devant son air ahuri, elle précisa:

— Je crois qu'il vaut mieux que je commence par le commencement: en effet, Martin n'a pas tué

Florent! Celui-ci était déjà mort lorsque Martin s'est acharné sur son cadavre.

Et elle raconta à un Corentin Kerloc'h figé dans une attitude de chien à l'arrêt les péripéties de l'enquête, y compris la perquisition chez Le Berre, au cours de laquelle le major Langlois avait cru découvrir une cache d'armes. Madame Kerloc'h se tenait derrière le fauteuil de son mari en se pétrissant les mains et en invoquant le ciel d'un ton geignard :

— Ma Doué! Ma Doué!* Ce qui lui valut un « Tsss! » agacé de la part de son mari.

Alors, prenant un air de dignité offensée, elle s'en fut s'occuper dans une autre pièce sans que Kerloc'h, absorbé dans sa conversation avec Mary, parût s'en apercevoir.

— Si ce n'est pas Martin, qui est-ce donc? demanda-t-il.

Mary eut un geste d'ignorance :

— Pour le moment je n'en sais rien. Demain je vais explorer une nouvelle piste du côté de la veuve Florent.

La bouderie de madame Kerloc'h ne dura guère. La curiosité l'emportant sur toute autre considération, elle vint servir le café dans une de ses belles tasses en faïence de Quimper et posa sur la table des crêpes et du beurre.

— Vous croyez que… commença Kerloc'h.

— Je ne crois rien, dit Mary, mais c'est le dernier recours. Ah, il faut que je vous demande, à tous les

* *Mon Dieu! Mon Dieu!*

deux, de ne pas répéter un seul mot de ce que je vous ai dit ce soir. Je voudrais que le criminel ressente un sentiment d'impunité. Ça l'amènera peut-être à commettre des imprudences. Donc, jusqu'à nouvel ordre, Martin reste le coupable.

— Compris ! dit sobrement Kerloc'h.

Il réfléchit un moment avant de parler lentement, comme en soliloquant :

— Pour avoir monté son coup de la sorte, il faut que le criminel connaisse particulièrement bien Trébeurnou et ses habitants.

Mary opina :

— Oui, et il faut aussi qu'il soit diaboliquement intelligent, qu'il connaisse le caractère colérique de Martin et qu'il soit assez psychologue pour savoir en jouer. Il ne doit tout de même pas y avoir deux douzaines de vos administrés qui pourraient présenter ce profil, Corentin.

Le maire plissa le front :

— Ce serait donc quelqu'un de chez nous ?

— Hors quelqu'un du pays, je ne vois pas qui aurait eu intérêt à trucider Florent. J'ai pensé aux parents des enfants auxquels il dispensait ses cours de tennis et qui auraient eu vent de ses agissements auprès d'eux. Mais ce sont presque tous des gens de Morlaix ou des environs, qui ne connaissaient probablement pas Martin. Car je persiste à croire que Martin a été quasiment téléguidé pour aller tirer sur Florent.

Le front plissé, monsieur Kerloc'h réfléchissait. Il secoua la tête, découragé et souffla :

— Je ne vois pas !

— Pensez-y quand même, recommanda Mary. Puis elle changea de sujet :

— Vous connaissez bien les frères Le Berre ?

— Oh que oui ! Depuis bien longtemps. Leur père était métayer du marquis de Kéreleg.

Mary s'étonna :

— Ah bon ! Aimé Le Berre ne m'en a rien dit. C'est pour ça qu'il connaît si bien le domaine ?

— Ça, pour le connaître, il le connaît ! Depuis sa petite enfance il l'a arpenté en long, en large et en travers.

— Dites-moi, Corentin, quand on est métayer, on ne doit pas rouler sur l'or ?

Kerloc'h eut un petit rire sans joie.

— On peut le dire ! Conformément aux antiques statuts du métayage, le marquis prélevait le tiers de leurs maigres récoltes, le reste servait aux métayers à ne pas mourir de faim.

— Ça a dû être une revanche extraordinaire pour les frères Le Berre que de racheter le manoir.

— Oui, ils ne s'en sont jamais cachés, c'était leur objectif à tous les deux, le but de leur vie. Ils ne se sont pas mariés...

— Pouvez-vous me parler du magistrat ?

— Jérôme ?

— Oui.

— C'est le cadet. Il a quatre ans de moins que son frère.

— Ils n'étaient que deux?

— Non, entre eux il y a eu une sœur, Thérèse, qui est morte en bas âge.

— Pour accéder au plus haut niveau de l'appareil de l'État à partir d'une origine aussi modeste, ce Jérôme doit être très intelligent.

— Ils le sont tous les deux. Cependant Aimé a dû quitter l'école très tôt pour aider sa mère à la ferme lorsque le père est mort. Puis la mère est morte deux ans après le père et les deux frères se sont retrouvés seuls au monde. L'instituteur avait remarqué les aptitudes de Jérôme pour les études et il lui a fait obtenir une bourse. Le garçon est allé au lycée à Quimper où il a trusté tous les prix d'excellence. Lorsque la mère est morte, Jérôme était en terminale. On l'avait fait passer de troisième directement en première et, malgré son jeune âge, il continuait à surclasser ses condisciples. Alors, pour que son petit frère puisse continuer ses études, Aimé s'est engagé pour l'Indochine. Il avait dix-huit ans quand il a sauté sur Dien Bien Phu. Il n'a pas dépensé sa prime d'engagement en beuveries comme tant d'autres, il l'a fait placer sur un compte pour que son petit frère puisse poursuivre ses études. Ça lui a porté chance car il est miraculeusement revenu intact de cet enfer, bardé de médailles. Puis il a enchaîné, campagne d'Algérie, le Tchad, le Liban…

Bref il a été dans tous les coups pourris et il s'en est toujours sorti.

— Un dur de dur, apprécia Mary.

— Ouais. Il n'en a pas l'air comme ça, mais c'est un vrai guerrier. Quant à son frère, il a fait Normale Sup, puis Sciences Politiques et enfin l'ENA.

Nous y voilà, pensa Mary. Il y a autant d'Énarques que de boiteux sur ce chantier !

— Votre guerrier, là, il commence quand même à avoir de la bouteille.

— Soixante-douze ans…

— Donc son frère en a soixante-huit.

— C'est exact.

— Il n'est pas encore en retraite ?

— Officiellement si, mais même s'il n'apparaît jamais sur l'affiche, c'est, dit-on, un conseiller très apprécié de Matignon et de la Présidence.

— Je vois, dit Mary. C'est ce qu'on appelle un homme d'influence.

— Ça, dit Corentin avec une sorte d'admiration qui celait une certaine méfiance, il a l'oreille des grands.

— Il revient souvent au pays ?

— Il ne se passe pas de mois sans qu'il y fasse un saut. Et en période de chasse il est là toutes les fins de semaine.

— Je ne l'ai jamais vu.

— Et pour cause ! Il préfère rester sur son beau domaine !

Kerloc'h regarda Mary en hochant la tête :

— Ainsi vous avez soupçonné Le Berre d'avoir tiré sur Martin ?

— Vous-même, Corentin, l'auriez fait si vous ne l'aviez pas connu comme vous le connaissez ! Convenez que tout était contre lui !

— Peut-être, dit Kerloc'h, mais les deux frères Le Berre sont des gens comme ça !

Il tendait le poing fermé, le pouce en l'air pour bien montrer en quelle haute estime il tenait ses deux concitoyens.

— Jérôme aurait pu faire une carrière politique, ajouta-t-il, il aurait pu être ministre, premier ministre peut-être, mais les compromissions auxquelles il faut s'abaisser pour prétendre à ces postes n'étaient pas dans son caractère.

— Il préfère un rôle d'éminence grise ?

— D'éminence grise, c'est tout à fait ça ! Quant à Aimé il appartient comme moi à une espèce en voie de disparition : celle qui a des frissons quand elle entend la Marseillaise et qui vénère le mot « patrie », qui respecte la loi parce que c'est la loi, même quand on n'a pas un gendarme dans le dos.

Il sourit tristement :

— Celle aussi que la jeune classe appelle « les vieux cons ».

— Je respecte aussi ces valeurs, assura Mary.

— Je le sais, fit Kerloc'h avec un sourire un peu triste. C'est rare chez une jeune personne comme vous. Nous ne sommes pas la majorité, Mary !

— C'est donc que nous sommes l'élite...

La réponse avait jailli spontanément et Mary se reprocha aussitôt ce manque de modestie : « Tu ne te mouches pas du coude, ma vieille ! » se dit-elle. L'élite ? Rien que ça ? Heureusement qu'il n'y avait personne d'autre que Corentin pour l'entendre. Le nouveau maire la regarda curieusement, semblant se demander si elle plaisantait. Ne pouvant se déterminer, il resta un instant silencieux, paraissant méditer ces fortes paroles ; il répéta pensivement :

— L'élite... encore un mot démonétisé !

Puis il ajouta :

— En tout cas, je n'ai jamais entendu dire qu'Aimé Le Berre ait fait une entourloupette à quelqu'un.

— Un citoyen modèle, en quelque sorte.

— Oui, dit-il sans hésiter, un citoyen modèle.

— Je vous crois, dit-elle doucement.

Mary quitta les Kerloc'h en promettant de revenir, de tenir Monsieur le Maire au courant de l'avancement de l'enquête et elle rejoignit son gîte à Ty Coz, où son amie Monette l'attendait devant un bon feu de bois.

Chapitre 23

Le lendemain, elle quitta Ty Coz aux aurores pour aller au-devant d'Anika Niche et de sa sœur Gisèle. Elle ne prit pas la direction de Morlaix, puisqu'elle savait que c'était la résidence trompe-l'œil de la syndicaliste de choc, elle fila directement vers Carantec, l'une des stations de la côte nord.

La villa d'Anika Niche était située dans un des beaux quartiers du village, non loin d'un lieu dit *La chaise du Curé*, peut-être appelé ainsi parce qu'un prêtre épris de beaux paysages y vint autrefois méditer sur les merveilles de la nature et les splendeurs de la baie de Morlaix.

La villa *Mon Plaisir*, propriété d'Anika Niche, n'était pas la maison la plus laide ni la plus petite du quartier, qui comptait pourtant de fort belles demeures. Elle n'était pas non plus la plus mal placée puisqu'elle regardait la baie de Morlaix.

Vue de la rue, elle présentait une façade de pierres de taille avec des encadrements de portes et de fenêtres en briques vernissées d'un bleu profond. Un mariage osé mais harmonieux, estima Mary. Cette maison avait dû être dessinée par un architecte dans le style des années trente pour un bourgeois fortuné. Elle prenait ses aises sur un terrain qui, comme on l'a vu, descendait jusqu'à la mer.

Ainsi que la plupart des propriétés du quartier, la villa *Mon Plaisir* était séparée de la rue par un muret de pierres. Derrière, une haie de cyprès dorés, taillée comme un caniche qui sort de chez le coiffeur, empêchait le regard de passer. Il y avait deux portes dans cette clôture, l'une à double battant qui devait desservir un garage, l'autre à l'usage des piétons, toutes deux hautes d'un bon mètre quatre-vingt, en bois plein, qui ne laissaient pas place à la curiosité de Mary Lester. C'était un quartier où l'on savait préserver sa vie privée. La boîte aux lettres ne comportait pas de nom, seulement l'adresse de la maison.

Un peu plus haut dans la rue, Mary avait trouvé une place où glisser sa Twingo entre une Mercedes et une Jaguar. Elle stationnait ainsi à une vingtaine de mètres de la villa *Mon Plaisir* sur laquelle elle avait une vue idéale, en se disant que si elle devait planquer là, elle ne tarderait pas à être regardée d'un œil curieux par les habitants de ce quartier tranquille.

Il ne manquerait plus qu'ils appellent la police !

Elle sortit de sa voiture et trouva - à quelques dizaines de mètres de la villa d'Anika Niche - une ouverture sur la mer menant à une cale qui descendait sur une plage de sable dur. La mer était basse et sur l'immense plage on apercevait de loin en loin quelques promeneurs, solitaires ou en couple. À la lisière de l'eau, un homme s'amusait à jeter dans la mer un morceau de bois qu'un gros chien noir lui rapportait inlassablement. Elle n'était donc qu'un promeneur de plus et personne ne trouverait étrange de la voir arpenter la plage qui était le meilleur endroit pour apercevoir la villa *Mon Plaisir*.

Une villa où l'on ne se refusait rien : au pied de la terrasse il y avait une piscine et, contre une haie, un court de tennis. Sur sa façade, la construction était flanquée d'une véranda dans laquelle Mary aperçut deux personnes en sortie de bain qui prenaient leur petit déjeuner.

Pas malheureux, les gens qui étaient là ! Devant leurs yeux la baie de Morlaix étalait ses splendeurs.

Plantées au mitan de l'estuaire, les formidables murailles de granit du château du Taureau semblaient jaillir des flots pour défier les envahisseurs, qu'ils fussent pirates ou marine anglaise. « Venez donc vous y frotter si vous l'osez ! » semblaient-elles dire, comme ces lutteurs qui font rouler leurs muscles pour impressionner l'adversaire.

D'autres îlots, moins rébarbatifs, étaient ancrés à quelques encablures du rivage : l'île Louet avec son petit phare rouge et blanc, et la maison de poupée des gardiens enfouie dans les genêts, l'île Stérec, l'île Callot que la marée basse relie à la terre par une route immergée deux fois par jour au gré des marées. Au loin, voilée par la brume, la pointe de Barnénez sur laquelle est juché l'un des plus vieux et plus impressionnants cairns du monde construit par quelque peuple de géants deux mille ans avant que les pharaons n'entreprennent l'édification des pyramides d'Égypte.

Cette trace d'une très antique civilisation ne paraissait pas préoccuper les habitants de la villa *Mon Plaisir*.

Avant de prendre leur café, ils avaient probablement fait quelques longueurs de bassin dans l'eau tiède de leur piscine qu'on aurait pu prendre, de loin, pour un tunnel de culture horticole car elle était couverte d'une carapace transparente pour que l'on pût se baigner au sec, si on peut dire.

D'une trappe pratiquée dans cette protection sourdait un filet de vapeur indiquant que cette piscine était chauffée.

Devant la villa *Mon Plaisir*, la basse mer avait découvert des blocs de granit. Mary marcha vers ces blocs et fut bientôt hors de vue des gens de la véranda qui semblaient d'ailleurs se soucier comme d'une guigne de la présence des promeneurs.

Alors elle sortit ses jumelles et les braqua sur la véranda. La femme, petite et brune, avait une silhouette de sportive - bien roulée, aurait dit Fortin - et une chevelure noire coupée court qui donnait l'impression qu'elle était coiffée d'un bonnet de bain. L'homme paraissait plutôt grand, plutôt mince, large d'épaules, avec une tête longue, un peu chevaline, surmontée d'une toison d'un blond roux. Sa coiffure faisait penser à quelque vedette américaine des années cinquante, il n'y manquait même pas la mèche un peu décolorée ramenée artistiquement sur le côté.

Elle braqua son appareil photo vers la véranda, mais même avec un téléobjectif de cinq cents millimètres, il était difficile de réussir une photo, d'autant que les deux occupants restaient derrière les vitres de la véranda. Mary appuya tout de même sur le déclencheur, puis revint à sa voiture en se demandant comment elle allait aborder ce qui lui paraissait une forteresse bien défendue.

Elle s'était réinstallée dans sa voiture lorsqu'elle vit la porte de la villa *Mon Plaisir* s'ouvrir et un curieux équipage en sortir. Il s'agissait de l'homme qu'elle avait vu dans la véranda. Il était maintenant vêtu d'un collant noir et d'une sorte de K-way bleu clair. Jusque-là rien d'anormal, mais il avait aux pieds deux skis en plastique jaune et en main deux bâtons de ski. Qu'est-ce qu'il s'imaginait? Que la neige allait bientôt tomber?

Mary prit quelques photos à la volée car la situation lui paraissait vraiment cocasse, mais l'homme s'élança dans la rue légèrement en pente et elle s'aperçut alors que les skis étaient pourvus de roulettes et que le bonhomme glissait, ou plutôt roulait facilement, sans heurts, avec une grande aisance.

— Ça alors ! se dit-elle.

Elle décida de le suivre et elle se rendit compte que le skieur sur bitume allait à belle allure, doublant des cyclistes avec des mouvements de corps parfaitement coordonnés, des effacements d'épaules dans les virages, une posture en œuf dans les descentes. Sous le collant, on voyait le jeu puissant des muscles de ses cuisses et, quand il prenait appui sur ses bâtons, il se propulsait en avant avec une efficacité formidable, sans paraître peiner, comme si cet exercice n'était pour lui qu'une aimable balade.

Sur son passage, les automobilistes intrigués oubliaient de regarder devant eux et les piétons s'arrêtaient et se retournaient pour suivre des yeux cet étrange skieur que le manque de neige ne semblait pas affecter le moins du monde.

Mary, qui ne voyait pas l'intérêt de le filer toute la matinée, s'arrêta au bord de la mer et le regarda poursuivre sa course solitaire. Un vieux monsieur qui promenait son chien s'était arrêté pour voir passer le phénomène. Il secoua la tête comme s'il avait vu un extraterrestre et prit Mary à témoin :

— Quelle époque ! On verra tout, je vous dis, on verra tout !

Elle lui sourit :

— C'est au moins un moyen de déplacement qui n'est pas polluant !

— Ça, c'est vrai, reconnut le bonhomme, et silencieux aussi, ce qui est agréable. Tout de même, faire du ski à Carantec ! C'est comme si j'allais faire de la voile à Avoriaz !

— Vous le voyez souvent ?

— Tous les jours ! Il fait le même circuit tous les jours, à la même heure.

— Vous le connaissez ?

Le bonhomme secoua négativement la tête :

— Non ! Il passe…

Voilà, l'homme aux skis à roulette passait, et on n'en savait pas plus.

Mary salua le promeneur :

— Bonne journée, monsieur !

Le promeneur souleva galamment son chapeau pour lui rendre son salut.

Puis elle regarda sa montre : dix heures. Il était grand temps qu'elle retourne à la gendarmerie de Tréouergat.

Cependant elle se laissa tenter par une terrasse de café qui sortait ses sièges au pâle soleil du matin, juste devant la mer. L'endroit était à l'abri du vent ; elle s'y installa avec bonheur en pensant : « Si le major me voyait ! »

L'idée la fit sourire et elle commanda un café allongé et un croissant. Lorsque le garçon la servit, elle lui demanda :

— Je viens de voir un drôle de type sur des skis à roulette.

— Ah oui, dit le garçon, je le vois passer presque tous les matins.

— Vous le connaissez ?

— Non, dit le garçon, il semble toujours pressé, il ne prend jamais le temps de boire un café. Pourtant on est bien, là, non ?

— Parfaitement bien ! reconnut Mary.

Elle posa trois euros dans la soucoupe et contempla la mer qui brillait sous un soleil pâle. Au loin, une lourde silhouette trouait la brume et se rapprochait rapidement en fendant les flots :

— Le ferry de Plymouth qui s'apprête à accoster à Roscoff, commenta le garçon en posant la monnaie devant elle.

— C'est bon, dit-elle en repoussant la monnaie.

Le garçon empocha prestement les pièces. Mary finit son café et se leva.

Cette fois, il était vraiment temps qu'elle y aille.

***

L'adjudant-chef qui continuait de transmettre ses recommandations à son successeur abandonna soudain le bureau où il officiait quand il entendit la Twingo s'arrêter dans la cour de la gendarmerie.

Il vint au-devant de Mary, à la porte de la gendarmerie tout sourire, la main tendue :

— Je vous attendais…

C'était une manière de lui faire remarquer qu'elle ne commençait pas très tôt sa journée.

— Comme c'est agréable d'être accueillie de la sorte, dit-elle en lui serrant la main.

Et elle expliqua :

— Je me suis attardée à Carantec pour prendre un café à une terrasse face à la mer, dit-elle. Il faisait si beau…

Lucas faillit s'étrangler. Il était du genre « l'heure c'est l'heure » et la désinvolture de Mary le subjuguait. Jamais il n'aurait osé faire ça, lui.

Pour le taquiner, elle prit plaisir à l'assaisonner un peu en laissant tomber d'un ton badin :

— C'est une fantaisie que vous ne pourriez jamais vous permettre, pauvres hommes en uniforme, ça ferait jaser…

Apercevant le major qui avançait la tête dans l'embrasure de la porte, elle en rajouta :

— C'est d'ailleurs pour ça que j'ai refusé d'entrer dans le noble corps de la gendarmerie, cher ami. Enfiler l'uniforme chaque matin ne me disait rien.

— Parce que vous pensez qu'on entre dans la gendarmerie comme ça, jeune fille ? demanda le major vaguement méprisant.

Cela sous-entendait : « Chez nous ce n'est pas comme dans la police, on ne prend pas n'importe qui ! ».

Mary, feignant la surprise, se retourna toute souriante vers Langlois :

— Ah vous étiez là, major ? On me l'a pourtant proposé !

— Proposé quoi ?

— Proposé d'entrer dans la gendarmerie !

— Vous plaisantez ?

— Pas du tout, major, pas du tout !

Langlois regarda Lucas semblant solliciter son aide :

— J'y crois pas !

— Mais si major ! fit Mary. C'est même le colonel Simon lui-même qui m'a fait cette proposition.

— Vous connaissez le général Simon ? demanda Lucas stupéfait.

— Tiens donc, le cher homme est monté en grade lui aussi ? Il faudra que je lui adresse un petit mot pour le féliciter.

— Vous le connaissez vraiment ? insista le major.

— Vraiment ! Nous avons mené une action ensemble à Kerlaouen, vous savez, cette histoire de bateaux qui coulaient et qui se détachaient tout seuls, et le trafic de coquillages…

— C'était vous ? s'exclama le major.

— Oui, je commandais les forces de police, Simon commandait la gendarmerie. Remarquez, nous n'étions que deux dans les forces de police, mon adjoint et moi, tandis que les gendarmes étaient bien deux douzaines. Mais c'est vrai, le colonel Simon m'a fait cette proposition que j'ai refusée. Je le regrette un peu par moments : vous vous rendez compte, major, je conservais mon titre et vous auriez dû m'appeler « mon capitaine »... Peut-être même que, comme on monte vite en grade chez vous, je serais déjà passée commandant !

Cette éventualité... c'en était trop pour le major qui paraissait sur le point d'exploser.

— Je... je vais vous chercher les relevés téléphoniques que vous avez demandés, fit-il en sortant.

— Allez-y mollo, recommanda l'adjudant-chef lorsque le major eut disparu, si près de la retraite, ça serait dommage que notre cher major fasse un accident vasculaire cérébral. Je suis sûr que chaque fois qu'il vous voit, sa tension frôle la zone rouge.

Elle se mit à rire :

— D'accord, Lucas ! Vous les avez vus, ces relevés ?

— Ben oui...

— Et alors ?

— Alors... rien. Enfin, je n'ai rien noté d'anormal.

— Le major non plus ?

Lucas baissa le ton :

— Encore moins, dit-il. Pour lui, ce sont des manœuvres dilatoires.

— Dilatoires ? Il a dit dilatoires ?

— Non, dit Lucas, j'ai traduit. Il prétend que, comme vous ne savez plus que faire, vous essayez de gagner du temps.

— Il pense vraiment ça ?

— Je le crains.

— C'est ce qu'on va voir ! Allez donc me chercher ces pièces, adjudant-chef, car si on attend le major…

Elle ne termina pas sa phrase, Lucas était déjà parti. Il ne traîna pas en chemin et revint presque aussitôt.

— Voici les relevés de son poste fixe, dit-il en tendant un feuillet à Mary.

— Ça ne vous dit rien ?

Lucas fit non de la tête.

— Ça devrait ?

Elle le regarda, se demandant s'il faisait exprès. Puis elle décida qu'elle en avait assez de tirer les marrons du feu pour ces deux gendarmes bornés.

— Je ne sais pas, laissa-t-elle tomber d'une voix neutre.

— On n'est pas plus avancés, dit Lucas d'un air dégoûté. Et vous allez voir que les journaleux ne vont pas tarder à nous tomber dessus.

— Ça, ce n'est pas impossible, fit Mary avec indifférence, ce qui surprit et inquiéta le gendarme.

— Que va-t-on faire ? demanda-t-il.

— Vous, je ne sais pas, Lucas, mais moi je vais aller rendre compte à mon patron.

— À Quimper ?

— Eh oui, à Quimper !

Elle ajouta le document que Lucas venait de lui remettre :

— Je peux emporter ça ?

Lucas ironisa :

— Vous vous souciez de demander la permission, à présent ?

Il n'avait toujours pas digéré le kidnapping par Mary Lester de son précieux dossier.

— Ah, fit-elle vertueuse, n'est-ce pas vous qui m'avez fait comprendre qu'il valait mieux respecter la procédure, Lucas ? Voyez, je m'y tiens !

Lucas la regarda s'éloigner d'un air mi-figue mi-raisin.

Mary monta dans la Twingo. Il était midi moins vingt. Elle pensa qu'elle avait le temps d'aller déjeuner à Quimper.

Elle téléphona à Amandine qui promit de préparer quelque chose de rapide pour treize heures.

Alors elle prit la route sans traîner.

Chapitre 24

Amandine Trépon avait élaboré un sauté de veau qui répandait dans la cuisine et dans la véranda un fumet quasiment divin.

Une averse brutale et violente était tombée lorsque Mary arrivait aux portes de Quimper mais elle avait cessé aussi vite qu'elle était venue. Il en restait un air frais et limpide. Les plantes du jardin, encore scintillantes de grosses larmes de pluie, paraissaient avoir été lavées à grande eau.

Mizdu accueillit Mary avec un « mérouinnn » de bienvenue et s'étira avec volupté tandis qu'elle le caressait. Amandine, comme à son habitude, lui sauta au cou tout en l'examinant à la dérobée pour s'assurer que Mary ne portait pas de traces de nouvelle bagarre.

Mary ne fut pas dupe et se dégagea en riant :

— Allons, qu'avez-vous à me scruter comme ça ? Vous craignez que j'aie abîmé mon pantalon ?

— Humm ! dit Amandine, fâchée d'être percée à jour, avec vous, on ne sait jamais !

Elle tira une chaise :

— Asseyez-vous donc, c'est prêt !

Mary obtempéra docilement en humant avec ostentation :

— Ce que ça sent bon !

— Pff! fit Amandine en cachant le plaisir qu'elle avait d'être complimentée derrière une fausse indifférence, ce n'est qu'un sauté de veau. Dame, vous me prévenez une heure avant d'arriver alors je n'ai guère eu le temps de me retourner. Heureusement que j'ai trouvé de la poitrine et un jarret pour faire le bouillon.

— C'est ça qui sent si bon ?

— Oui, du bouillon de jarret de veau, allongé de vin blanc et réduit…

Elle renifla, ce qui était chez elle un signe d'agacement.

— Je ne sais pas pourquoi je vous dis ça, vous ne m'écoutez jamais quand je vous parle de cuisine. Je crains fort que vous ne soyiez jamais une bonne cuisinière.

Mary dut reconnaître qu'elle le craignait aussi malgré l'excellence de l'enseignement qui lui était dispensé.

Elle feignit la contrition :

— Je suis désolée de vous avoir bousculée mais il m'est difficile de préciser à quelle heure je peux passer à table. Vous m'auriez fait des sandwiches, je m'en serais contentée !

— Des sandwiches ! bougonna Amandine avec humeur, est-ce que ça fait un repas, des sandwiches ? Pourquoi pas des pizzas surgelées tant que vous y êtes !

Parler de sandwiches à une femme qui aurait rêvé de tenir une auberge gastronomique et qui aurait porté la toque avec honneur, relevait de la provocation. Mais Mary était, ce jour-là, d'humeur taquine.

— Pourquoi pas, en effet. Je connais bien des collègues qui doivent s'en contenter !

— Ce n'est pas une raison pour faire comme eux, leur estomac doit être dans un bel état !

Le capitaine Lester avoua qu'elle ne s'était jamais souciée de l'estomac des collègues en question, ce qui lui valut une véhémente diatribe de la part de sa cuisinière :

— Forcément, vous les jeunes, vous croyez que vous êtes indestructibles !

Elle agita un index vengeur :

— Vous verrez, quand vous aurez mon âge !

— Bof, fit Mary, mon père a votre âge et, pour autant…

Amandine, qui était soupe au lait, s'emporta :

— Votre père ! Votre père ! Il est comme vous, votre père ! Toujours prêt à s'embarquer pour le bout du monde…

— Vous l'avez vu ces temps-ci ?
Amandine rosit et bredouilla :
— Oui, il est passé avant-hier !
Elle posa la cocotte de fonte sur le dessous-de-plat :
— Je vous sers ?
Mary tendit docilement son assiette :
— Je veux bien. Qu'est-ce qu'il a raconté ?
— Qui ça ? demanda Amandine d'un ton bourru, en faisant mine de ne pas comprendre.
— Mon père, bien sûr, pas le jarret de veau !
— Ah… votre père ! D'abord, il a râlé…
— Parce que je ne suis jamais là, je sais. Ensuite ?
— Je crois bien qu'il a dit qu'il partait en Hollande.
— Ah bon. Sur son nouveau bateau ?
— Oui, c'est le lancement ou je ne sais quoi et il voulait vous inviter.
— Trop aimable ! dit Mary. Non mais vous me voyez au milieu des princes arabes et de la jet-set qui va débarquer pour l'événement ?
L'œil d'Amandine s'alluma. Elle avait toujours été très « people » ! Elle minauda :
— Vous croyez ? Il y aura des acteurs de cinéma ?
— Oui, et des princes et des princesses aussi.
La bouche d'Amandine s'ouvrit sur un O admiratif et Mary crut qu'elle ne se refermerait jamais.
— Et vous n'irez pas ? dit-elle dans un souffle.
— Merci ! J'ai bien autre chose à faire.

Voyant l'air consterné de son amie, elle ajouta :

— Mais si vous voulez, vous pouvez y aller à ma place.

— Je n'oserai jamais, dit Amandine en rougissant de plus belle. Et le commandant…

— Quoi le commandant ?

— C'est sa fille qu'il veut près de lui !

— Vous parlez s'il s'en fout ! dit Mary avec humeur. Il pense à moi quand il y a des corvées, c'est tout !

Cette fois Amandine était indignée :

— Vous êtes… vous êtes méchante !

Elle corrigea immédiatement :

— Je voulais dire injuste.

Puis elle ajouta :

— Vous êtes méchante et injuste !

— Allons, allons, calmez-vous Amandine, dit-elle en lui tapotant le dos de la main.

Puis, la regardant par en dessous avec malice :

— Vous ne seriez pas un peu amoureuse de Jean-Marie, vous ?

— Oh ! dit Amandine en rougissant, comme si elle venait d'être surprise en train de regarder un film pornographique. Comment pouvez-vous dire des choses pareilles ? À mon âge…

— Il n'y a pas d'âge pour ça, Amandine !

Mary piqua un morceau de veau sur une petite pomme de terre, souffla dessus car c'était chaud et la dégusta en fondant de bonheur.

Puis elle déclara solennellement :

— Amandine, vous avez raison, votre sauté de veau est meilleur que tous les sandwiches de la terre !

Amandine n'était pas fâchée que la discussion s'éloigne d'un sujet scabreux. Mary savait qu'elle était follement amoureuse de Jean-Marie Le Ster qui lui, feignait de ne rien voir, et Amandine savait que Mary savait, ce qui la gênait beaucoup.

— Alors, dit-elle sarcastique, pour une fois vous menez une enquête pendant laquelle on ne vous tape pas dessus ?

— Pas encore, essaya d'articuler Mary qui avait une patate trop chaude en bouche.

— Comment pas encore ? Vous avez été menacée ?

— Hummm…

— Ça veut dire quoi, ça, hummm ?

Mary finit par avaler sa bouchée ; elle prit un peu d'eau pour apaiser son coup de chaud avant de répondre :

— Je pense qu'il y a un gendarme qui aimerait bien me tirer les oreilles.

— Un gendarme ?

— Oui !

— Qu'est-ce que vous lui avez fait ?

— Rien…

— Mais alors, pourquoi vous en veut-il ?

— Je crois bien que je l'énerve.

Amandine écarquilla les yeux :

— Pourquoi énervez-vous les gendarmes ?

— Ah, ma chère, voilà bien une question fondamentale : pourquoi les chats énervent-ils les chiens ?

— Vous ne faites pas exprès ? demanda Amandine si naïvement que Mary faillit éclater de rire. Elle parvint cependant à garder son sérieux :

— Parfois non...

Amandine la regarda avec réprobation et répéta :

— Parfois ?

Elle n'alla pas plus loin et, après un instant de silence, elle changea de sujet :

— C'est quoi votre enquête, au fait ?

— Une sombre histoire, Amandine.

— Un homme a été tué, je le sais !

— Non, pas tué, massacré...

— Mon Dieu ! fit la cuisinière en portant sa main potelée à sa bouche.

Mary essaya de prendre une voix caverneuse :

— On l'a identifié grâce à la marque de ses chaussures !

— On l'a poussé sous un train ?

— Pis que ça ! On lui a tiré quarante-neuf coups de fusil.

— Quarante-neuf ? Pourquoi pas cinquante ?

— Parce que les gendarmes sont arrivés à ce moment-là et que l'homme n'a pas eu le temps de tirer le cinquantième.

— Donc les gendarmes l'ont pris sur le fait !

— Absolument !

— Alors je ne vois pas pourquoi vous restez enquêter chez ces sauvages !

Depuis que Mary avait vécu une enquête déplaisante et risquée chez les goémoniers de Kerlaouen* sur la côte nord du Finistère, Amandine avait décrété que c'était là un pays peuplé de gens peu recommandables qu'il conviendrait, à l'avenir, d'éviter soigneusement.

— Ils tiennent leur coupable, non ?

— Je crains fort que non, Amandine.

Elle dut lui expliquer que la victime était morte d'un autre coup de fusil, mais pas du même calibre.

C'était un peu compliqué pour Amandine pour qui un fusil était un instrument servant à affûter les couteaux de cuisine. Fusil de chasse, carabine, balles, plombs, douilles, étuis... C'était de l'hébreu pour elle. Quant à lui expliquer la différence entre un pistolet et un revolver, Mary y avait renoncé depuis belle lurette.

Cependant, quand elle lui eut expliqué l'affaire dans le détail, elle fit signe qu'elle avait compris et elle conclut triomphalement :

— Ce qui fait que les gendarmes vous en veulent parce que vous leur avez enlevé un coupable tout prêt.

Et elle ajouta :

— Sauf qu'il n'était pas le coupable !

Mary la complimenta :

* *Voir :* Le renard des grèves.

— Vous avez résumé l'affaire mieux que je n'aurais su le faire !

— C'est un peu embrouillé quand même, dit Amandine pensive, ça ne m'étonne pas que les gendarmes y perdent leur latin !

Mary réprima un sourire : Amandine ne semblait pas avoir une très haute opinion de la maréchaussée. Elle se demanda bien pourquoi. Sa chère voisine n'ayant pas de voiture, ils n'avaient pas pu la prendre en excès de vitesse ni lui enlever des points. Pour une fois le prestige de l'uniforme - auquel Amandine était très sensible - ne semblait pas produire son effet.

Après un nouveau temps de réflexion, Amandine posa la bonne question :

— Mais alors, qui est-ce qui a fait le coup ?

— C'est justement ce que je cherche, dit Mary en terminant son assiette.

Elle bâilla :

— Cet après-midi je vais aller voir mon patron.

— Le commissaire Fabien ?

— Oui. En attendant, j'irais bien faire une petite sieste. Je me suis levée tôt ce matin et mes yeux se ferment...

— Allez-y, dit Amandine. Je reviendrai faire la vaisselle quand vous serez réveillée. Qu'est-ce que vous voulez manger ce soir ?

Quel pays ! pensa Mary en s'allongeant, à peine sort-on de son déjeuner rassasiée qu'il faut penser au dîner ! Ce qui ne la fâchait pas. L'affection quasi maternelle dont l'entourait Amandine Trépon embellissait sa vie.

***

À quatorze heures trente, aussi dispose qu'après une bonne nuit de sommeil, Mary Lester prit le chemin du commissariat. Mais, comme quelque chose concernant les appels téléphoniques l'intriguait, elle fit un détour par l'inspection académique qui occupait une demeure historique près de la cathédrale de Quimper. Elle s'enquit du numéro qu'avait appelé Florent auprès de la standardiste qui la dirigea vers le bureau 106 A où elle fut reçue par une dame d'une cinquantaine d'années qui la scruta par-dessus des lunettes de lecture.

— Que puis-je faire pour vous ? demanda-t-elle enfin.

Mary présenta sa carte :

— Capitaine Lester, Police nationale.

Le front de la dame devint soucieux. Si le français moyen manifeste en général une grande méfiance à l'égard de la police, les membres de l'Éducation nationale sont bien plus méfiants encore. On pourrait même dire qu'ils sont carrément hostiles, si ce n'est allergique au mot « Police ».

— Je suis chargée d'enquêter sur la mort de monsieur Raoul Florent…

— Ah…

Elle joignit les mains, ferma les yeux :

— C'est horrible !

Mary hocha la tête affirmativement.

— Vous savez qu'il a été tué à coups de fusil ?

— Oui, dit la dame qui s'était figée.

Et elle ajouta :

— Tout le monde le sait, mais je ne vois pas en quoi…

Mary essaya de la tranquilliser :

— Ma démarche fait partie de la routine policière. Madame Florent a indiqué avoir téléphoné à ce bureau vendredi vers neuf heures.

— En effet, dit la dame. Je m'en souviens très bien. C'était au sujet d'un stage pédagogique, il me fallait des renseignements. J'avais demandé qu'elle me rappelle sitôt que possible, ce qu'elle a fait.

Mary la regarda dans les yeux :

— Vous êtes sûre que c'est bien elle qui appelait ?

— Évidemment ! Pourquoi cette question ?

— Parce que, pour lui nuire, quelqu'un aurait pu essayer de se faire passer pour elle.

— Impossible ! dit la dame catégoriquement.

— Pourquoi ? On peut très bien imiter une voix.

— Évidemment, encore que la voix de madame Florent soit assez caractéristique pour qu'on ne l'oublie pas, mais en plus…

— En plus ?

— En plus nous avons parlé d'un dossier un peu

compliqué dont nous étions les seules à connaître certains détails.

— Bien, dit Mary en notant sur son petit carnet. Donc vous êtes formelle, c'était bien madame Florent.

— Je l'affirmerais sous serment !

Mary lui sourit :

— Je pense qu'on ne vous en demandera pas tant. Vous êtes madame…

— Campion, Jacqueline Campion.

— Et quelle est votre fonction dans cette maison ?

— Je m'occupe des stages pédagogiques, justement…

— Ce qui vous amène à être souvent en contact avec madame Florent ?

— Oui, d'ailleurs je la considère plus comme une amie que comme une collègue.

— Vous connaissiez également son mari ?

Madame Campion parut plus réticente :

— Moins bien que Gisèle… Je n'avais pas affaire à lui professionnellement.

— Bien sûr. Monsieur Florent avait pris une retraite anticipée, il me semble.

La bouche de madame Campion se crispa comme celle d'une couturière qui tient des épingles entre ses lèvres et qui ne tient pas plus à en laisser échapper une seule qu'à les avaler.

— En effet.

— Savez-vous pour quelles raisons ?

La bouche de madame Campion se serra encore un peu plus.

— Convenance personnelle, je crois.

— Ouais, dit Mary sans insister, il préférait donner des cours de tennis.

— Sans doute…

Mary relut ses notes et referma son carnet.

— Bien… C'est tout ce que je voulais savoir. Je vous remercie, madame.

Madame Campion parut soulagée :

— C'est tout ?

— Pour moi, oui, assura Mary. Je fais la tournée des personnes à qui madame Florent a téléphoné.

Elle lui adressa son plus beau sourire.

— La routine… On n'y échappe pas, quelle que soit l'administration à laquelle on appartient. Au revoir madame.

Cinq minutes plus tard, elle poussait la lourde porte du commissariat, tout à fait satisfaite du renseignement qu'elle venait d'obtenir. Las ! Le commissaire Fabien avec qui elle aurait bien voulu s'entretenir de l'enquête n'était pas encore arrivé. En revanche Fortin y était. Mary demanda au brigadier de garde de prévenir le patron qu'elle souhaitait le voir dès qu'il serait là, puis elle escalada la volée de marches menant à l'étage et ouvrit la porte du bureau qu'elle partageait avec le grand lieutenant. Il leva un regard surpris sur l'arrivante :

— Tiens donc! Le capitaine Lester nous fait l'honneur d'une visite...

Il se leva pour lui faire la bise et elle demanda, en montrant une série de fiches étalées sur sa table:

— Tu fais une réussite?

Il haussa ses larges épaules:

— Je classe mes fiches, ce n'est pas pareil!

— Tes fiches de quoi?

— D'entraînement. J'anime un stage à la fin du mois.

— Ah...

Depuis quelque temps, le lieutenant Fortin participait régulièrement à la formation des jeunes policiers, leur servant tout à tour de moniteur de tir, leur apprenant à se servir du « tonfa », cette longue matraque munie d'une poignée latérale qui permet de redoutables mouvements rotatifs à condition que l'utilisateur soit bien entraîné à son maniement, faute de quoi il peut fort bien s'estourbir lui-même.

Fortin, lui, en usait avec une virtuosité confondante, et lorsqu'il était muni de cette arme de défense, une douzaine de gouapes déterminées n'auraient pas su l'approcher sans être taillées en pièces.

— Et toi, où en es-tu?

— Toujours sur ce crime de Trébeurnou.

— Avec les gendarmes de Tréouergat?

— Oui.

— Comment est-ce que ça se passe?

— Pas trop bien. Le major qui commande la brigade de Tréouergat à la place de Lucas ne se remet pas du fait que j'aie démontré que le type qui a tiré quarante-neuf coups de fusil de chasse sur Raoul Florent ne peut pas être l'assassin.

— Il y a de quoi ! dit Fortin. Quarante-neuf coups et il ne l'a même pas tué ? Quel manche !

— Il ne l'a pas tué pour la bonne raison que le type était déjà mort... En revanche, il en a fait un drôle de hachis !

Une nouvelle fois, elle lui raconta l'histoire en pensant qu'il faudrait qu'elle remette ça tout à l'heure avec le commissaire Fabien.

— Je finirai par l'enregistrer sur CD, dit-elle avec humeur.

Fortin restant silencieux lorsqu'elle eut tout raconté, elle lui dit :

— J'ai vu un drôle de truc à Carantec.

— Ah ouais ?

— Un type qui faisait du ski dans les rues.

— Tu me charries, il n'y a pas de neige !

— Il n'y avait pas de neige, mais il faisait quand même du ski. Il avait des skis à roulette...

— Tu déconnes...

— Mais non, je ne déconne pas, protesta-t-elle. J'ai même pris des photos !

Elle sortit son appareil numérique et fit apparaître les photos qu'elle avait prises sur le petit écran situé au dos de l'appareil.

— Tiens, regarde ! Des skis jaunes avec des roulettes !

Sur la photo, on voyait le skieur de dos prendre son essor au sortir de la villa *Mon Plaisir*.

— Ouaouh, admira Fortin, c'est pas con, ce truc !

— Non, dit Mary, et je peux te dire qu'il filait, et pas qu'un peu !

Elle fit se succéder les photos et bientôt on vit le skieur de face.

— Ouaouh ! fit de nouveau Fortin, pas étonnant qu'il taille la route, c'est Olivier Duquesne !

Mary en resta sans voix. Elle recula, trouva la chaise derrière elle et se laissa tomber sur le siège plutôt qu'elle ne s'y assit.

— Tu le connais ? fit-elle d'une voix blanche.

— Et comment ! Tout le monde le connaît.

— Pas moi ! protesta Mary.

— Olivier Duquesne, poursuivit Fortin, a été plusieurs fois champion d'Europe de biathlon, et une fois champion du monde !

Elle s'entendit demander :

— C'est quoi, le biathlon ?

— C'est une discipline nordique. En gros ça consiste à faire dans le meilleur temps possible 20 km à ski et, au cours de ces 20 km, à s'arrêter quatre fois pour tirer sur cinq cibles…

— Pour tirer ?

— Ben oui, pour tirer !

Et comme elle le regardait avec les yeux écarquillés, il mima le geste :

— Avec un fusil !

— Un fusil ?

— Une carabine, si tu préfères.

— Une carabine vingt-deux long rifle ?

— Exactement !

Mary posa ses coudes sur ses genoux et enfouit son visage dans ses mains.

— Ça ne va pas ? s'inquiéta Fortin.

Elle se redressa lentement :

— Si Jipi, ça va… Ça va même très bien !

— On ne le dirait pas !

Le grand lieutenant était réellement inquiet :

— Tu veux un verre d'eau ? Que j'appelle quelqu'un ?

Elle se redressa :

— Non ! Non ! Ça va tout à fait bien. Tu viens de me livrer la clé de mon enquête.

— La clé de ton enquête ?

— Oui, le biathlon… Béni sois-tu, Jipi.

— Je ne comprends rien ! fit Fortin. Tu ne pourrais pas être un peu plus explicite ?

Avant qu'elle ait pu répondre, le téléphone sonna et Fortin décrocha en gardant un regard inquiet sur Mary. Puis il couvrit l'appareil de sa large paume et souffla :

— C'est le patron !

Elle lui fit signe de lui passer l'appareil et il dit :

— Je vous passe le capitaine Lester, Monsieur le Commissaire.

— Bonjour patron, dit-elle.

Fabien lui rendit son salut.

— Pouvez-vous me recevoir ?

— Tout de suite ?

— Le plus tôt sera le mieux.

— Alors venez !

— OK, patron, j'arrive !

Elle rendit l'appareil à Fortin qui raccrocha, puis elle ordonna :

— Tu vas venir avec moi chez le patron et je vais t'expliquer…

Fortin regarda ses fiches, semblant tout soudain se demander ce qu'il fallait en faire.

— Chez le patron… ?

— Oui, chez le patron, confirma-t-elle.

En dépit de la contrariété que lui causait cette incursion chez le patron, le grand parut rassuré : après ce qui lui avait paru être un passage à vide, le capitaine Lester avait retrouvé toute son énergie.

Chapitre 25

Mary, Fortin sur les talons, frappa à la porte du commissaire. Quand elle entendit « entrez », elle poussa la porte. Le commissaire Fabien qui venait d'arriver accrochait son pardessus au porte-manteau perroquet en bois verni.

— Ah, capitaine, fit-il d'une voix enjouée, il me tardait d'avoir de vos nouvelles !

Fortin essayait, en vain, de se faire tout petit mais il ne pouvait dissimuler sa carrure de bahut breton derrière la mince silhouette du capitaine Mary Lester.

— Entrez donc, Fortin, puisque vous êtes là, commanda le commissaire Fabien, et asseyez-vous !

Il passa derrière son bureau après leur avoir serré la main et demanda :

— Alors, où en est-on à Trébeurnou ?

— Ça se précise, patron !

L'œil du commissaire s'alluma.

— Voyons cela… Une piste ?

Il arborait la mine gourmande d'un gastronome qui pousse la porte d'un trois étoiles à l'heure du déjeuner.

— Je pense…

— Et où mène la piste ?

— À la femme de la victime, Gisèle Florent, née Niche.

— Tiens donc… Vous pensez qu'elle aurait trucidé son bonhomme ?

— Pis que ça, elle l'a fait faire.

— Un homme de main ?

— Ouais. Un tueur…

— Un tueur ? À Trébeurnou ?

— Il n'y a pas d'autre solution.

— Et ce tueur serait ?

— Un nommé Olivier Duquesne…

Le commissaire fit la moue :

— Connais pas…

— Non, mais Fortin le connaît.

L'attention du commissaire se reporta sur le grand lieutenant qui faisait profil bas.

— Vous connaissez ce type, lieutenant ?

On aurait dit qu'il le soupçonnait de complicité.

— C'est-à-dire, patron, que je l'ai reconnu sur les photos que Mary a faites.

— Parce que vous avez même sa photo ?

— Oui, et l'adresse où il réside actuellement.

— À Trébeurnou ?

— Non, à Carantec, chez une certaine Anika Niche…

— La syndicaliste ? s'exclama Fabien.

— Vous la connaissez ?

— Nini peau de chien ?

Il parut s'excuser de sa sortie :

— C'est son surnom !

— Anika Niche n'est autre que la sœur de Gisèle Florent, articula Mary.

Le commissaire fit une grimace :

— C'est une véritable enragée, celle-là !

— Paraît-il. Mais il semble que ce soit là une caractéristique de la famille. Sa sœur terrorise littéralement les enseignants qu'elle a mission d'inspecter.

— Qu'est-ce qui vous a mise sur sa piste ?

— Un téléphone, patron. Un téléphone portable appartenant à la victime, trouvé sur les lieux du drame. Bizarrement, ce téléphone ne portait aucune empreinte. Or, il avait beaucoup servi dans la matinée du crime.

Elle posa le bordereau de relevé téléphonique sur le bureau du commissaire.

— Voyez vous-même : ont été appelés successivement, l'inspection académique à 9 h vendredi, à 9 h 10 le domicile de Florent, à 9 h 20 la pisciculture de Martin, à 9 h 30 la pisciculture de Martin, à 9 h 40 la pisciculture de Martin.

— Il voulait l'acheter, ou quoi ? demanda-t-il.

Mary secoua la tête négativement en souriant.

— Pas vraiment! Voici maintenant les appels passés du domicile de Florent ce même vendredi matin: 9 h 15 le portable de Florent.

— Je ne comprends pas, dit Fabien en regardant alternativement Fortin et Mary.

Comme Fortin ne semblait pas comprendre davantage, il revint vers Mary.

— Vous ne trouvez pas bizarre, dit-elle, que Florent ait appelé son domicile alors qu'il savait que sa femme n'était pas là?

Le commissaire réfléchit, le visage dans les mains et trouva quelque chose:

— Il aurait pu appeler pour déclencher quelque appareil par téléphone. Ça se fait maintenant, ça s'appelle la domotique, je crois. Vous appelez votre numéro en absence, vous composez un code et votre chauffage se met en route.

— Je ne crois pas, dit Mary.

— Ça existe! insista le commissaire.

— Probablement, mais je ne crois pas qu'il s'agisse de ça!

— Pourquoi?

— Parce qu'à 9 h 15 on a téléphoné de chez Florent SUR LE PORTABLE DE FLORENT. Or, Florent était seul chez lui. Vous pourrez toujours me dire que Florent, ayant égaré son portable, l'a appelé depuis son fixe pour le retrouver.

— Ça ne vous est jamais arrivé?

— Si.

— Alors…

Le commissaire souriait.

— Je me fais l'avocat du diable, bien entendu! Mais je ne fais probablement qu'anticiper ce que dirait l'avocat de madame Florent si on l'attaquait sur ces seules preuves.

— Probablement, concéda Mary. Mais j'ai obtenu le témoignage de madame Jacqueline Campion.

Le front du commissaire se plissa.

— Qui ça?

— Jacqueline Campion. Une dame qui travaille à l'inspection académique et qui a bien reçu un coup de téléphone de madame Florent le vendredi à 9 h.

— Est-elle sûre que c'était elle?

— Cette fois, patron, c'est vous qui vous faites l'avocat de la partie adverse!

— On peut imiter une voix au téléphone!

— C'est ce que j'ai objecté à cette dame, dit Mary, cependant elle m'a assuré bien connaître madame Florent et aussi qu'elle a un timbre de voix très particulier. De plus, elles auraient parlé d'éléments d'un dossier connu d'elles seules.

— Elle serait prête à renouveler ces affirmations officiellement?

— Elle m'a assuré que oui.

Le commissaire réfléchit quelques instants, puis il prit sa décision:

— Fortin, rendez-vous immédiatement à l'inspection académique et recueillez la déposition de cette dame Campion. Et surtout qu'elle la signe. Compris ?

Le lieutenant se leva mais Mary leva la main pour ajouter un mot :

— Avec votre permission, patron, je pense qu'il vaudrait mieux surseoir à cette démarche.

— Pourquoi ? Il faut battre le fer tant qu'il est chaud ! Si cette brave dame venait à se raviser…

— Je pense qu'il vaut mieux éviter de lui mettre la puce à l'oreille. Cette dame Campion est une amie de madame Florent. Pour le moment, nous avons un avantage : le criminel ignore que son crime a été découvert. Tout ce que nous avons comme indications, ce sont ces incohérences téléphoniques. Ça ne tiendrait pas devant un tribunal, comme vous l'avez démontré, n'importe quel avocat aurait beau jeu de les démonter. Ce qu'il nous faut, c'est l'arme du crime.

Fortin s'était réinstallé sur sa chaise. Il suivait sans y participer, mais avec intérêt, l'échange entre le commissaire et Mary.

— Pour la trouver il faut donc perquisitionner…

— Oui, mais où ?

— Eh bien… chez cette dame Niche, puisqu'elle héberge sa sœur.

— D'accord ! Mais cette dame Niche a deux domiciles : celui de Carantec, mais aussi celui de

Morlaix. Celui de Morlaix étant son domicile officiel…

— Eh bien on perquisitionne les deux !

Mary, l'index levé, mit le commissaire en garde :

— Je me permets de vous rappeler que madame Niche est une importante personnalité du monde syndical et qu'elle n'est, officiellement, pas impliquée dans la mort de Florent. Car enfin, qu'avons-nous à lui reprocher ? D'avoir hébergé sa sœur dans un moment difficile, après un deuil cruel ? On va se mettre toute la presse à dos et vous pouvez compter sur madame Niche pour faire monter la pression, crier à la répression syndicale et je vous laisse imaginer la suite.

— Holà ! dit Fabien soudain alarmé. Il imaginait des cohortes de manifestants portant banderoles défilant dans les rues en braillant. C'étaient là des perspectives qui ne lui souriaient pas.

— Je ne vous savais pas si prudente, Mary Lester.

— Il faut l'être, patron. Celui - ou celle - qui a imaginé ce scénario est particulièrement subtil. Tant qu'il - ou elle - prend les flics pour des imbéciles, ça nous laisse un avantage.

— D'accord, mais comment voudriez-vous opérer ?

Elle sourit énigmatiquement :

— Pouvez-vous faire venir Albert Passepoil ?

— Passepoil ?

— Oui, j'ai une mission à lui confier.

— Comprends pas ! grommela le commissaire.

Néanmoins il jeta ses ordres dans l'appareil et attendit la venue de l'informaticien. Lorsqu'il entendit taper timidement à la porte, il ordonna :

— Entrez !

Le pauvre Passepoil entra dans le bureau du patron comme un lapin dans une renardière. Il salua gauchement :

— Monsieur le Commissaire ?

Il regardait Mary et Fortin de biais, semblant se demander ce qu'on lui voulait.

— Bonjour Passepoil ! jeta Fabien assez abruptement.

Puis, d'un coup de tête, il fit signe à Mary de prendre la main.

— Bonjour Albert, dit-elle.

Elle lui tendit un papier :

— Olivier Duquesne... Trouve-moi tout ce qui concerne cet individu : où il habite, sa profession, enfin tout ce qu'il y a sur lui. Je précise qu'il a été champion de biathlon pour qu'il n'y ait pas de confusion. C'est surtout son adresse actuelle qui m'intéresse. Trouve moi aussi tout ce qui concerne mademoiselle Niche, Anika, syndicaliste. Surtout ce qui a trait à son domicile à Morlaix, si elle dispose d'un garage par exemple.

— Bien capitaine... dit Passepoil.

Puis il osa demander :

— Ça sera tout, Monsieur le Commissaire ?

— Pour le moment, oui. Passepoil, c'est prioritaire, dès que vous avez ces renseignements, revenez ici me les porter vous-même !

— Bien patron, dit Passepoil, heureux de s'en tirer à si bon compte.

Il gagna la porte et le commissaire ajouta :

— Et sans en parler à qui que ce soit !

— En... En... Entendu ! bredouilla Passepoil.

Il se fondit dans le couloir comme une ombre.

Chapitre 26

— Maintenant, dit le commissaire Fabien à Mary, expliquez-moi comment ce Florent a trouvé la mort.

— C'est simple, une balle de vingt-deux dans la tête. Ce qui devait passer pour un geste de dément était en réalité un assassinat longuement prémédité et minuté avec une précision horlogère.

Après réflexion, elle reprit :

— Voilà comment je vois les choses : Gisèle Niche a épousé Raoul Florent, un homme plus âgé qu'elle, beau parleur, sportif et membre, comme elle, de l'Éducation nationale. Cependant en dépit des apparences madame est beaucoup plus brillante que monsieur puisqu'elle occupe un poste d'importance à l'académie alors que son conjoint n'est que maître auxiliaire de sport. L'enchantement des premiers temps s'étant estompé, Gisèle Florent s'aperçoit que son mari a des pulsions perverses : il s'intéresse de très près aux jeunes enfants, garçons ou filles d'ailleurs. Le sexe lui importe peu.

— Pédophile ? demanda le commissaire.

— C'est comme ça que ça s'appelle en effet. Pendant un temps, elle s'efforce de le protéger et, connaissant la capacité de nuisance de leur inspectrice, les enseignants qui sont au courant des fâcheux penchants de son mari, se gardent bien d'en faire état. Mais cette situation ne peut pas durer : l'institution sentant venir le scandale contraint Florent à prendre une retraite anticipée. Dans le ménage, rien ne va plus. Sous couvert de stages pédagogiques, madame passe plus de temps chez sa sœur qu'au foyer conjugal. Et puis, elle a rencontré un homme jeune et séduisant, grand sportif lui aussi, avec lequel elle file le parfait amour. Dans ce cas, me direz-vous, on divorce et l'affaire est faite. Seulement il y a la propriété de Trébeurnou que les époux ont achetée ensemble et qu'il faudrait vendre pour que chacun récupère sa part. Florent, qui a de grands projets (gîtes ruraux, implantation d'un camp de mobile homes), s'y refuse. Sa femme le sachant retors, pervers et procédurier, veut se sortir d'une situation qui risque de rester bloquée longtemps. Il faut donc éliminer Florent. Elle élabore alors un plan dans lequel Duquesne va jouer un rôle essentiel, celui de l'exécuteur. C'est, lui aussi, un grand sportif et ce plan utilisera ses capacités physiques.

Au village, il y a un homme fruste auquel Florent a fait tort : Léon Martin. Martin est capable de réactions violentes. Il suffira donc de le pousser à bout et Martin décrochera son fusil pour aller tuer Florent. Mais Martin est aussi un velléitaire, un esprit faible. Gisèle Florent sait que son mari, redoutable manipulateur, est capable de retourner le pauvre type et de s'en tirer sans dommage. Il faut s'assurer que Florent sera tué. Comment ? En faisant intervenir Olivier Duquesne. Duquesne est fou d'amour, Gisèle le mène par le bout du nez. Elle quitte sa maison de Trébeurnou en emportant le téléphone de son mari car il est nécessaire à son plan.

— Pour appeler Martin, dit le commissaire pour montrer qu'il suivait bien.

— Pour appeler Martin, confirma Mary. Mais elle commet deux erreurs : avec cet appareil, elle appelle l'inspection académique, puis son mari, ce qui me permettra de découvrir que ce n'est pas Florent qui a téléphoné à Martin. Ensuite, je suppose qu'elle vient en voiture avec son amant et qu'elle aborde la longue plage par une autre route qui évite Trébeurnou. Après avoir appelé l'inspection académique pour régler les problèmes qu'elle devait évoquer avec madame Campion, elle appelle son mari qui lui dit qu'il va tondre sa pelouse. Florent, qui a dû oublier de lui dire quelque chose, la rappelle immédiatement. D'où ces deux coups de téléphone très proches, l'un du portable vers la maison de

Florent, l'autre de Florent vers son portable qu'il a prêté, ou que son épouse lui a emprunté. Dès lors le sort de Florent est scellé. Madame Florent appelle Martin à 9 h 15 en se faisant passer pour la banque afin d'annoncer à Martin qu'on lui coupe les vivres, elle le rappelle à 9 h 20 en se faisant passer pour le marchand d'aliments pour truites pour lui apprendre qu'on ne lui livrera plus d'aliments pour son cheptel, et enfin elle remet ça à 9 h 30 en se faisant passer pour Florent et en se moquant du pauvre type qui pète les plombs et saute dans sa voiture armé de son fusil de chasse pour régler son compte à Florent. Elle essuie ensuite soigneusement le téléphone, le remet à Duquesne qui porte des gants et Duquesne part à petites foulées vers le domicile de Florent. Il se poste derrière le talus, de l'autre côté de la route, et loge une balle de vingt-deux dans l'œil de Florent. Florent tombe, le tracteur s'arrête, Duquesne balance le portable près du corps de sa victime. Puis il s'éloigne à petites foulées, comme il était venu. Comme la propriété est isolée, il n'y a guère à craindre d'être repéré. Gisèle Florent récupère son amant et le couple rentre tranquillement à Carantec. Peu après c'est un Martin en fureur qui arrive à toute allure, interpelle Florent qui ne répond pas, et pour cause ! Martin, armé de son fusil, entre dans la cour et, croyant que Florent se cache derrière son tracteur, il pique une vraie crise de démence et entreprend de lui tirer dessus, libérant la rage qui l'habite depuis trop longtemps. Aimé Le Berre, l'adjoint au maire qui se promenait non loin de là, entend les coups de feu. Il vient voir ce qui se passe et appelle aussitôt les gendarmes qui interpellent Martin. L'affaire semble entendue : Martin, qui a été pris en flagrant délit, fait un coupable idéal.

— Seulement… dit Fabien.

— Seulement, un grain de sable s'est glissé dans cette belle machinerie.

— Un grain de sable nommé Lester… Chapeau, Mary !

Elle secoua la tête négativement :

— Non patron, le vrai grain de sable, c'est Martin. S'il s'était borné à tirer ses deux cartouches sur le corps de Florent, ça passait comme une lettre à la poste. Ce sont ces quarante-neuf coups de fusil qui m'ont intriguée. À partir de là, j'ai senti qu'il y avait quelque chose qui clochait. Pour autant, nous ne sommes pas encore au bout de nos peines. Il reste maintenant à trouver l'arme du crime et ça ne va pas être le plus facile.

— C'est tout de même bizarre que personne n'ait remarqué ce Duquesne avec son fusil. Ça ne se dissimule pas facilement, un fusil, surtout lorsqu'on est en tenue de jogging !

— Il est probable que Duquesne utilisait une arme démontable, ou pliante, ce qui lui permettait de la dissimuler aisément dans un de ces sacs à dos que portent les joggers.

On entendit à ce moment comme un grattement à la porte.

— Oui, ordonna Fabien distraitement.

Comme personne n'entrait, Fortin se leva et ouvrit la porte derrière laquelle se tenait Passepoil, l'air toujours aussi effaré. Il fit son entrée gauchement car, en présence du commissaire, il ne savait quelle contenance tenir.

— Bon Dieu ! s'exclama le commissaire, qu'est-ce que c'est que ces gratouillis ? Qu'est-ce qui m'a foutu ça, Passepoil, vous ne pouvez pas frapper comme un homme ? Comme ça !

Il toqua vigoureusement de l'index sur la table.

— Oui, Monsieur le Commissaire… acquiesça Passepoil sur un ton qui manquait singulièrement de virilité.

— Vous avez les renseignements ?

— Vou… Voui…

Il tendit des feuillets imprimés au commissaire qui ordonna :

— Donnez ça au capitaine Lester !

— Voui… monsieur le…

— Ça va ! coupa Fabien agacé.

Il tendit les feuillets d'une main trémulante à Mary qui s'en empara avec un sourire complice.

— Merci Albert !

Le commissaire ne voulut pas être en reste pour signifier son congé à l'informaticien :

— Merci Passepoil, vous pouvez disposer !

Albert Passepoil s'évanouit de nouveau comme une ombre.

— Ce type me désespère, dit Fabien lorsque la porte se fut fermée sur Passepoil, qu'est-il venu fiche dans la police ?

— Allez-y doucement avec lui, conseilla Mary. Passepoil est un type précieux. Peut-être le plus précieux de tout ce commissariat.

Elle corrigea le tir :

— À part vous, bien entendu !

Le commissaire la toisa d'un air méfiant :

— La brosse à reluire maintenant, Lester, vous êtes malade ou vous vous fichez de moi ?

— Je ne me permettrais pas, patron !

Puis elle sourit :

— Je fayotte juste un peu.

Fortin, effaré, regardait le capitaine avec des yeux grands comme des soucoupes. Comment pouvait-elle se permettre de parler au grand patron de la sorte ?

Sans se préoccuper des états d'âme de son coéquipier, Mary revint à ses papiers :

— Qu'importe, ce bon Passepoil m'a trouvé tout ce que je cherchais, comme d'habitude. L'adresse de Duquesne à Guingamp où il loue un appartement et un garage, c'est tout ce qui me manquait. Tiens, je vois aussi que madame Niche dispose d'un garage dans sa cité HLM. Ce n'est pas courant, ça !

Elle continua de lire et s'exclama :

— Au fait, savez-vous ce qu'il fait, ce Duquesne ?

— Non.

— Il est DTN à la FFS et en plus, préparateur physique dans un club de foot !

Le commissaire se fichait bien de la profession du tueur présumé.

— DTN à la FFS, c'est quoi ça ? Vous ne pouvez pas parler français ?

— Je ne sais pas, patron, je ne fais que lire !

Fortin intervint pour la traduction :

— Directeur Technique National à la Fédération Française de Ski.

Mary siffla admirativement :

— Ça sert de lire *l'Équipe* !

— Qu'importe sa profession ! dit le commissaire impatienté par ces digressions. Comment comptez-vous opérer ?

— L'idéal aurait été d'avoir des commissions rogatoires pour fouiller simultanément l'appartement de fonction d'Anika Niche à Morlaix, la villa *Mon Plaisir* à Carantec, l'appartement et le garage d'Olivier Duquesne à Guingamp et la maison de Raoul Florent à Trébeurnou. Mais, vous en conviendrez, ça me paraît un peu ambitieux comme programme. Je ne sais pas quel juge nous délivrerait, sur de simples présomptions, toutes ces commissions rogatoires simultanées. Ensuite, il faudrait le personnel voulu pour les mener, ce qui, compte tenu des effectifs, me paraît tout à fait irréalisable.

— D'autant, dit le commissaire, qu'officiellement cette enquête est toujours du ressort de la gendarmerie de Tréouergat.

— Je ne le perds pas de vue, assura Mary. Je serais même d'avis qu'on leur donne tous les éléments dont je dispose et qu'ensuite le major Langlois procède aux perquisitions, ainsi qu'aux arrestations et interrogatoires qui devraient en découler.

Le commissaire Fabien en resta sans voix :

— Vous avez fait tout le boulot et vous voulez laisser les gendarmes tirer les marrons du feu ?

— Je n'en fais pas une question de préséance, patron.

— Quand même ! grommela Fabien, si vous n'étiez pas intervenue, c'est un innocent qui aurait été accusé tandis que les coupables s'en tiraient sans être inquiétés le moins du monde.

— C'est vrai, mais il est temps que le major et ses hommes assument leur part du travail et, de vous à moi patron, aller perquisitionner chez cette Anika Niche, ça ne va pas être du gâteau !

Le commissaire pointa son index vers Mary :

— Mary Lester, je vous connais assez pour savoir que vous avez une idée derrière la tête !

Elle regarda son patron de ses grands yeux limpides, comme si elle n'en croyait pas ses oreilles :

— Qu'allez-vous imaginer, patron ?

— Vous laissez tomber, comme ça ? Je n'y crois pas !

— Bof, fit-elle, je ne dis pas que je m'en désintéresse. Je garderai bien entendu un œil sur l'opération…

— Un œil ?

— Voire deux, concéda-t-elle, d'ailleurs j'aimerais que Fortin m'assiste dans cette opération d'observation.

— Fortin, hein…

— C'est mon équipier habituel, patron !

— D'accord, dit Fabien, d'accord. Mais je veux être tenu au courant !

Elle lui adressa un de ces sourires séraphiques dont elle avait le secret :

— Comme d'habitude, patron, comme d'habitude !

— Ouais… répéta le commissaire, comme d'habitude… C'est tout ?

— Euh… Ça vous ennuierait si Bensalem accompagnait Fortin ?

— Bensalem ? Le stagiaire ?

— Oui. Fortin s'occupe de sa formation, ça lui ferait un exercice pratique.

— Bensalem ! Cette fois j'en suis sûr, Mary, vous manigancez quelque chose !

— Pour tout vous dire, patron, j'ai un peu peur que les gendarmes ne se fassent avoir par la mère Florent qui me paraît être une souris particulièrement astucieuse. Je voudrais surveiller cette femme, sa sœur et Duquesne. Fortin n'y suffira pas tout seul, Bensalem qui est un virtuose du scooter serait d'un précieux secours.

— D'accord, mais n'oubliez pas que Bensalem n'est que stagiaire.

— Je ne l'oublierai pas, patron, assura Fortin, il sera sous ma responsabilité.

Le grand lieutenant se sentit pris sous le double rayon laser des yeux bleus du commissaire :

— J'en prends bonne note lieutenant, et je saurai vous le rappeler au besoin.

Il se recroquevilla un peu et sortit sur les talons de Mary Lester, mal rassuré.

Chapitre 27

— Qu'est-ce qu'il a encore voulu dire ? grommela-t-il vaguement inquiet lorsqu'ils furent sortis du bureau du commissaire.

Mary haussa les épaules avec insouciance :

— Ne t'inquiète pas… Bensalem nous sera précieux pour filocher le skieur. Tu pourras mettre son scooter dans ton 4 X 4 ?

— Je n'ai plus de 4 X 4, avoua Fortin.

Mary s'arrêta au milieu du couloir, surprise :

— Ne me dis pas qu'on te l'a fauché !

— Non, je l'ai fourgué à un copain, un type de la salle de sport, qui bavait littéralement devant.

— Il ne te plaisait plus ?

— Si…

Le grand paraissait soudain embarrassé. Il finit par lâcher :

— Il était un peu voyant pour mon goût.

Mary admira :

— Tu joues les modestes, à présent ?

Fortin haussa les épaules :

— J'avais besoin de fric, avoua-t-il. Tu comprends, les filles grandissent et ça coûte…

— Je vois. Tu as quand même repris une bagnole ou tu vas en vélo ?

— J'ai repris un break Renault d'occase. Un peu comme l'ancien, mais plus récent. D'ailleurs, il est comme neuf. Mais, pas de problème, le scooter tiendra dedans.

— Alors ça colle. Ah… il faut que tu préviennes ta femme que tu vas être absent quelques jours.

— On restera roupiller là-bas ?

— C'est préférable. Je vais retenir des chambres dans un hôtel de Carantec, comme ça nous serons sur place. Tu partiras demain matin et, pendant que tu prendras tes quartiers, j'irai expliquer la situation aux gendarmes de Tréouergat. Dès que tu seras logé, tu tâcheras de repérer Olivier Duquesne. Tu devrais le trouver à la villa *Mon Plaisir*, route de la Corniche à Carantec. S'il sort, il faudra le prendre en filature pour connaître ses habitudes. Mais attention, surtout ne te fais pas repérer !

— Je sais mener une filoche, tout de même, fit Fortin à moitié vexé.

— Je sais que tu sais, mais Carantec en hiver ce n'est pas Paris, ou même Brest. Les rues sont désertes et on y rencontre plus de petits vieux promenant leur chien que d'Apollons oisifs comme toi.

— Oisif ? Je te signale que je serai au boulot !

— Oui, mais justement ton boulot ce sera d'avoir l'air particulièrement oisif. Tu sauras le faire ?

Fortin hocha la tête :

— Mieux que personne !

Ces dispositions arrêtées, Mary rentra chez elle où Amandine l'attendait devant un feu de bois.

Elles dînèrent en papotant, puis elles regardèrent une émission sur Jacques Brel à la télé.

Mary se coucha vers onze heures et se réveilla à six heures, en pleine forme.

Sitôt sa toilette faite, son petit déjeuner avalé, elle prit la route de Tréouergat. À neuf heures du matin, la Twingo s'arrêtait dans la cour de la gendarmerie.

***

— Eh bien, pour une fois vous êtes à l'heure ! complimenta l'adjudant-chef Lucas en l'accueillant à la réception.

— Oui, et j'ai des renseignements qui devraient faire avancer l'enquête.

— Ah ! fit Lucas. Vous les avez trouvés à Quimper ?

— Oui, dans les relevés téléphoniques que vous m'avez communiqués. Je savais bien qu'il y avait quelque chose qui clochait, mais vous savez ce que c'est, à force d'avoir le nez dessus, on finit par ne plus voir l'évidence.

Lucas était sur ses gardes, vaguement inquiet :

— Quelle évidence ?

— Allons chez le major, je vais vous l'expliquer.

Lucas la précéda et frappa vigoureusement à la porte du major, puis entra sans attendre de réponse.

— Eh, Eugène, dit-il, il paraît que quelque chose d'essentiel nous a filé sous le nez !

— Ah oui ? dit Langlois d'une voix sonore. Et le capitaine Lester a mis le doigt dessus, évidemment !

On faisait toujours dans le sarcasme. Mary ne daigna pas s'en offusquer.

— Même pas, major, comme je l'expliquais à Lucas, à force d'être plongé dans une affaire, de chercher les plus minces des indices, on ne perçoit plus les évidences. C'est mon patron…

— Le commissaire Fabien ?

— Oui, dès qu'il a vu les relevés téléphoniques, il a trouvé le lézard.

— Et c'est quoi, le lézard ?

Elle posa le feuillet devant le major et posa l'index sous un chiffre :

— 9 h, lut-elle, appel à l'inspection académique. 9 h 10, appel au domicile de Florent, 9 h 15, appel chez Martin, à la pisciculture… 9 h 20, appel chez Martin à la pisciculture… 9 h 30, appel chez Martin à la pisciculture…

— Et alors ? demanda le major.

— Nous avons supposé que c'était Florent qui avait appelé Martin à trois reprises…

— Qui voulez-vous que ce soit, demanda le major, ces appels émanaient d'un portable appartenant à Florent et trouvé sur les lieux du crime.

— D'accord, mais dans ce cas, pourquoi Florent se serait-il appelé lui-même à 9 h 10 ?

Les deux sous-officiers se regardaient sans mot dire.

— Relisez vos fiches : à 9 h 10, ce portable a appelé le fixe de Florent. Pourquoi Florent, qui était seul chez lui, puisque sa femme était en stage à l'extérieur aurait-il appelé une maison où il savait pertinemment qu'il n'y avait personne ?

Les deux gendarmes se regardaient sans mot dire, vaguement inquiets.

— Je vais vous le dire, moi !

Elle se leva et fit quelques pas dans la pièce :

— Quelqu'un a utilisé le portable de Florent pour appeler Martin, ensuite il l'a jeté dans la cour après avoir soigneusement effacé toutes les empreintes digitales.

— Qui a pu faire ça ?

— Le tueur, tout simplement. Le tueur ou son complice…

— Vous n'auriez pas son nom par hasard ?

Le major sentant la situation lui échapper essayait de s'en tirer par le sarcasme.

— Si, dit Mary. C'est la personne qui a appelé l'académie à 9 h… Ça ne vous dit rien ?

— Il faudrait vérifier à l'académie, dit Lucas.

— Je l'ai fait, Lucas. C'est madame Florent !

— La femme de…

— La femme de Florent, oui. N'oubliez pas qu'elle occupe une fonction importante dans cette administration et sa correspondante se souvient très bien de leur conversation. Tous ces coups de téléphone ont été passés entre 9 h et 9 h 30. Un laps de temps qui ne permet pas de penser que ce téléphone a changé de mains.

— Ça alors, fit Lucas, cette pauvre madame Florent qui était si émotionnée !

— Comédie ! jeta Mary tandis que le major toujours prompt à l'action s'exclamait :

— Il faut la faire immédiatement mettre en examen…

Mary l'arrêta d'un geste :

— Ne nous emballons pas, major ! La chose essentielle pour établir sa culpabilité serait de retrouver l'arme du crime.

— Eh bien, on va perquisitionner chez elle…

— Ça ne servira à rien, depuis la mort de son mari elle habite chez sa sœur.

— Justement, si elle est aussi maligne que vous le dites, ce serait drôlement futé d'aller planquer le flingue là où on n'aurait pas idée d'aller le chercher.

Mary eut un geste d'indifférence :

— Eh bien, allez-y. Ça ne vous fera jamais qu'une quatrième maison à fouiller.

— Quatre ? s'étonna la major, quelles sont les trois autres ?

— D'abord le domicile de madame Niche à Carantec, où elle réside avec sa sœur, puis son autre domicile à Morlaix et enfin le domicile d'Olivier Duquesne à Guingamp.

— Qui est ce type ?

— Celui que nous désignons depuis le début de l'enquête sous le nom de l'assassin. Il s'agit d'un nommé Olivier Duquesne qui fut champion de biathlon. Vous savez en quoi consiste le biathlon ?

Les deux gendarmes se regardèrent.

Lucas avança :

— C'est du ski, non ?

— Oui, mais d'un genre un peu particulier. C'est une épreuve de ski combinée avec une épreuve de tir. Ça vous dit quelque chose ?

— La vingt-deux long rifle ? hasarda de nouveau Lucas.

— Pile poil dessus, adjudant-chef ! Vous êtes particulièrement perspicace aujourd'hui !

Elle poursuivit :

— Accessoirement, mais vous ne pouviez pas le savoir, cet Olivier Duquesne est également l'amant de madame Florent.

Les deux gendarmes se regardaient, perplexes.

— Comment savez-vous tout cela ? demanda le major.

— J'ai enquêté, major. Les relevés d'appels téléphoniques que vous m'avez procurés m'ont fourni les éléments permettant de découvrir la supercherie. Une balade à Morlaix, puis à Carantec m'a mise sur la piste d'un curieux individu qui fait du ski à roulettes dans les rues de la station. Je l'ai pris en photo, ce qui m'a permis de l'identifier. Il s'agit d'Olivier Duquesne, Directeur Technique National à la Fédération Française de Ski, demeurant à Guingamp 16 rue Vieille du Temple.

— Vous pensez qu'il a toujours le fusil ?

— C'est probable. Jusqu'à présent, tout le monde est persuadé que Martin est coupable et personne ne sait qu'on a retrouvé un projectile de vingt-deux long rifle dans la boîte crânienne de Florent. Actuellement, Duquesne séjourne à Carantec chez une dénommée Anika Niche, au 17 de la rue de la Corniche.

— Il faut perquisitionner là-bas aussi !

— C'est ce que je viens de vous dire, et aussi dans l'autre domicile de cette Anika Niche, à la résidence *Les Acacias* à Morlaix.

Le major se leva en bousculant son fauteuil qui bascula.

— Je vais immédiatement demander des commissions rogatoires, assura-t-il.

— Si vous croyez que vous les aurez comme ça, en claquant des doigts, vous vous trompez, major. Ça prendra plus de temps que vous ne pensez.

— Qu'est-ce qui vous fait dire ça ? Les commissions rogatoires, lorsqu'elles sont bien étayées, sont délivrées sur l'heure.

— Oui mais là, vous vous risquez en terrain miné. Anika Niche est le numéro deux d'un puissant syndicat. À mon avis, avant de vous autoriser à fouiller chez elle, le juge va vouloir se couvrir.

Elle eut un geste désinvolte.

— D'ailleurs, ça n'a pas d'importance ; nous ne sommes plus à un jour près. Ce qu'il faut c'est que rien ne transpire de nos dispositions, et que les opérations soient menées simultanément aux trois adresses dites.

Elle se leva :

— Je vous laisse prendre vos dispositions, Messieurs…

— Vous ne restez pas…

— Pour la perquisition ? Non. Je ne fais pas partie de la gendarmerie et désormais l'affaire est entre vos mains.

Les gendarmes paraissaient soudain décontenancés. Était-ce parce qu'ils se souvenaient du fiasco de la première perquisition, chez Le Berre, opération à laquelle Mary Lester n'avait pas participé et qui avait failli tourner au désastre ?

Elle montra son téléphone portable :

— Si vous me cherchez, dit-elle, vous avez mon numéro. Je ne serai pas loin. Messieurs…

Elle les salua de la main et remonta dans la Twingo sous le regard perplexe des gendarmes. Puis elle reprit la route de Quimper où elle arriva pour déjeuner. À 14 h 30 elle poussa la porte de l'inspection académique et annonça à la réception qu'elle se rendait au bureau de madame Campion.

Celle-ci fut surprise de la voir revenir.

— Pardonnez-moi de vous déranger une nouvelle fois, lui dit Mary. En fait, j'aurais dû vous convoquer au commissariat pour vous faire signer votre déposition. Comme je pense que vous avez du travail, autant que je recueille vos déclarations ici, je taperai la déposition au commissariat et vous n'aurez plus qu'à passer la signer. Ce sera l'affaire de cinq minutes.

Montrant une chaise, elle demanda :

— Je peux m'asseoir ?

— Je vous en prie, dit madame Campion un peu coincée. Mais pourquoi vous faut-il une déposition écrite ?

Mary joua les nunuches de service :

— Je n'en sais rien. C'est mon patron qui l'exige. Moi vous savez, ce que le patron veut, je le veux !

Elle sortit un bloc et commença à écrire en lisant à haute voix :

— Je, soussignée madame Campion Jacqueline.

Elle leva les yeux sur madame Campion qui semblait soudain mal à l'aise.

— C'est bien Jacqueline votre prénom ?

— Oui, dit la dame un peu haletante. Mais en quoi le fait que madame Florent ait téléphoné à 9 h ici…

— Je n'en sais rien, dit Mary, il paraît que le minutage de la journée est particulièrement important. Vous comprenez, il y a eu meurtre tout de même!

— Je sais bien, mais on a arrêté le coupable!

— Oui, mais c'est bizarre, dit Mary sur le ton de la confidence, l'enquête continue!

— Vous voulez dire que ce Martin ne serait pas le meurtrier?

— Je n'en sais rien, assura Mary d'un air détaché, peut-être qu'ils cherchent des complicités…

— Des complicités? On a dit qu'il avait agi seul et de son propre chef.

— Vous en savez plus que moi, dit Mary, en tout cas, pour le moment il n'a rien avoué!

Elle leva un regard inquiet sur madame Campion:

— Mais je ne vous ai rien dit, n'est-ce pas. Il ne faudrait pas que cette information arrive aux oreilles d'un journaliste avant que les perquisitions aient eu lieu.

— Quelles perquisitions?

— Il va y avoir des perquisitions tous azimuts, dit Mary, forcément, ils cherchent…

— Ils cherchent quoi?

— Je ne sais pas, moi. Des éléments qui leur auraient échappé…

— Ah bon! dit madame Campion. Ça alors! Et vous pensez que madame Florent…

— Madame Florent, les habitants de Trébeurnou, d'autres personnes dont nous ne savons rien…

L'enquête repart de zéro, la première chose est de fouiller chez tous les protagonistes de l'affaire. La famille de la victime étant en première ligne.

— La pauvre ! fit madame Campion d'un air affligé.

— C'est la procédure habituelle, dit Mary en levant les yeux au ciel. Mais surtout, gardez ça pour vous. Il n'y a rien de plus désolant, lorsqu'on procède à une perquisition, que de voir débarquer deux douzaines de journalistes, des caméras, etc. Si on ne trouve rien on passe pour des imbéciles et mon chef n'aime pas ça.

Elle reprit la rédaction de son document :

— Donc, le vendredi deux mars à 9 h, vous avez reçu un coup de téléphone de madame Florent.

Madame Campion hocha la tête affirmativement. Visiblement, elle avait la tête ailleurs.

— ...Que vous avez formellement identifiée, poursuivit Mary en continuant d'écrire.

Elle leva la tête sur son interlocutrice :

— C'est ça qui est important : que vous l'ayez formellement identifiée.

— Je crois l'avoir identifiée, balbutia madame Campion.

Mary leva sur elle un regard ennuyé :

— Ah non ! La dernière fois vous m'avez assuré que ça ne pouvait être qu'elle, que vous aviez formellement reconnu sa voix et que, de surcroît, vous aviez évoqué des éléments de dossier qui ne pouvaient être connus que d'elle et vous !

— En effet ! Ah, je ne sais pas, je ne sais plus...

La pauvre dame paraissait désemparée. Elle se demandait si, en faisant cette déclaration, elle aidait ou desservait son amie.

— Attendez, dit Mary en se rembrunissant, moi je vous ai fait confiance ! J'ai annoncé à mon patron que vous aviez, sans le moindre doute, identifié madame Florent comme votre correspondante. Maintenant vous ne semblez plus être aussi formelle.

Elle avait vraiment l'air contrariée. Comme l'autre ne répondait pas, elle dit avec humeur :

— Bon, j'ai d'autres dépositions à prendre... Je note ce que vous avez déclaré la dernière fois, vous pourrez passer signer votre déposition au commissariat en fin de soirée ou demain matin. Maintenant, si vous ne voulez pas la signer, vous vous expliquerez avec le commissaire Fabien, ou avec le juge.

— Le juge ? dit madame Campion effondrée.

— Dame, il y a eu mort d'homme, dit Mary en refermant son bloc. Ça se terminera en cour d'Assises, cette histoire-là, et il est possible que vous soyez appelée à la barre.

Elle se leva et mit la main sur ses lèvres :

— En attendant, motus ! Mon patron dit toujours que je cause trop, je ne voudrais pas me faire remonter les bretelles une nouvelle fois.

Avant de sortir elle s'arrêta :

— Ah, j'oubliais, si jamais j'étais absente lorsque vous passerez, demandez le lieutenant Passepoil, je lui laisserai les documents et j'insisterai pour qu'on ne vous fasse pas attendre.

Elle posa son index sur ses lèvres et quitta une dame Campion médusée en lui adressant un salut de la main.

Puis elle gagna le commissariat, tapa la déposition, et en fit trois exemplaires qu'elle confia à Passepoil.

— Tiens Albert, une dame Campion doit venir signer sa déposition. Tu lui diras que j'ai dû m'absenter et tu la feras signer. Ensuite tu déposeras ces feuillets sur mon bureau.

Puis elle s'arrêta à la réception où Gertrude Quintrec était de service.

— Alors Gertrude, comment ça va?

— Bien capitaine, dit Gertrude en rougissant.

— Et ce rapport?

Gertrude rougit un peu plus.

— Passé comme une lettre à la poste!

Elle baissa le ton:

— Grâce à vous, capitaine, je vous remercie.

— De rien ma chère Gertrude, répondit Mary de la même manière. Cependant, si je peux vous donner un conseil…

— Bien sûr…

— Même si vous tombez sur des salopards comme le type que vous avez démoli, évitez de vous transformer en justicière. Je sais bien que ça soulage, mais ça ne vous vaudra que des ennuis.

— Bien reçu, capitaine, dit Gertrude en baissant la tête.

Elle posa un regard filtrant sur Mary :

— Mais il y a des fois où on est obligé de se défendre, tout de même.

— C'est vrai, concéda Mary. Si c'est de la légitime défense, c'est autre chose. Mais, dans la mesure du possible, évitez de laisser des marques... Je vous l'ai déjà dit, je crois.

— Oui, capitaine.

— Parfait. Autre chose, une certaine Jacqueline Campion devrait passer signer sa déposition dans la soirée. Ne la faites pas attendre, envoyez-la directement à Passepoil, il est au courant.

— D'accord, capitaine.

Mary lui adressa un clin d'œil complice et quitta le commissariat.

Chapitre 28

Mary avait rejoint Fortin et Bensalem à l'*Hôtel des Flots Bleus* à Carantec. C'était une charmante pension de famille située au cœur de la station, et qui avait l'avantage de n'être pas très éloignée de la villa de Anika Niche.

— Comment ça se présente ? demanda-t-elle à Fortin qui l'attendait.

— Pas mal, j'ai réussi à caser ma caisse dans un coin d'où on peut surveiller le portail de ta bonne femme. Bensalem y est en ce moment.

— Tu as vu Duquesne ?

— Ouais. Il est rentré avec une petite bonne femme aux cheveux noirs coupés courts.

— Gisèle Florent, dit Mary.

— Ils ne paraissaient pas inquiets ?

— Non, ils semblaient même filer le parfait amour. Bien… Mais j'ai lancé un pétard, j'espère qu'il ne va pas tarder à exploser.

— Quel pétard ? demanda le grand.

— Si mes prévisions sont bonnes, la veuve joyeuse ne devrait pas tarder à être avisée que l'on va perquisitionner chez elle.

— Qu'est-ce qui te fait dire ça ?

— J'ai glissé le tuyau dans l'oreille d'une de ses bonnes amies.

— Ah... Pourquoi ?

— Parce que rien n'est plus facile à dissimuler qu'une carabine vingt deux long rifle, surtout si elle est pliante. Ce sont les gendarmes qui vont procéder aux perquisitions. Mais pour moi, ces perquisitions ne donneront rien car Duquesne, qui se croit en sécurité, n'est peut-être pas assez intelligent pour avoir balancé l'arme du crime. Dans ce cas, il l'aura planquée dans un endroit que nous aurons du mal à trouver. Cependant s'il est alerté, il va vouloir se débarrasser de la carabine sitôt que possible.

— Et c'est ta bonne femme qui va l'alerter ?

— À mon avis, compte tenu des relations d'amitié qu'elle a avec Gisèle Florent, elle n'aura rien eu de plus pressé que de lui glisser à l'oreille les informations que j'ai laissé échapper.

— Et tu penses qu'à ce moment il se précipitera pour balancer l'arme ?

— C'est ce que j'espère. Et c'est alors qu'il ne faudra pas le louper.

— On ne le loupera pas, dit Fortin avec détermination.

Après avoir acheté des sandwiches dans un bar du centre, ils rejoignirent Bensalem qui se morfondait dans la voiture de Fortin.

Il regarda les sandwiches avec méfiance mais Mary le rassura : c'était des sandwiches au poulet.

— Ça ne bouge pas ? demanda-t-elle.

— Depuis qu'ils sont rentrés, rien n'a bougé, assura Bensalem.

— Je vais faire un tour par la plage, dit Mary.

La nuit était tombée et elle foula le sable que la marée venait de nettoyer. La véranda de la villa *Mon Plaisir* brillait de tous ses feux. Trois personnes étaient attablées : les sœurs Niche et Olivier Duquesne. Mary se posta derrière son rocher et braqua ses jumelles sur la véranda. À dire vrai, ça paraissait discuter dur. Duquesne faisait de grands gestes tandis que la syndicaliste semblait lui asséner quelques vérités qui paraissaient ne pas lui faire plaisir. Mary regretta de ne pas pouvoir les entendre mais s'approcher eut été trop risqué. Finalement Duquesne se leva d'un coup, faisant tomber sa chaise et se dirigea vers la porte. Anika Niche le suivit tandis que sa sœur desservait la table avec une moue boudeuse. Mary replia ses jumelles et sortit son portable pour appeler Fortin.

— Attention le grand, ça va sortir !

— Ouais, dit Fortin, je vois des lueurs de phare derrière la haie.

— Dis à Bensalem de passer devant en scooter,

puis de se laisser doubler. Ensuite qu'il les suive sans se faire repérer. Moi je reviens au trot. Tu me prends et on les file à distance.

Elle trotta jusqu'à la cale, la remonta et vit la voiture de Fortin qui l'attendait, phares en veilleuse, moteur tournant.

Elle monta à la volée et demanda :

— C'est parti ?

— Ouais, Duquesne et une bonne femme.

— Anika Niche, dit Mary. L'autre, la sœur, est restée à la maison. J'espère que Bensalem ne va pas les perdre !

— Je ne crois pas, non…

Le grand conduisait lentement. À un moment il appuya sur une oreillette et parut parler tout seul.

— Tu les as toujours ? Ouais ? Ils se dirigent vers Morlaix ? Ok…

Il coupa la communication et dit, en montrant son oreillette :

— Bluetooth, c'est épatant ce truc-là ! Ils foncent vers Morlaix !

— Bah, dit Mary, j'aurais dû m'en douter.

— Tu sais où ils vont ?

— Je m'en doute. Tu as un GPS ?

— Ouais, dit Fortin, monté d'origine !

— Tape résidence *Les Acacias*…

— C'est là qu'on va ?

— Il y a des chances.

Ils arrivaient à l'entrée de la ville, là où la route

suit le cours de la rivière. Une voix au timbre métallique se fit entendre : « Tournez à droite, puis tournez à gauche… »

Fortin se laissait guider.

« Continuez tout droit puis au rond-point, prenez la troisième à droite… Prenez la troisième à droite… »

La voiture entrait dans une zone de hauts bâtiments où les télés éclairaient les fenêtres de leurs lueurs blafardes.

— Voilà, dit Mary, c'est la résidence *Les Acacias*.

À nouveau Fortin pressa son oreillette.

— Où es-tu, Thierry ?

Il grimaça et râla :

— Merde ! Je n'entends plus rien !

— Mets ton téléphone sur haut-parleur, commanda Mary. Tiens, passe-le-moi et dégage vers un endroit découvert.

Il y avait un parking vers lequel Fortin se dirigea. La réception était meilleure, on entendit la voix de Bensalem :

— Eh, t'es là, lieutenant ?

— Ouais, dit Fortin. Je suis au milieu du parking.

— Le gus et la meuf sont au fond, dans un garage. Qu'est-ce que je fais ?

— Il faut les arrêter ! dit Mary.

— Mais ils se barrent !

Elle jura, puis ordonna :

— Suis-les !

La voix de Bensalem avait retrouvé l'accent de Pontanézen :

— Ti veux que j'leur fasse le coup de l'accident ?

— Attention, Bensalem, ne prends pas de risques ! s'écria Mary alarmée.

— Hey, quels risques ? dit Bensalem. T'as qu'à suivre, ti vas voir !

Le break de Fortin s'avança tous feux éteints et s'arrêta à la sortie du parking.

— Les voilà ! s'exclama Fortin.

Une Renault Scénic qui arrivait à bonne allure vira dans un crissement de pneus au coin d'un bâtiment. Tous feux éteints, le scooter de Bensalem ne la lâchait pas. Puis, à belle allure, la Scénic reprit la route qui longeait la rivière de Morlaix en direction de Carantec.

— Ils retournent à Carantec, dit Mary.

Ils suivirent un moment l'estuaire que la marée basse avait réduit à un ruisselet encadré de masses vaseuses luisant sous la lune. Sur la droite, au bord de l'eau, il y avait un parking à bateaux. La Scénic s'y engagea et slaloma entre les voiliers posés sur leurs quilles.

— Fonce, ordonna Mary à Fortin. Ils vont balancer le fusil dans la vase et après, pour le trouver, bonjour !

Mais soudain un scooter sortant d'une allée vint couper la route à la Scénic. Le conducteur du scooter donna un violent coup de pied dans l'aile avant droite de la voiture, puis partit en zigzagant et se coucha devant elle dans un jaillissement d'étincelles. La Renault s'arrêta dans un gueulement de freins. Le conducteur du scooter restait allongé sur la route, barrant totalement le chemin à la Scénic.

— Nom de Dieu ! jura Fortin, Bensalem…

Il alluma ses phares et le break se rua vers la forme allongée dans la lumière jaune. Duquesne décomposé sortait de la voiture.

— Vous avez vu, dit-il en prenant Fortin à témoin, vous avez vu ? Il m'a coupé la route !

Fortin le contra :

— Coupé la route ? Vous ne manquez pas d'air, il venait de votre droite, vous lui avez refusé la priorité, voilà ce que j'ai vu !

Mary, morte d'angoisse, s'était accroupie près de Bensalem.

— Ça va ? fit-t-elle en lui touchant l'épaule.

La visière du casque intégral avait volé, ce qui lui permit de voir Bensalem lui adresser un clin d'œil complice en chuchotant :

— C'était bien, capitaine ? C'était un bel accident, non ?

— Tu n'as rien ?

— Mais non ! Dans la cité je faisais ça dix fois par jour.

— Espèce de petit salaud ! gronda-t-elle furieuse, tu m'as fait une de ces peurs !

Puis elle lui ordonna :

— Ne bouge pas !

Autour de la Scénic, ça discutait sec. Anika Niche s'était mêlée à la discussion avec une telle furie que Fortin commençait à perdre pied.

Mary s'approcha et sortit sa carte :

— Police !

La syndicaliste essaya de lui arracher sa carte en hurlant :

— Dégage connasse !

Mary fit un signe de tête à Fortin qui s'approcha de la harpie et lui passa les menottes dans le dos avec une dextérité qui la laissa un instant sans voix.

Mais ce ne fut qu'une pause. Elle recommença bientôt à hurler pour ameuter le quartier, mais les docks étaient déserts. Alors Fortin la balança à l'arrière de son break dont il ferma les portières.

Duquesne, tétanisé, avait suivi la scène sans moufter. Mary s'approcha de lui et lui demanda :

— Qu'est-ce que vous transportez dans cette voiture, monsieur ?

— Rien ! dit Duquesne. On rentrait tranquillement quand ce petit con…

Il s'interrompit et s'écria :

— Mais… Arrêtez-le !

Bensalem s'était relevé, avait redressé son scooter et avait redémarré en le poussant. Ils le virent sauter en voltige en selle et disparaître à toute vitesse derrière une grosse vedette bien calée sur ses tins. La pétarade du scooter troua la nuit, puis s'éloigna et le silence revint sur le groupe stupéfait par cette fuite.

— Le salaud, il n'avait rien ! fit Duquesne.

— On dirait que vous le regrettez, dit sévèrement Mary.

— Je n'ai jamais dit ça ! C'était probablement un scooter volé.

— Un peu tard pour le savoir, dit Mary. Tu as relevé le numéro ? demanda-t-elle à Fortin.

— Rien vu, dit le grand.

Elle s'adressa à Duquesne :

— Et vous, monsieur ?

— Quoi moi ?

— Vous avez relevé le numéro du scooter ?

— Si vous croyez que j'ai eu le temps !

Puis il ajouta :

— Cette affaire est ridicule ! Laissez-nous partir.

— Un instant, dit Mary, votre attitude est pour le moins suspecte. Que transportez-vous dans votre véhicule ?

— Mais rien ! Je ne transporte rien !

— De la drogue, peut-être ?

Mary avait pris son ton d'inquisition.

— De la drogue ? Vous êtes folle ? C'est n'importe quoi !

Fortin le prit à l'épaule :

— N'insultez pas ma collègue, monsieur ! C'est un officier de police dans l'exercice de ses fonctions.

— Je ne l'insulte pas, s'exclama Duquesne contre toute vraisemblance. Je disais qu'il n'y a rien dans ma voiture !

— Eh bien, dit Mary, nous allons nous en assurer.

— Vous n'avez pas le droit ! protesta Duquesne.

Elle le regarda durement :

— Vous parlez de droit, monsieur ? Vous venez de renverser un deux roues qui avait la priorité et vous osez parler de droit ?

— Il n'a rien eu, vous avez vu, il s'est sauvé ! C'était un délinquant...

— Qu'en savez-vous ?

— Pour fuir comme ça...

— Si vous ne vous étiez pas mis à hurler, on aurait pu vérifier, mais maintenant...

Duquesne s'était placé entre les deux flics et sa voiture pour les empêcher de la fouiller :

— Je vous interdis, vous n'avez pas le droit !

— Vous n'avez rien à m'interdire et si vous estimez que je n'ai pas le droit de fouiller votre véhicule, vous aurez le droit de porter plainte ! dit-elle avec détermination. En attendant, écartez-vous ou je demande au lieutenant Fortin de vous menotter vous aussi !

Subjugué, Duquesne s'écarta à regret.

Mary s'approcha de la Scénic avec une lenteur mesurée, regarda à l'intérieur, sous les sièges, ouvrit la boîte à gants qu'elle referma après un bref coup d'œil. Puis elle déverrouilla le coffre avec la clé prise sur le contact. Elle souleva le capot d'où elle sortit un objet emballé dans un sac de jute.

— Qu'est-ce que c'est que ça ? demanda-t-elle à Duquesne.

Elle le vit blêmir.

— C'est… c'est…

Mary posa le paquet sur le capot du break et entreprit de le déballer. Lorsqu'elle vit le canon d'un fusil apparaître, elle siffla entre ses dents et prit des gants de latex dans sa poche. Elle les enfila et finit de déballer l'arme. C'était une carabine vingt-deux long rifle qui se repliait ingénieusement en deux.

— Vous alliez à la chasse ? demanda-t-elle.

— Je vais vous expliquer, balbutia Duquesne.

— Je ne demande que ça !

— Vous ne me connaissez pas, je suis Olivier Duquesne…

— C'est exact, confirma Fortin qui vérifiait les papiers que Duquesne lui avait confiés.

Mary demanda :

— Que faites-vous dans la vie, monsieur Duquesne ?

— Sportif de haut niveau. Actuellement Directeur Technique National à la Fédération Française de Ski.

— Et vous avez besoin d'une arme pour skier ?

— Je pratique une discipline où elle est indispensable, en effet : le biathlon.

— Ah, dit Fortin, une épreuve de ski assortie d'une épreuve de tir...

— En effet.

— Et cette carabine est votre arme d'entraînement.

— Exactement !

Mary sauta sur l'occasion qui se présentait :

— Vous reconnaissez donc que cette arme vous appartient.

— Euh... oui !

Dans la voiture, Anika Niche continuait de vociférer et se contorsionnait en essayant vainement d'ouvrir la portière.

— Elle est enragée, votre copine, dit Fortin, elle va finir par se faire mal.

— Vous risquez de gros ennuis, monsieur, menaça Duquesne, mon amie s'appelle Anika Niche et elle est secrétaire nationale de la Fédération Française des Travailleurs.

— J'en tremble de peur, ironisa Fortin.

— Riez, dit Duquesne, riez... Vous rirez moins quand elle s'occupera de vous.

— Mais c'est qu'il me menacerait ! dit Fortin avec bonne humeur. C'est-y pas que vous auriez peur de cette petite bonne femme ?

Il prit Mary à témoin :

— Un grand garçon comme ça ! Presque champion du monde qui se laisse mener par cette chiure de mouche !

Mary intervint avant que le grand aille trop loin.

— Ne vous inquiétez pas, monsieur Duquesne, vous allez pouvoir rentrer chez vous.

Elle fit un signe de la tête à Fortin qui s'en fut enlever les menottes à Anika Niche. Celle-ci, loin de lui en être reconnaissante, se mit à le traiter de tous les noms si bien que le grand lieutenant dut se faire menaçant :

— Vous voulez que je vous colle un délit d'outrage ?

Duquesne intervint :

— Calme-toi, Anika, nous pouvons rentrer.

— Dommage, glapit Anika Niche de sa voix de poissarde, j'aurais bien voulu qu'il me foute en taule, ce grand con, il aurait entendu parler du pays !

Mary coupa la parole à Fortin qui n'entendait pas se faire traiter de grand con par cette harpie.

— Vous avez de la chance que votre victime se soit enfuie. Et vous avez aussi de la chance d'être tombés sur nous plutôt que sur des gendarmes.

— D'accord, dit Anika Niche, c'est notre jour de chance, quoi ! Il faudrait peut-être vous remercier aussi ?

Elle avait une voix à beugler des chansons révolutionnaires dans les meetings.

Mary la toisa avec mépris :

— On ne vous en demande pas tant !

Duquesne fit un pas vers le capot du break sur

lequel reposait toujours la carabine dans son emballage.

— Permettez que je récupère mon fusil ?

Mary s'interposa :

— Ça non, monsieur ! Nous ne pouvons pas vous laisser trimbaler une arme de quatrième catégorie dans votre voiture.

— En tant que membre licencié de la Fédération Française de Tir, j'ai une autorisation de transport !

— Parfait, dit Fortin sans se démonter, veuillez me la présenter.

— Je… Je ne l'ai pas sur moi ! s'exclama Duquesne avec dépit.

— Dans ce cas, dit Fortin, je me vois dans l'obligation de saisir cette arme.

— C'est du vol ! glapit Anika Niche.

— Pas du tout madame, fit Fortin glacial. Nous agissons conformément à la loi.

Il revint vers Duquesne :

— Vous pourrez retirer votre pétoire à la gendarmerie de Tréouergat dès demain, sur présentation de votre autorisation de transport, bien entendu. Vous n'avez pas commis de hold-up avec, j'espère ?

— Vous voulez rire ? s'indigna Duquesne.

Fortin se pencha sur lui avec son air le plus vache et demanda d'une voix caverneuse :

— Ai-je une tête à vouloir rire ?

Le skieur se recula.

— Je ne voulais pas dire…

— Alors taisez-vous ! ordonna Fortin. Je vais vous faire un reçu en bonne et due forme pour la saisie de votre arme, vous le présenterez avec votre certificat lorsque vous viendrez la récupérer.

Ça ne semblait pas faire le bonheur de Duquesne qui tenta de parlementer.

— Mais enfin, qu'est-ce que ça peut faire…

— La loi c'est la loi, monsieur, dit Mary.

Fortin rédigea un reçu sur un formulaire qu'il détenait dans sa voiture, le data, le signa et le remit à un Duquesne qui n'en menait pas large.

— Vous pouvez disposer ! dit Mary très sèche.

Fortin se pencha vers elle :

— On ne l'a pas fait souffler dans le ballon…

— Pas la peine, il n'y a pas de dommages corporels.

Fortin se tourna vers Duquesne et dit à regret :

— Vous avez de la chance que le capitaine soit là. Moi je vous aurais fait souffler…

Et, après un moment de silence pendant lequel il fixa le skieur d'un air mauvais, il dit à regret :

— Allez, débarrassez le terrain !

Duquesne, le visage renfrogné, monta dans sa voiture et démarra en faisant voler du gravillon. Près de lui, la tronche en biais, la syndicaliste de choc méditait quelque revanche cinglante.

Chapitre 29

— On ne s'est pas fait des copains ce soir, dit Fortin en voyant les feux de la Scénic disparaître.

— Qu'importe, dit Mary en remballant soigneusement l'arme, on tient la carabine. Reste à la porter à la gendarmerie pour la faire expertiser.

— J'espère que c'est la bonne, dit Fortin, sans ça on n'aurait pas l'air cons !

Ce n'est pas ce à quoi ils auraient pu ressembler dans ce cas qui préoccupait Mary Lester, mais bien le fait qu'elle n'entrevoyait pas l'ombre d'une autre piste que celle qui menait à la culpabilité de Duquesne.

— Je l'espère aussi, murmura-t-elle.

Le parking à bateaux était éclairé par des néons qui s'éteignirent tous en même temps. Mary consulta sa montre, il était minuit.

La lune seule baignait maintenant d'une clarté blafarde les bateaux mis au sec. Il n'y avait pas de vent pour faire chanter les haubans, seul, de loin en loin, le bruit d'une voiture passant sur la route leur parvenait, très atténué.

Enfin, une pétarade de scooter se fit entendre et Bensalem fit son apparition slalomant en virtuose entre les bateaux. Un coup de frein énergique mais mesuré fit déraper le scooter qui s'arrêta à trente centimètres de la jambe droite de Mary. Bensalem enleva son casque intégral et jeta, excité :

— Ils sont partis ! dit-il, j'savais pas quoi faire. Faut les suivre ?

— Pas la peine, dit Mary. Mais, espèce de petit salaud, tu m'as fichu une de ces trouilles !

— C'était pas bien ? s'inquiéta Bensalem en regardant alternativement Mary et Fortin.

— Trop bien ! assura Mary. Tu ne t'es pas fait de mal ?

Bensalem protesta :

— Mais non, mon capitaine, j'te jure… Qu'est-ce que je fais maintenant ?

— Rien, tu ne fais plus rien ! L'idéal serait que tu rentres.

— À Quimper ?

Mary réfléchissait :

— Oui, à Quimper, dit-elle. Et surtout, tu ne dis à personne que tu es venu à Morlaix. Pigé ?

— Oui, capitaine.

— Ça ne te fait pas trop long de rentrer à Quimper ?

— Tu rigoles, capitaine ? J'ai de l'essence ! Pas de problème.

— Bon, alors roule…

Lorsqu'il fut parti, Fortin demanda :

— Et nous, qu'est-ce qu'on fait ?

— On rentre se coucher, mon grand ! Demain à la première heure, on file à la gendarmerie de Tréouergat.

***

À huit heures pétantes, le lendemain matin, Mary et Fortin se présentèrent à la gendarmerie de Tréouergat. Rasé de frais, fleurant encore la lotion after-shave, le major Langlois était déjà à son poste. Il regarda Mary entrer dans son bureau sans se départir de cet air de suspicion qu'il manifestait désormais chaque fois qu'elle apparaissait dans son périmètre.

— Bonjour major, dit-elle comme si elle ne s'apercevait pas de l'hostilité affichée par le sous-officier, permettez-moi de vous présenter le lieutenant Fortin.

Le major considéra la carrure de Fortin avec intérêt et lui tendit la main.

— Lieutenant…

Fortin lui rendit la politesse :

— Major… Enchanté !

Si Langlois avait voulu tester la poigne de Fortin, il en avait été pour ses frais car en face il y avait du répondant. Mary le vit réprimer une grimace de douleur et sourit intérieurement.

Puis elle demanda :

— L'adjudant-chef Lucas n'est pas là ?

— Si, dans son bureau, fit sobrement le major. Il s'occupe des commissions rogatoires. Je vais l'appeler.

Il décrocha le téléphone, forma un numéro et demanda :

— Lucas ? Oui, le capitaine Lester est dans mon bureau. Tu peux venir ?

Puis il raccrocha.

— Il arrive.

Il ne fallut pas trente secondes à Lucas pour frapper à la porte. Il n'attendit même pas que le major lui dise d'entrer, la porte s'ouvrit, il était là.

Mary lui tendit la main :

— Adjudant-chef… Permettez-moi de vous présenter mon équipier, le lieutenant Fortin.

Les deux hommes se serrèrent la main de manière civilisée ; Lucas était trop avisé pour tenter de jouer au bras de fer avec un gaillard de ce gabarit.

Mary demanda :

— Alors, Lucas, où en êtes-vous de ces commissions rogatoires ?

L'adjudant-chef fit une moue qui traduisait à la fois son mécontentement et sa déception :

— Vous aviez raison, capitaine, ce n'est pas aussi simple que j'aurais pu le penser. À dire vrai, et comme vous l'aviez prévu, ça coince sur la perquisition au domicile de la dame Niche.

— Je m'en doutais, dit Mary, mais nous allons peut-être pouvoir nous en passer.

Lucas ouvrit de grands yeux :

— Vous ne songez tout de même pas aller fouiller chez cette dame sans l'aval du juge ?

Mary le regarda avec amusement :

— Pour qui me prenez-vous Lucas ? Il n'en a jamais été question !

— Vous me rassurez ! fit l'adjudant-chef avec un air de soulagement évident.

Lui aussi pensait Mary Lester capable de tout.

— Le lieutenant Fortin et moi-même avons fait hier soir une découverte qui ne manquera pas de vous intéresser.

Elle fit signe à Fortin de poser le paquet qu'il tenait sous le bras sur le bureau du major.

— Qu'est-ce là ? demanda le major le front plissé par la perplexité.

— Un cadeau, dit Mary en sortant ses gants de latex de sa poche et en les enfilant.

Sans mot dire, elle défit les nœuds qui enserraient le sac de jute et déballa le fusil.

— Qu'est-ce là ? redemanda le major en fixant l'arme avec intensité.

— Comme vous le voyez, c'est une carabine vingt-deux long rifle automatique, de marque Calico, à crosse pliante. Je vous demanderais volontiers le service de la faire porter immédiatement au laboratoire de police scientifique à fins d'expertise.

Et, comme le major faisait un signe pour prendre l'arme, elle l'arrêta :

— Les empreintes, major ! Si vous devez manipuler cette arme, prenez des gants...

— Diable oui ! fit le major embarrassé. Où avais-je la tête ?

L'adjudant-chef Lucas intervint.

— Puis-je vous demander d'où vous sortez cette arme, capitaine ?

— Je suis là pour vous l'expliquer. Pouvons-nous nous asseoir ?

Le major s'empressa et approcha des chaises. Lorsqu'ils furent installés, Mary prit la parole :

— Je vous avais prédit, Messieurs, que vous éprouveriez certaines difficultés à obtenir le droit de perquisitionner chez une personnalité aussi importante du monde syndical que l'est madame Niche. Comme vous venez de le dire, Lucas, vous n'avez toujours pas la commission rogatoire qui vous autoriserait à le faire.

Lucas hocha la tête en signe de dénégation.

— Je sais également d'expérience qu'on ne peut garder une information secrète indéfiniment et que, dès que filtrerait la nouvelle que Martin n'est pas forcément coupable de la mort de Florent, le vrai coupable se débarrasserait immédiatement de l'arme du crime, à supposer qu'il l'ait conservée jusqu'alors. Pour moi, et pour les raisons que je vous ai exposées, un coupable potentiel tient la corde : Olivier Duquesne qui a toutes les « qualités » - et je mets ce mot entre guillemets, - pour avoir procédé à l'exécution de Florent. J'ai donc décidé, dans le cadre de mon enquête, de surveiller la maison où résidait Duquesne, c'est-à-dire la villa *Mon Plaisir*, dont l'heureuse propriétaire est mademoiselle Anika Niche, sœur de la femme Florent. Pour ce faire, et avec l'aval du commissaire Fabien, je me suis fait accompagner par le lieutenant Fortin, mon équipier habituel.

Les deux gendarmes buvaient littéralement les paroles de Mary. Fortin restait silencieux, se contenant de faire gémir la chaise sous sa masse au moindre de ses mouvements.

— Hier soir, à 22 h 15, une Renault Scénic est sortie de la villa *Mon Plaisir*. Au volant, Olivier Duquesne ; près de lui, sur le siège avant, mademoiselle Anika Niche. Nous les avons suivis discrètement et cette filature nous a conduits jusqu'à Morlaix, résidence *Les Acacias* où madame Niche dispose d'un appartement. Cependant, monsieur Duquesne et madame Niche ne se sont pas rendus à cet appartement, mais jusqu'à un garage situé un peu plus loin dans la cité. Monsieur Duquesne est resté au volant de la voiture tandis que madame Niche pénétrait dans ce garage. Elle n'a fait qu'y entrer et en ressortir, le temps de prendre un paquet qu'elle a déposé dans le coffre de la Scénic. Ensuite la voiture a repris la route de Carantec et, bien entendu, nous avons continué la filature. Je suppose que Duquesne s'est aperçu qu'il était suivi car il a brusquement obliqué vers un terre-plein au bord de la rivière, une sorte de parking pour yachts. J'ai pensé que c'était un chantier naval car il y a de nombreux bateaux entreposés sur ce terre-plein. Comme nous étions persuadés que Duquesne détenait l'arme que nous recherchions et qu'il était décidé à la balancer dans la rivière où elle se serait perdue dans la vase, nous avons essayé d'intercepter la Scénic. Le hasard nous a servis : au cours de son slalom parmi les bateaux, la voiture de Duquesne a percuté un scooter qui venait d'une allée latérale et la Scénic a été contrainte de s'arrêter.

— Et là vous êtes intervenus ! dit Lucas.

— Bien entendu ! Ce coup du sort servait nos intérêts.

— Coup du sort ? répéta Lucas en clignant de l'œil d'un air entendu.

— Attendez, vous n'allez tout de même pas me soupçonner d'avoir organisé cet accident ?

— Non, bien sûr que non ! dit le major en regardant sévèrement l'adjudant-chef d'un air de dire : « Tu déconnes, Lucas ! ».

Lucas se contenta de secouer la tête d'un air de dire : « Qu'est-ce qu'elle est encore en train de nous raconter, celle-là ? ».

Mary se garda bien de remarquer l'attitude sceptique de l'adjudant-chef et poursuivit son récit.

— Je me suis immédiatement inquiétée du sort du conducteur du scooter qui était resté allongé par terre, poursuivit-elle, mais voyant le lieutenant Fortin aux prises avec Duquesne, et surtout avec Anika Niche qui le traitait de tous les noms, je suis intervenue pour la calmer, ce qui n'a pas été simple, le lieutenant Fortin a même été obligé de lui passer les menottes ! J'allais appeler le SAMU lorsque le scootériste accidenté est soudain revenu à lui, a sauté sur sa machine et a disparu. Du coup Duquesne est monté sur ses grands chevaux et nous avons dû le laisser partir.

— Vous l'avez laissé partir ? s'écria le major.

— Ben oui, dit Mary, fallait pas ?

— Un type qui est soupçonné de meurtre ?

— Soupçonné, répéta-t-elle, mais il n'y a toujours aucune preuve !

— Sauf celle-là, dit le major en montrant la carabine. Où était-elle ?

— Sauf celle-là si elle parle, rectifia Mary. Elle était dans le coffre et si j'étais vous, j'enverrais deux hommes toutes affaires cessantes la porter au labo.

Le major décrocha son téléphone illico :

— Dieumadi, ordonna-t-il, à mon bureau, tout de suite !

Quelques instants plus tard, la tête hilare de Dieumadi apparut dans l'écartement de la porte. Il aperçut Mary, lui adressa un clin d'œil complice et se figea en un garde-à-vous impeccable en braillant :

— Mon major…

— Du diable, vous n'avez pas besoin de gueuler comme ça, Dieumadi !

— Non mon major ! dit Dieumadi plus doucement, sans quitter son impeccable garde-à-vous, ce qui parut exaspérer le major Langlois. Cette fois ce fut lui qui beugla :

— Repos !

Immédiatement, comme un pantin à qui on a coupé les ficelles, Dieumadi reprit une posture décontractée. Le major montra du menton le paquet que Mary venait de reficeler soigneusement :

— Prenez une voiture, Dieumadi, et filez immédiatement déposer ce paquet au laboratoire de police scientifique. Vous vous ferez accompagner par Blaise !

— Oui, mon major ! dit Dieumadi en reprenant le garde-à-vous.

— Rompez ! ordonna Langlois.

Dieumadi prit le paquet et sortit après un quart de tour impeccable.

— Ce qu'il m'énerve celui-là ! gronda Langlois.

— Il est pourtant bien poli, ce garçon, glissa Mary, ce qui lui valut un regard noir du major.

— Et maintenant ? demanda Lucas.

— Deux possibilités, dit Mary. J'ai dit à Duquesne qu'il pourrait récupérer sa carabine à la gendarmerie de Tréouergat en présentant les papiers qui l'autorisent à la détenir. Alors, ou il vient, ou il ne vient pas. S'il vient, vous le retiendrez jusqu'à ce que vous ayez les résultats des analyses, s'il ne vient pas, vous serez quitte pour lancer un avis de recherche. Vous avez sa photo, son signalement, voici le numéro de sa voiture. Voici également son adresse à Guingamp ; je pense que vous pourriez faire surveiller son domicile, la villa *Mon Plaisir* à Carantec et l'appartement d'Anika Niche résidence *Les Acacias* à Morlaix.

— Vous pensez qu'il va être assez stupide pour venir se flanquer dans la gueule du loup ? demanda le major.

— Que voulez-vous qu'il fasse d'autre ?

— Il va disparaître dans la nature !

— S'il fait ça, il signe ses aveux.

— À quoi ça nous avancera si on ne le retrouve pas ?

— Tout d'abord à innocenter Martin...

Le major eut un geste d'impatience :

— On le sait, qu'il est innocent !

Mary faillit lui faire remarquer qu'il semblait toujours le regretter mais elle se retint.

Lucas s'en mêla :

— Vous ne pensez tout de même pas que Duquesne aura le front de venir réclamer son arme ?

— Si, je le pense. Duquesne nous a présenté cette arme comme un outil nécessaire à la pratique de son sport. Nous n'avons retenu contre lui que le défaut d'autorisation de détention en lui précisant qu'il pourrait la récupérer en présentant les autorisations nécessaires.

— Tout de même, s'exclama Lucas, il sait ce qu'il a fait avec cette carabine !

— Oui, mais il ne sait pas que nous le savons ! Pour nous résumer, s'il ne vient pas, il est perdu, s'il vient, il y a peut-être une chance pour qu'il la récupère sans difficulté.

— Humpff ! fit le major en regardant Lucas, il faudrait qu'il soit bien naïf !

— Pas nécessairement, major.

Puis elle ajouta en s'adressant aux gendarmes :

— Imaginons, Messieurs, que ce soit vous qui ayez été témoins de l'accident d'hier soir. Qu'auriez-vous fait ?

Avant qu'ils n'aient répondu, elle poursuivit :

— La même chose que nous, probablement. Vous auriez contrôlé les papiers du véhicule, du conducteur, peut-être que vous l'auriez fait souffler dans le ballon, ce que, faute de matériel approprié, nous n'avons pas fait. Cependant je pense que ça n'aurait pas apporté d'éléments à charge contre Duquesne : il était à jeun. Le scootériste accidenté s'étant sauvé, vous pouviez tout au plus gratifier Duquesne d'un procès-verbal pour refus de priorité. Auriez-vous fouillé le coffre de sa voiture ? Je ne le sais pas. Mais si vous l'aviez fait et que vous aviez trouvé la carabine en question, peut-être l'auriez-vous saisie.

— Sûrement ! affirma Lucas.

— Et vous n'auriez pas pu faire autrement que de demander à Duquesne de justifier de son droit à transporter une arme de ce type dans son coffre.

— Où voulez-vous en venir, capitaine ? demanda le major.

— À ceci, major : le lendemain, Olivier Duquesne, sportif de haut niveau, ancien champion du monde de biathlon, se présente à la gendarmerie muni de toutes les autorisations - qu'il détient sûrement - pour récupérer son arme. Que faites-vous ?

Ce fut Lucas qui répondit :

— Eh bien on la lui rend !

— Voilà ce que je voulais vous entendre dire : vous la lui rendez sans autre forme de procès parce que, légalement, Duquesne est couvert. Vous n'auriez bien sûr pas fait expertiser les projectiles tirés par cette arme. Pourquoi l'auriez-vous fait ? Vous tenez le meurtrier de Florent. Duquesne ne peut pas être inquiété ! C'est comme ça qu'il va réfléchir, assura Mary.

— Ça fait beaucoup de suppositions, fit le major le front barré de rides soucieuses.

— Il faut parfois être psychologue, major.

— Psychologue ! répéta le major avec dégoût, comme si c'était un gros mot. Qu'est-ce qu'il ne faut pas entendre ? Je préférerais des aveux !

— Mais vous les aurez, les aveux ! Un peu plus tard, mais vous les aurez ! Continuons à faire de la psychologie si vous le voulez bien : Duquesne vient, muni des documents l'autorisant à la détenir, récupérer son arme ici même. De deux choses l'une : ou il vient seul, ou il vient accompagné.

— Évidemment ! dit le major en levant ses larges épaules. S'il n'est pas seul, il sera accompagné !

Il regarda Mary :

— Il y a des fois…

— Il y a des fois où vous doutez de la qualité de mon raisonnement, et pourtant…

— Pourtant quoi ?

Le major était sur la défensive. Mary insista :

— Selon vous, il viendra seul ou accompagné ?

— Faudrait d'abord qu'il vienne !

— D'accord, mais si nous tenons le fait pour acquis, seul ou accompagné ?

— Est-ce que je sais, et qu'est-ce que ça peut me foutre ?

Elle le regarda avec réprobation :

— Allons, allons, major !

Langlois rougit et Mary déclara :

— Moi je vous parie qu'il viendra seul.

— Pourquoi ?

— Parce que ce type est un benêt. Depuis le début de cette affaire, il se fait manipuler par ces deux harpies que sont les sœurs Niche. Ce sont elles qui ont monté toute cette affaire. Et là, on se retrouve encore devant deux alternatives : soit vous lui rendez son arme et tout va bien, soit vous le mettez en garde à vue. Dans ce cas, si elles ont accompagné Duquesne, elles s'affichent comme complices. Donc je pense qu'elles le laisseront venir tout seul récupérer son arme.

— Mais dans ce cas, dès que Duquesne sera en garde à vue, elles vont faire un foin du diable ! s'exclama le major.

— Je ne crois pas, dit Mary. Elles ne bougeront pas le petit doigt pour le sortir de là. Il aura rempli son office, éliminer un mari encombrant. Dès lors, elles jureront ne rien savoir du crime.

— C'est dégueulasse ! dit le major.

— D'un certain point de vue, oui, admit Mary. Mais pour nous c'est pain bénit : Duquesne va s'effondrer et tout déballer. Pour la suite, vous n'aurez qu'à faire votre rapport et laisser le juge d'instruction débrouiller le vrai du faux et établir les responsabilités de chacun. Votre rôle sera terminé, ce sera à la justice de faire son œuvre.

Il y eut un temps de silence, puis le major laissa tomber :

— Tout ça c'est bien beau, mais encore faudrait-il qu'il vienne !

Chapitre 30

Duquesne se présenta à la gendarmerie de Tréouergat le lendemain à 16 h 15. Dieumadi, qui était de permanence à l'accueil, le reçut avec un grand sourire.

— Voilà, dit Duquesne très sec, j'ai été contrôlé hier soir et un objet m'appartenant a été saisi par la police. Je suis donc venu le chercher.

Mary avait briefé Dieumadi, lui recommandant de faire traîner les choses en longueur.

— Un objet ? fit-il les sourcils interrogateurs.

— Oui…

— Et… quelle était la nature de cet objet ?

— Il s'agit d'une arme !

— Une arme ?

— Oui, une carabine de vingt-deux long rifle destinée au tir sportif.

— Au tir sportif ?

— Oui, au tir sportif! Vous ne savez pas ce que c'est que le tir sportif?

— Oh si, fit Dieumadi, mais je ne savais pas que ça se pratiquait la nuit!

— Je ne vous ai pas dit que je tirais la nuit! Je rentrais avec une amie.

— Ah… d'où ça?

— De son domicile, à Morlaix.

Duquesne, très mal à l'aise, commençait déjà à s'impatienter et Mary qui l'observait par l'entrebâillement de la porte, dans le bureau du major, remarqua à mi-voix:

— Dieumadi est excellent. Il joue son rôle à la perfection. Duquesne est stressé, il n'en mène pas large. Quand aurez-vous les résultats du labo?

— Ça ne devrait pas tarder. L'arme est déjà là, Blaise l'a ramenée dès que les prélèvements ont été faits. On va me les communiquer par téléphone.

— Bien!

Dans le hall d'accueil, la pression montait. La voix de Duquesne se faisait de plus en plus incisive.

— Je ne vois pas pourquoi vous me posez toutes ces questions, j'ai toutes les autorisations pour détenir et transporter cette arme, mais hier j'avais oublié ces papiers chez moi. Aujourd'hui je les ai, les voici, vérifiez-les et qu'on en finisse, nom de Dieu!

Dieumadi se plongea dans l'étude des documents comme s'il voulait les apprendre par cœur. Il finit par se redresser et dit, comme à regret:

— Ça m'a l'air parfaitement en règle !

— Mais bien sûr que c'est en règle ! s'impatienta Duquesne. Alors, cette arme ? Excusez-moi, mais je n'ai pas que ça à faire !

Dieumadi, qui paraissait vissé à son siège, ne bougeait pas plus qu'une souche.

— À quelle heure avez-vous été contrôlé ?

— Vers minuit.

— Où ça ?

— À la sortie de Morlaix, vers Carantec.

— C'était une patrouille de chez nous ?

— Non, c'était un homme et une femme, et ils n'étaient pas en uniforme !

— Un homme et une femme ? Il n'y a pas de femme chez nous ! Et d'ailleurs, ils ne vous auraient pas arrêté s'ils n'étaient pas de service. Et, s'ils n'étaient pas en uniforme, c'est qu'ils n'étaient pas de service.

— Mais bon Dieu ! jura Duquesne, ils m'ont laissé ce papier - il plaqua la feuille que lui avait remise Fortin sur le sous-main de Dieumadi - en me disant de venir récupérer mon arme ici, à la gendarmerie de Tréouergat ! Lisez, c'est écrit !

Dieumadi examina le document avec une lenteur exaspérante et fit remarquer :

— C'est signé d'un lieutenant Fortin…

— Oui, c'est possible…

Mary qui continuait à regarder sans être vue redit en jubilant :

— Dieumadi est excellent ! Le pauvre Duquesne, tout à l'heure, la fumée va lui sortir par les naseaux !

— Il n'y a pas de lieutenant Fortin ici, assura Dieumadi. Vous êtes sûr que c'étaient des gendarmes ?

— Ils m'ont montré leur carte !

— Et qu'y avait-il d'écrit sur leurs cartes ?

— POLICE...

Il épela :

— P O L I C E !

— Ah ben, si c'est la police, c'est pas la gendarmerie ! dit Dieumadi avec un geste fataliste des bras.

— Non mais, vous vous moquez ? glapit Duquesne.

— Je ne me moque pas, monsieur, assura Dieumadi très digne. Je vous dis simplement que ce n'étaient pas des gendarmes !

Et il ajouta après un temps de silence :

— Vous êtes dans une gendarmerie, ici !

— Mais alors, demanda Duquesne décontenancé, où faut-il que je m'adresse ?

— C'hais pas ! dit Dieumadi avec un sourire désarmant.

Le téléphone sonna sur le bureau du major. Il s'en empara avec une rapidité de crotale se jetant sur une musaraigne :

— Allô ?

À mesure que son interlocuteur s'exprimait, le visage du major s'éclairait. Il tendit le poing fermé, le pouce en l'air en signe de victoire et, bizarrement, Mary Lester se sentit tout soudain légère, légère... À la réception, les choses commençaient à se gâter.

— Vous ne savez pas ? hurla Duquesne à l'adresse de Dieumadi, vous ne savez pas mais vous pouvez peut-être vous renseigner ?

La stupéfaction se peignit sur le visage du Martiniquais :

— Faut pas vous énerver comme ça, m'sieur ! Ça ne sert à rien ! On peut s'expliquer calmement.

— Calmement ! gronda Duquesne, calmement ! Comment voulez-vous que je reste calme ?

Dieumadi, qui s'amusait comme un petit fou, inspira à fond et expira longuement avant de conseiller à Duquesne :

— Respirez fort, et puis inspirez...

Il vit les poings de Duquesne se serrer à s'en blanchir les jointures, sa bouche s'étrécir et il pensa : « Je suis bon pour en prendre une... »

Le major sortit alors de son bureau et s'approcha de l'accueil, l'air sévère :

— Que se passe-t-il ici ?

— Ah, monsieur, s'écria Duquesne se jetant sur lui comme un naufragé sur une bouée, peut-être pourrez-vous me renseigner ?

— Je suis le major Langlois, et je commande cette brigade.

— C'est le ciel qui vous envoie ! assura Duquesne.

J'ai été invité hier soir à venir retirer ici une carabine m'appartenant. Elle m'a été confisquée parce je n'avais pas sur moi les documents m'autorisant à la transporter. Je viens donc la reprendre en présentant les documents demandés, et ce monsieur me dit que mon arme n'est pas ici…

— Une arme ? s'exclama le major, que ne le disiez-vous ! Le gendarme Dieumadi n'est pas au courant. Si vous voulez bien me suivre ?

Duquesne emboîta le pas au major après avoir lancé un regard lourd de rancune à l'adresse du gendarme Dieumadi qui n'avait pas rigolé comme ça dans l'exercice de ses fonctions depuis qu'il était entré dans la gendarmerie. Le major s'effaça pour laisser passer Duquesne en lui disant : « Je vous en prie »… Duquesne, qui avait retrouvé un semblant de calme, lui répondit très civilement « merci ». Puis le major lui offrit une chaise et vint s'asseoir derrière son bureau.

Langlois se pencha, prit un paquet qui était appuyé debout derrière son bureau et le posa devant lui. Puis il entreprit de déficeler ce paquet et, lorsqu'il eut fini, la carabine, toujours pliée, apparut.

— C'est bien de cette arme qu'il s'agit ?

— Tout à fait ! assura Duquesne après un bref coup d'œil.

— Assurez-vous qu'elle n'a pas été endommagée, monsieur…

— Duquesne, Olivier Duquesne.

Le DTN prit l'arme, déplia la crosse, ôta la culasse, mira le canon, remit la culasse en place, donna le coup de sécurité* et replia la crosse.

— Ça me semble en parfait état, dit-il avec satisfaction.

— Bien, dit le major, voyons ces papiers ?

Duquesne lui tendit les documents. Le major les examina, puis, regardant son interlocuteur par-dessus ses verres en demi-lunes, il conclut :

— Tout ceci m'a l'air parfaitement en règle.

— Bien, dit Duquesne qui parut soudain soulagé d'un grand poids, je peux y aller ?

Mary ouvrit la porte qui était restée entrebâillée et entra sans faire le moindre bruit.

— Un instant, dit-elle.

Duquesne se retourna d'un bond et devint soudain d'une pâleur mortelle. Il se redressa à demi, les jambes ployées, le buste tourné vers la nouvelle entrante, la main droite crispée sur le dossier de la chaise. Lentement Mary prit une chaise et vint s'asseoir près du biathlète.

— Asseyez-vous, monsieur Duquesne, et dites-moi où vous étiez vendredi matin à 9 h 30.

Duquesne se laissa tomber sur sa chaise en répétant :

— Vendredi matin…

— Oui, à neuf heures trente.

— Je… Je…

Elle ironisa :

* *Le coup de sécurité consiste à appuyer sur la détente après s'être assuré que la chambre ne contient pas de cartouche. On sait ainsi que l'arme n'est plus dangereuse et cela permet aussi de détendre le ressort commandant le percuteur.*

— C'est difficile d'inventer quelque chose comme ça, sur le champ, n'est-ce pas, monsieur Duquesne ?

Duquesne regardait autour de lui comme une bête traquée. Son regard s'arrêta sur la porte qui donnait sur le couloir. Allait-il se précipiter, l'ouvrir, prendre la fuite dans un réflexe irraisonné ? Il n'en eut pas le temps, le lieutenant Fortin vint se camper devant cette porte sans mot dire, et il croisa les bras sur sa poitrine dans une posture de statue.

Devant la porte de l'autre bureau, il y avait l'adjudant-chef Lucas. Derrière la table, cette espèce de gorille à poil ras qui s'était présenté comme étant le major Langlois. Et, près de lui, sur sa chaise, cette jeune femme aux yeux clairs qui, bizarrement, lui paraissait la plus redoutable de la bande. Il n'y avait qu'elle qui parlait, d'ailleurs.

— Je vais vous rafraîchir la mémoire, monsieur Duquesne, vous étiez à Trébeurnou…

— C'est… c'est possible grinça Duquesne, j'y vais souvent m'entraîner…

— Je vois. Et ce jour-là, vous vous êtes entraîné sur la personne de monsieur Raoul Florent.

Duquesne se leva d'un bond :

— C'est faux ! Je n'y allais que pour courir. C'est ce Martin qui a tué Florent !

— C'est ce que vous avez voulu faire croire, c'est aussi ce que nous aurions cru si…

— Si quoi ?

Mary fit le geste de porter un téléphone à son oreille.

— Un informateur, monsieur Duquesne. On croit qu'on est tout seul à la campagne et il y a toujours quelqu'un qui vous voit…

— J'ai été dénoncé, c'est ça ?

Comme personne ne répondait il redemanda plus fort :

— C'est ça ?

— Quelqu'un a témoigné, dit Mary.

— Qui ça ? demanda Duquesne la bave aux lèvres.

Il était pris d'un tel accès de fureur qu'il en tremblait.

— Si on le savait… dit Mary. Les gens n'aiment pas avoir à faire à nos services. Ils ne veulent pas être appelés à la barre pour témoigner. À défaut de le comprendre, il faut l'admettre, ça dérange…

Duquesne se rassit et regarda Mary d'un air méprisant :

— Mais alors, il ne vaut rien, votre témoignage !

— Il a peut-être quand même eu son utilité.

— Ah oui ? fit Duquesne avec l'air d'en douter. Je voudrais bien savoir laquelle.

— Eh bien, on va vous le dire…

Mary fit un signe de tête à l'adresse du major. Celui-ci ouvrit son tiroir et en sortit une petite boîte qu'il vida sur la table. Un petit cylindre gris déformé et un étui de cuivre roulèrent sur le sous-main.

— Sans cette information anonyme, nous n'aurions pas eu l'idée de rechercher ceci…

Elle montrait les deux minuscules objets posés sur le sous-main de buvard vert.

— Ça ne vous dit rien ? demanda-t-elle.

— Une douille de vingt-deux long rifle! fit Duquesne en haussant les épaules. Si vous pensez avoir accompli un exploit en dénichant ça… Il y en a partout dans la nature!

— C'est possible, mais ça dépend de l'endroit où on l'a dénichée, comme vous dites.

— Vous allez sans doute me l'indiquer, fit Duquesne.

— Puisque vous insistez…

Mary tourna la tête vers Langlois :

— Allez-y, major, expliquez-lui…

— La balle a été extraite du crâne de Raoul Florent dit le major d'une voix lente. Quant à l'étui, il a été retrouvé derrière le talus, de l'autre côté de la route près de chez Florent. Et il se trouve que cette balle - les experts en balistique sont formels - a été tirée par cette carabine.

Duquesne, la tête basse, assimilait ces informations qui le prenaient au dépourvu.

Mary relaya le major :

— Vous nous avez dit que cette carabine - incidemment découverte dans votre voiture - vous appartenait… Vous êtes même venu la réclamer ! Il n'y a pas cinq minutes, vous l'avez formellement reconnue. Qu'avez-vous à dire à ce propos ?

Duquesne gardait la tête baissée, muré dans son mutisme.

— Rien, dit Mary, vous n'avez rien à dire ?

Duquesne ne bougea pas d'un pouce, alors elle poursuivit :

— Une seule chose me chagrine, monsieur Duquesne, il y a deux séries d'empreintes digitales sur cette arme. Les vôtres, je suppose, et celle de madame Anika Niche probablement. Nous vérifierons, bien entendu. Maintenant, reste à savoir qui a tiré : vous ? Mademoiselle Niche ?

— Je veux voir mon avocat ! cria Duquesne.

— Vous le verrez, dit Mary.

Elle regarda sa montre :

— Il est 16 h 45, et je vous notifie votre placement en garde à vue à partir de cette heure. Compte tenu du délai prévu par la procédure, vous pourrez appeler votre avocat demain…

Elle se livra à un rapide calcul mental puis précisa :

— …à partir de 12 h 45. Si vous souhaitez être examiné par un médecin, je le fais appeler dès que vous en exprimerez le désir.

Le front bas, buté, Duquesne ne répondit pas.

Mary se leva et lança à Langlois :

— Il est à vous, major !

Chapitre 31

Tandis que le major Langlois s'occupait personnellement de la mise en garde à vue de Duquesne, l'adjudant-chef Lucas, accompagné de son chauffeur habituel, le brigadier Dieumadi et de deux jeunes gendarmes, se rendait à Carantec pour procéder à l'interpellation des sœurs Niche.

La petite ville était calme, comme en léthargie. D'un jardin voisin une colonne de fumée montait toute droite dans le ciel d'un gris tourterelle, mêlant l'âcre senteur des feuillages qui brûlent aux odeurs fortes des goémons étalés sur la laisse de mer.

Des voitures semblaient rouler sur la grève, mais en réalité elles empruntaient la chaussée inondable qui mène à l'île Callot, cette terre qui n'est une île qu'au temps des hautes mers.

Se découpant sur le ciel, trois clochers dominaient les petites maisons de Saint-Pol de Léon. Un peu plus loin, au port de Roscoff, un énorme ferry tout blanc appareillait. Lorsqu'il passa la jetée, on entendit faiblement trois coups de sirène.

Lucas sonna longuement à la barrière de bois massif de la villa *Mon Plaisir* avant que quelqu'un n'arrive. Ce quelqu'un n'était autre qu'Anika Niche et l'insistance qu'avait manifestée l'adjudant-chef pour parvenir à la faire sortir de chez elle ne l'avait pas mise de bonne humeur.

— Que voulez-vous ? aboya-t-elle.

— Mademoiselle Niche ? demanda Lucas sans s'émouvoir.

— Oui ! Et alors ?

Lucas consulta la feuille qu'il tenait à la main.

— Je crois que vous hébergez en ce moment madame Gisèle Florent…

— En effet ! C'est ma sœur. Son mari a été sauvagement assassiné…

— Est-elle là en ce moment ?

— Elle se repose… La perte de son mari, dans des circonstances atroces, l'a cruellement affectée.

— Je comprends, dit Lucas. Mais nous avons besoin de son témoignage. Et du vôtre d'ailleurs.

— De mon témoignage ? Qu'ai-je à voir là-dedans ?

— Je me propose de vous l'expliquer, mais pas ici. Veuillez m'accompagner, nous allons chercher votre sœur, de nouveaux éléments requièrent vos présences en nos locaux.

— Comme ça ? Tout de suite ?

— Oui, madame.

— Je peux très bien aller la chercher moi-même.

— À partir de ce moment, madame, vous n'êtes pas autorisée à communiquer avec qui que ce soit et je dois m'en assurer.

L'extrême politesse manifestée par l'adjudant-chef semblait exaspérer mademoiselle Niche.

— Vous m'arrêtez ?

Mais cette politesse n'était pas exempte de fermeté.

— Pour le moment je vous demande seulement de me suivre à la brigade de gendarmerie avec votre sœur.

— Et si je refuse ?

— Je serai dans l'obligation de vous y contraindre, en vous passant les menottes si besoin est.

Une voix se fit entendre :

— Nini, qu'est-ce que c'est ?

La silhouette de Gisèle Florent se profila dans l'encadrement de la porte de la maison.

Lucas, faisant signe à Dieumadi de s'assurer de madame Niche qu'il repoussa contre le portail, s'avança jusqu'à la nouvelle venue.

— Madame Florent ?

— Oui… Qu'est-ce qui se passe ?

— Veuillez prendre votre manteau et me suivre.

La veuve regimba :

— Vous suivre ? C'est quoi ce délire ?

— De nouveaux éléments me contraignent à vous entendre dans les locaux de la gendarmerie.

Gisèle Florent recula dans l'entrée et Lucas la suivit pas à pas.

— Tout de suite, madame!

— Mais… Je peux tout de même téléphoner…

— Non, madame, vous ne pouvez pas. Prenez un vêtement si vous le voulez, prenez-en un également pour votre sœur et suivez-nous.

— Mais c'est illégal! Je protesterai…

— Vous en aurez le loisir si vous le souhaitez, mais pour le moment, et pour la dernière fois, je vous intime l'ordre de me suivre. Dites-vous bien que vous le ferez, de gré ou de force!

Cette fois Lucas avait élevé la voix. S'il s'était agi d'hommes, il les aurait fait menotter et emballer sans prendre de gants. Lorsqu'il s'agissait de femmes, c'était plus délicat. Avec mauvaise grâce, madame Florent éteignit les lumières et ferma la porte à clé. Puis elle suivit l'adjudant-chef. Sa sœur était déjà dans la camionnette bleue à côté d'un gendarme. L'adjudant-chef la fit asseoir sur une autre banquette près de l'autre gendarme. Puis il monta près de Dieumadi et, sans qu'un mot ait été prononcé, la camionnette prit le chemin de la gendarmerie de Tréouergat. Lorsqu'elle arriva, les deux femmes descendirent, toujours accompagnées des gendarmes et furent séparées. Anika Niche fut conduite dans le bureau du major Langlois, Gisèle Florent dans un autre bureau à l'autre bout du bâtiment. Anika Niche qui semblait avoir retrouvé de sa pugnacité ne jeta pas un regard à la dactylo qui se tenait en retrait derrière un écran d'ordinateur.

— C'est vous le patron ? demanda-t-elle au major de sa voix de poissarde.

— Major Langlois pour vous servir. Je commande en effet la brigade de gendarmerie de Tréouergat.

— Qu'est-ce que c'est que ces manières ? Vous savez à qui vous avez affaire ?

— À madame Anika Niche, je présume.

— Ah, vous savez qui je suis ?

Elle le regardait avec défi, semblant demander, tu sais qui je suis, misérable petit flic, et tu oses me regarder sans trembler ?

— Nous n'avons pas pour habitude d'interpeller les gens sans avoir quelque motif de le faire, dit Langlois d'un ton sec. Pour tout vous dire, j'en ai avisé le parquet qui m'a donné son feu vert.

— Pourquoi suis-je là ?

Le major ne répondit pas. Il prit la carabine qui était appuyée contre l'arrière de son bureau et la posa devant lui.

— Reconnaissez-vous cette arme ?

— Je devrais ?

— Ne répondez pas à une question par une autre question s'il vous plaît. Reconnaissez-vous cette arme ?

— Ben oui, c'est la carabine d'entraînement de mon ami Olivier Duquesne.

— Bien, dit le major avec satisfaction. Vous auriez eu tort de nier, elle porte une belle collection de vos empreintes digitales.

Il posa sur la table la petite balle déformée et l'étui de cuivre.

— Je ne vous demande pas si vous reconnaissez cette balle, à ce stade elles se ressemblent toutes. Elle a été tirée par cette arme…

Le visage d'Anika Niche s'était refermé.

— Vous ne me demandez pas où nous l'avons retrouvée ?

Elle demeura murée dans son mutisme.

— Dans le crâne de votre beau-frère, Raoul Florent.

Elle bondit :

— Mais c'est Martin…

— C'est Martin qui a lardé le corps de Raoul Florent de coups de fusil de chasse, je vous l'accorde, mais votre beau-frère était déjà mort quand Martin a commencé à tirer. Ce qui nous reste à savoir c'est qui se trouvait derrière le fusil lorsque cette balle a été tirée. Vous, ou Duquesne ?

Anika Niche perdit tout soudain ses couleurs.

— Moi ? Mais je n'ai jamais su me servir d'une arme à feu !

— C'est donc Duquesne ?

— Comment le saurais-je ?

— Si ce n'est pas lui, ça ne peut être que vous ! Il y a deux séries d'empreintes sur cette arme, les unes sont à vous, les autres à lui.

Il fit rouler l'étui de cuivre sur son sous-main du bout de son crayon :

— Cette douille ne porte malheureusement aucune empreinte. Sinon, ça aurait pu vous innocenter... ou vous confondre!

Anika Niche fut soudain prise de fureur:

— Mais bordel de merde! Comment faut-il que je vous le chante? J'suis pour rien dans cette affaire, moi! Le mari de ma sœur a été assassiné, je l'ai recueillie chez moi...

Mary, qui enregistrait les déclarations d'Anika Niche, se manifesta:

— Vous l'avez recueillie avec son amant!

Anika Niche fit un bond en se retournant:

— Vous... souffla-t-elle en reconnaissant Mary.

— Moi, oui, dit Mary en se décalant pour qu'Anika Niche puisse la voir en entier.

— C'est vous qui étiez hier...

— En effet, c'est moi qui me suis trouvée sur les lieux de l'accident, sur le parking à bateaux de Morlaix, et qui ai - avec mon collègue le lieutenant Fortin - découvert cette arme dans la voiture de monsieur Duquesne.

— Capitaine, dit Anika Niche avec une âcre dérision, vous êtes capitaine et on vous fait taper à la machine?

— Il n'y a pas de sot métier, chère madame Niche, vous devriez être la première à le savoir. D'ailleurs, on ne me fait pas taper à la machine, comme vous dites. Je le fais de mon propre chef. Et si vous me demandez pourquoi, c'est parce qu'aucun secrétaire ici n'est capable de prendre la conversation dans son entier.

— Et que vous savez le faire…

Elle ironisait toujours. Cause toujours ma vieille, se dit Mary, on va bien voir si tu rigoleras longtemps.

— Tout à fait. Chaque mot que vous dites, avec les questions du major, est enregistré là-dedans.

Elle tapota du plat de la main sur l'ordinateur.

— Vous avez du temps à perdre! maugréa Anika Niche.

Mary précisa:

— On n'a pas de temps à perdre, mais on a tout notre temps pour vous entendre. Vous saisissez la différence?

Elle regarda son écran:

— Nous en étions au moment où vous reconnaissez avoir reçu votre sœur, veuve de fraîche date, et son amant…

— Et alors, rugit Anika comme une tigresse, elle n'a pas l'âge d'avoir un amant, ma sœur? C'est ça qui vous gêne?

— Pas du tout, dit Mary calmement. Elle pourrait même en avoir deux douzaines, que vous pourriez héberger chez vous, vous pourriez même mettre une lanterne rouge au-dessus de votre porte que ça ne me dérangerait, ni ne me scandaliserait. En revanche, quand un homme marié est assassiné par une arme appartenant à l'amant de sa femme et qu'on trouve en plus des empreintes de la sœur de la veuve sur cette arme, ça commence à poser un sérieux problème. Où alliez-vous avec cette arme hier soir ?

— Je rentrais chez moi !

— Vous alliez dissimuler cette arme, peut-être même la faire disparaître.

— C'est quoi ce délire ? demanda Anika Niche avec une moue dédaigneuse.

— Je délire ? demanda Mary.

La moue s'accentua :

— On le dirait bien !

— Alors, donnez-moi votre version des faits.

— Je commence à en avoir marre ! dit Anika Niche. Je veux appeler mon avocat !

— Vous pourrez le faire dans une vingtaine d'heures, dit Mary.

Elle consulta sa montre :

— C'est-à-dire demain, en début d'après-midi.

— Vous voulez dire que…

— Que vous allez rester ici ? Certainement, confirma le major. Tant que vous n'aurez pas donné d'explications satisfaisantes, vous ne sortirez pas des locaux de la gendarmerie.

— Et sinon ?

— Sinon… Je vous l'ai dit, nous attendons des explications satisfaisantes. Donnez-nous votre version des faits, nous aviserons ensuite.

La syndicaliste réfléchit un moment et se lança :

— Eh bien voilà… Ma sœur, suite à son drame

familial, est venue s'installer chez moi. Son ami, Olivier Duquesne, l'a suivie et je n'ai pas cru, voyant son désarroi, devoir lui refuser l'hospitalité. Or ce Duquesne est un champion de biathlon. Ce qui implique que pour s'entraîner il lui faut des skis et aussi une carabine. Il a des skis à roulettes, et cette carabine pliante.

— Il me semble, dit Mary, que ce monsieur serait plus à sa place à s'entraîner en montagne !

— Duquesne est également Directeur Technique National à la Fédération Française de Ski, expliqua Anika Niche. Or les équipes de ski font de fréquents stages au CREPS* de Dinard.

— Donc il arrive chez vous avec armes et bagages, dit Mary.

— Oui, mais moi, j'ai une sainte horreur des armes. Quand j'ai vu cet engin, je l'ai prié d'aller le remiser ailleurs que chez moi.

— Pas d'arme sous votre toit, en quelque sorte.

— Voilà, pas d'arme sous mon toit !

— Vous poussez le pacifisme à un joli degré, admira Mary. Cependant, vous acceptez quand même que cette arme soit entreposée dans votre appartement de Morlaix.

— Pas du tout ! protesta Anika Niche. Elle n'a pas été entreposée chez moi !

— Vous êtes pourtant allée la récupérer à Morlaix. Vous en reveniez lorsque vous avez attiré notre attention en renversant ce scooter.

** CREPS : Centre Régional d'Éducation Physique et Sportive.*

— Oui, mais pas dans mon appartement. Elle était rangée dans un garage où les syndicalistes entreposent leur matériel.

— Qu'est-ce que ça change ? demanda Mary.

Anika Niche ne parut pas comprendre :

— Qu'est-ce qui change quoi ?

— Qu'est-ce que ça change que cette arme soit entreposée dans votre garage plutôt que dans votre appartement ?

— Question de principe ! dit Anika Niche en se drapant dans sa dignité. Pas d'arme chez moi, je vous l'ai dit.

— En revanche, ça ne vous gêne pas que ce soit dans le garage de votre syndicat ? Il y en a peut-être d'autres, d'ailleurs ?

Anika Niche se dressa d'un bond :

— Ça ne va pas, non ?

— Ne vous énervez pas, nous vérifierons.

— Vous ne vérifierez rien du tout ! Si vous croyez qu'on fouille un local syndical comme ça !

— Nous verrons ça en temps utile. Pourquoi Duquesne a-t-il voulu récupérer son arme à minuit ?

— Je crois qu'il projetait de s'entraîner le lendemain.

— Dans ce cas, il pouvait y aller tout seul, à Morlaix.

— Je ne vais pas laisser la clé d'un local où mes camarades rangent leur matériel à un type que je connais à peine ! fit Anika vertueusement.

Mary hocha la tête avec amusement.

— Ben tiens ! Tout à l'heure c'était votre ami et maintenant vous le connaissez à peine ? Le juge va apprécier !

— Quel juge ?

— Vous devez bien vous douter que vous allez comparaître devant un juge ?

— Pourquoi ? Je n'ai rien fait !

— Vous lui expliquerez ça, dit Mary calmement, et si vos explications parviennent à le convaincre, vous ne serez pas inquiétée, naturellement.

Et elle ajouta :

— Bon, pour résumer ce que vous nous avez dit, vous avez refusé de garder l'arme de Duquesne sous votre toit et vous l'avez entreposée, à sa demande, dans le local où les camarades syndicalistes rangent leur matériel. Duquesne voulant récupérer son arme pour s'entraîner, vous l'avez accompagné jusqu'à Morlaix. Là, en rentrant, vous avez eu cet accident dont nous avons été témoins et qui nous a fait découvrir ce fusil.

— C'est exactement ça, fit la syndicaliste d'une voix glaciale.

— Vous n'avez rien d'autre à déclarer ?

— Rien !

— Bien, dans ce cas je vais imprimer votre déclaration et vous demander de la signer.

On entendit le zonzonnement de l'imprimante, puis Mary prit le papier et relut la déclaration d'Anika Niche. Elle leva les yeux sur la syndicaliste :

— C'est bien ça ?

Sans mot dire Anika Niche lui arracha la feuille des mains, la relut soigneusement puis la parapha d'un geste rageur avant de la rejeter vers Mary.

— Merci mademoiselle Niche, dit celle-ci d'une voix égale.

Puis revenant vers Langlois :

— C'est à vous, major.

Langlois se leva, ouvrit la porte et demanda à Dieumadi qui se trouvait dans le couloir :

— Brigadier, madame est en garde à vue.

— Par ici madame, dit Dieumadi en la prenant par le coude.

Anika Niche se dégagea vivement :

— Bas les pattes !

Elle foudroya Langlois du regard :

— Si vous croyez que je vais laisser ce...

— Ce quoi ? demanda Dieumadi de sa voix la plus douce. La lueur féroce qui luisait dans ses yeux sombres démentait la bénignité de son timbre si bien qu'Anika Niche perdît un peu de sa superbe, ce qui ne l'empêcha pas de hausser furieusement les épaules.

— Vous vouliez dire « cet homme », je suppose ? demanda Langlois. Rassurez-vous, nous avons du personnel féminin pour s'occuper des femmes. Allez !

Chapitre 32

Gisèle Florent ressemblait fortement à sa sœur. Même stature, même arrogance dans le regard, même voix, encore que celle de la veuve fût plus grave et plus masculine que celle de son aînée.

Maintenant Mary comprenait pourquoi madame Campion de l'Inspection Académique l'avait formellement reconnue.

En tout cas, la perte récente de son mari ne semblait pas l'accabler de douleur.

— Quelqu'un peut-il m'expliquer ce que je fais ici ? demanda-t-elle d'un air hautain en toisant alternativement le major Langlois et Mary Lester.

— Reconnaissez-vous cette carabine ? demanda le major Langlois en présentant le fusil replié sur son bureau.

Gisèle Florent jeta un bref coup d'œil sur l'arme et laissa tomber :

— C'est la carabine d'Olivier…

— Vous voulez parler de monsieur Duquesne, je suppose ?

— Tout à fait. Je peux même vous dire que c'est moi qui lui ai offert cette arme.

— À quelle occasion ?

— L'occasion, c'est que je l'ai trouvée d'occasion, justement. Olivier rêvait de ce genre d'arme pliable ou démontable afin qu'elle soit moins encombrante à transporter. Et puis un jour, sur internet, j'ai découvert l'oiseau rare. Je l'ai achetée à un particulier et je l'ai payée six cents euros.

— Voilà qui est bien généreux !

— J'aime faire des cadeaux à mes amis.

— L'ennui, dit Mary, c'est que cette arme a servi à tuer votre mari.

— Qu'est-ce que vous me chantez-là ? C'est ce cinglé de Martin qui a tué mon mari !

— C'est ce que vous avez voulu faire croire… En réalité, lorsque Martin s'est acharné sur votre mari, celui-ci était déjà mort. Le cadeau que vous aviez fait à votre amant a servi à loger une balle dans le crâne de votre mari. Fâcheux, non ?

— Comment…

— Comment nous l'avons su ? Tout simplement parce qu'une autopsie a été pratiquée et que le légiste a trouvé ceci…

Elle montra le petit morceau de plomb sur le sous-main du major.

— ... dans la boîte crânienne de votre mari.

— C'est tout petit, dit le major en faisant rouler la balle sur la table, mais on ne va pas loin avec ça dans le cerveau !

— Où étiez-vous vendredi 2 mars à 9 h 30, madame Florent ?

— Où j'étais ? Mais... J'étais chez moi ! Enfin, je veux dire, chez ma sœur.

— Non ! dit Mary.

Gisèle Florent se rebella :

— Vous ne seriez pas en train d'insinuer que je mens ?

— Je n'insinue pas, j'affirme, preuves en main, que vous mentez !

— Allez-y, la défia Gisèle Florent, faites-les voir, vos preuves !

— Vous avez téléphoné à 9 h à madame Campion à l'Inspection Académique. Celle-ci vous a formellement reconnue.

— Et alors ?

— Vous ne niez pas, c'est déjà quelque chose.

— Continuez...

— Vous avez passé cette communication avec le téléphone portable de votre mari, donc vous ne pouviez pas être à Carantec à cette heure.

— Expliquez-moi pourquoi ?

— Parce qu'à 9 h 30 ce même téléphone gisait dans la cour de votre maison de Trébeurnou près du corps déchiqueté de votre mari. Matériellement vous ne pouviez donc pas être en train de téléphoner de Carantec à 9 h et avoir rendu son téléphone à votre mari un quart d'heure plus tard. Entre-temps, vous avez également appelé Martin à trois reprises : une première fois en vous faisant passer pour un banquier, une seconde fois en vous faisant passer pour un marchand de nourriture pour truites, une troisième fois en vous faisant passer pour votre mari et en poussant Martin à bout.

— Qu'est-ce que c'est que cette fable ? s'écria Gisèle Florent, mon mari a été horriblement assassiné et vous ne trouvez rien de mieux à faire qu'à venir m'accuser ? Ah, elle est belle, la police !

— Je crois qu'il faudra trouver mieux pour votre défense, madame, dit Mary.

— Justement, j'en ai assez d'entendre vos sornettes, je veux être assistée par mon avocat !

— Comme votre sœur, vous pourrez l'appeler demain en début d'après-midi.

— Je veux l'appeler tout de suite ! J'exige de l'appeler tout de suite !

— Vous êtes en mauvaise position pour exiger quoi que ce soit, madame, dit le major. Si vous le souhaitez, nous pouvons appeler un médecin, mais pour l'avocat, c'est à partir de la vingtième heure. Voulez-vous être examinée par un médecin ?

— J'en ai rien à foutre de votre médecin.

— Oh là là, dit Mary, le vernis craque ! Je vous signale que votre sœur a signé une déposition…

— Montrez-moi ça !

Gisèle Florent fit un geste pour se précipiter sur Mary mais elle se heurta à une silhouette gigantesque. Fortin était là, derrière la porte de l'autre bureau, prêt à toute éventualité.

— S'il vous plaît madame, fit-il sans la toucher.

Le major avait ouvert la porte du couloir.

— Dieumadi, cette dame est également en garde à vue.

— Bien mon major ! dit Dieumadi hilare.

Puis il jeta à Mary :

— Dis donc, mon capitaine, quelle journée !

Une gendarmette emmenait Gisèle Florent vers le local où elle serait, conformément à la procédure, délestée de ses affaires personnelles et de ses lacets de chaussures.

Mary prit le gendarme par la manche :

— Dieumadi, je voulais vous demander quelque chose.

— Oui, mon capitaine.

— Vous êtes guadeloupéen ou martiniquais ?

Un rire titanesque fit résonner la gendarmerie. Dieumadi se tordait littéralement.

— Qu'ai-je dit de si drôle ? s'étonna Mary.

— Moi je viens du bagne, mon capitaine !

— Du bagne ?

— Oui, je suis guyanais ! Saint-Laurent du Maroni.

À nouveau son rire monumental fit trembler les

vitres faisant sortir le major, furieux, de son bureau.

— C'est encore Dieumadi ! Nom de Dieu, il va falloir le piquer, ce type !

Dieumadi avait la faculté de stopper ses fous rires aussi vite qu'ils lui venaient.

— Pas la peine, mon major, dit-il, le mois prochain je retourne au bagne !

Le major se donna de l'air en écartant du doigt son col de chemise.

— C'est pas trop tôt ! dit-il.

Le rire de Dieumadi résonnait maintenant dans la cour.

Lucas arrivait de l'extérieur.

— Alors ? demanda-t-il.

— Je crois que l'affaire est dans le sac, Lucas.

— C'est Duquesne ?

— Je pense qu'il était derrière le fusil, oui. Mais les deux femmes ont pour le moins autant de responsabilités que lui. Bien entendu, elles vont tout lui coller sur le dos et lui n'aura d'autre recours que de nous dire toute la vérité. Nous saurons la vérité...

— Nous allons les déférer demain, dit le major.

— Si je peux me permettre, dit Mary, je pense qu'il serait bon que les trois prévenus restent séparés. Lorsqu'ils auront été remis à la justice, le juge avisera.

— Qu'est-ce que je fais ? demanda Fortin.

— Tu peux rentrer à Quimper.

— Et toi ?

— Moi je reste encore un peu.

Elle se tourna vers Langlois :

— Si le major le permet…

— Mais je vous en prie, dit le major.

Elle inclina la tête en signe de remerciement.

— Je vais taper mon rapport, annonça-t-elle, et tu pourras dire au patron que je le lui présenterai demain dans la matinée.

Comme elle utilisait l'ordinateur qui se trouvait dans le bureau du major, elle se retrouva avec celui-ci et Lucas.

— Et voilà ! dit-elle.

Lucas la regardait avec un petit sourire, le major, lui, se fendit d'un compliment :

— Félicitations, capitaine !

— Merci Messieurs… Les circonstances ont fini par nous sourire.

Lucas hocha la tête d'un air entendu :

— Le fameux scootériste…

— Entre autre, dit Mary sans s'attarder. Au fait, vous ne l'avez toujours pas retrouvé ?

— Pas encore, dit Lucas, mais ça doit être un champion et si je mets la main dessus, je l'enverrai à la brigade motocycliste avec un mot de recommandation !

Chapitre 33

Après avoir tapé son rapport, Mary en laissa deux exemplaires au major Langlois et en tira trois autres : un pour ses archives - il a servi à rédiger ce livre -, un autre pour le commissaire Fabien, et le troisième pour son vieil ami Corentin Kerloc'h.

Le pisciculteur fut rapidement remis en liberté, et la première chose qu'il fit fut d'ouvrir toutes les vannes des bassins où ses truites commençaient à s'entre-dévorer. Celles-ci descendirent le courant et regagnèrent la mer. On dit que ces poissons venus d'Amérique du Nord cherchent toujours, même après des dizaines de générations, à regagner leur rivière natale. On prétend qu'aucun n'y arrive jamais, la traversée de l'Atlantique, cet océan peuplé de féroces prédateurs, leur est toujours fatale.

Martin négocia ensuite avec Le Berre l'abandon du moulin contre une indemnité qui lui permit de créer une activité plus compatible avec ses aptitudes. Il s'installa dans une petite ferme isolée où il a fondé un club de dressage canin qui commence à avoir une belle réputation. Comme l'avait prévu Mary, le pisciculteur fut condamné conformément à la loi pour destruction de cadavre, mais la peine, compte tenu des circonstances, fut assortie du sursis.

Les frères Le Berre s'attelèrent immédiatement à la réfection du moulin et, comme l'avait dit Aimé, à l'éradication des bassins de ciment.

À l'heure où j'écris ces lignes, Corentin Kerloc'h est en période préélectorale. Tout le monde lui prédit une réélection de maréchal.

Olivier Duquesne, Anika Niche et Gisèle Florent vont comparaître en cour d'Assises sous la très lourde inculpation d'association de malfaiteurs et pour assassinat sur la personne de Raoul Florent.

Quant à Thierry Bensalem, son expérience au commissariat de Quimper a tourné court. Pistonné par Mary Lester (et l'adjudant-chef Lucas), il vient de signer un engagement dans la brigade motorisée de la Gendarmerie nationale.

Ah, une chose encore, Gertrude Quintrec a reçu une lettre de félicitations de la ministre de l'intérieur pour acte de bravoure lors d'une prise d'otage (sic).

Comme me l'a confié Mary Lester après m'avoir raconté cette enquête, la vie dans la police est une perpétuelle source de surprises, et il arrive même qu'elles soient bonnes.

Bien à vous,
J. Failler

Retrouvez les Enquêtes de Mary Lester
et tous les ouvrages des Éditions du Palémon :

www.palemon.fr

Je désire être informé(e) des prochaines parutions des Enquêtes de Mary Lester et autres ouvrages des Éditions du Palémon.

Nom : ....

Prénom : ....

Adresse : ....

....

CP : .... Ville : ....

E-mail : ....@ ....

Signature :

Bon à compléter ou à recopier et à retourner par courrier à l'adresse suivante :

Éditions du Palémon
ZA de Troyalac'h
10 rue André Michelin
29170 SAINT-ÉVARZEC

Retrouvez les enquêtes
de Mary Lester sur internet :
http://www.marylester.com

ÉDITIONS DU PALÉMON
ZA DE TROYALAC'H - N° 10
RUE ANDRÉ MICHELIN - 29170 ST-ÉVARZEC
DÉPÔT LÉGAL 4e TRIMESTRE 2008.
ISBN : 978-2-907572-93-4
ACHEVÉ D'IMPRIMER SUR ROTO-PAGE
PAR L'IMPRIMERIE FLOCH À MAYENNE (71864)
Imprimé en France